COLLECTION TEL

Martin Heidegger

Essais et conférences

TRADUIT DE L'ALLEMAND
PAR ANDRÉ PRÉAU
ET PRÉFACÉ
PAR JEAN BEAUFRET

Gallimard

Cet ouvrage a initialement paru dans la collection « Les Essais » en 1958

L'original de cet ouvrage est paru à Pfullingen en 1954
sous le titre :

VORTRÄGE UND AUFSÄTZE

PRÉFACE
par
JEAN BEAUFRET

Martin Heidegger n'est pas coutumier des préfaces. Tout au plus fait-il parfois précéder les livres qu'il publie d'un bref Vorwort. *C'est le cas pour* Vorträge und Aufsätze. *Se substituer à lui et accumuler, en exergue de son livre, une somme d' « explications » que l'on aura pu tirer des livres antérieurs, les agrémenter aussi d'un système de références où compte serait tenu de toute une littérature déjà si abondante sur l'œuvre de Heidegger serait simplement prétentieux. Et puis, comme l'a dit René Char, « ce labeur de ramassage n'ajoute pas deux gouttes de pluie à l'ondée, deux pelures d'orange de plus au rayon de soleil qui gouvernent nos lectures. »*

Jean Paulhan, cependant, raconte de Braque, le « peintre discret » : on lui disait, devant une nature morte : « Mais cet éclairage n'est pas dans la nature. — Et moi, alors, je ne suis pas de la nature? — Mais cette lumière encore, d'où vient-elle? — Ah, c'est d'une autre toile que vous ne connaissez pas. » Et Braque va chercher l'autre toile.

La lumière vient d'une autre toile, mais d'où vient-elle à l'autre toile? C'est ce que l'histoire ne dit pas. On pourra ici parler d'intuition et ne pas chercher davantage. Que toute philosophie suppose quelque éclair d'intuition qui se manifeste en elle et s'y dérobe tout aussi bien, c'est là aujourd'hui une idée familière aux philosophes, et même à ceux qui ne se piquent pas de l'être. Mais cette intuition, est-ce du ciel qu'elle est tombée? Sinon, d'où peut-elle bien venir? N'en demandons pas trop, disent les philosophes... Pour qu'une telle question ait un sens, peut-être faut-il, en effet, que du retrait soit pris par rapport à la philosophie elle-même — le retrait que suppose la venue au jour enfin de la question : Qu'est-ce que la philosophie?

La pensée de Heidegger est précisément ce retrait. Il déclarait en 1955 aux Entretiens de Cerisy, c'est-à-dire quelques mois après la publication de Vorträge und Aufsätze,: « Il n'y a pas de philosophie de Heidegger, et même s'il devait y avoir quelque chose de tel, je ne m'intéresserais pas à cette philosophie. » Cette déclaration qui parut une boutade laissa l'auditoire tout à fait incrédule. Vous voulez sans doute dire, lui fut-il objecté, que cette philosophie qui est vôtre ne se laisse pas définir par la clôture d'un système? Mais toute philosophie, celle de Nietzsche par exemple, n'est-elle pas une telle ouverture, et système seulement pour ceux qui l'abordent du dehors? « Ce n'est pas de cela qu'il s'agit, répondit alors Heidegger. Ma déclaration n'est nullement une boutade, et, pour être plus précis, elle ne signifie pas seulement que je n'ai pas, jusqu'ici, édifié de système et que je n'en édifierai jamais aucun. Elle signifie que la question que je pose n'est pas une question de la philosophie traditionnelle. Je ne veux nullement dire par là qu'il s'agit d'une question exceptionnelle et qui prétendrait réinventer la philosophie, mais bien de la question qui est caractérisée dans l'Introduction à Qu'est-ce que la métaphysique? comme la remontée jusqu'au fondement de la métaphysique... Dans cette problématique est comprise une position qui, en un certain sens, dépasse la métaphysique — non pas sans doute en ce sens que la métaphysique serait fausse, mais dans la mesure où, en elle, quelque chose demeure en retrait et hors de question, au sens où parle le mot grec Λήθη. »

La pensée de Heidegger, si elle n'est plus philosophie, n'est donc pas non plus extraphilosophique. Elle ne déserte pas la philosophie pour demander à autre *chose — l'art, la science ou la religion — ce que la philosophie, dit-on parfois, serait incapable d'apporter. Elle est au contraire méditation de la philosophie, mais jusqu'à ce qui, en elle, demeure fondamentalement voilé. Car s'il n'y a pas de philosophie de Heidegger, il y a* la *philosophie dans la continuité monumentale de son histoire. Non pas, sans doute, ce que la philosophie a bien pu devenir dans notre monde et sous nos yeux. Ce « carnaval étrange », dirait Valéry, où la virtuosité théologique et le déchaînement humaniste, le verbiage des valeurs et la prétention scientifique, la suffisance dialecticienne et l'improvisation phénoménologique déploient, depuis la mort de Dieu, une si riche collection de prestiges et d'alibis, comment un paysan de Messkirch pourrait-il s'y sentir à l'aise? Ce qu'il faut entendre par philosophie, c'est ce que fut, depuis son origine jusqu'à Zarathoustra, cette lumière dont quelques-uns seulement sont les phares. Platon et Aristote dans l'éloignement du début grec et, tout près de nous, splendeur finale, Hegel, Schelling, Marx, Nietzsche.*

Début et fin de la philosophie? La philosophie est-elle donc terminée? A-t-elle vraiment eu un début et un début grec? L'évidence d'une philosophie qui serait de partout et de toujours — philosophia catholica et perennis *— évidence attestée par la « vitalité » actuelle de la philosophie et par la découverte historique des sources d'où elle ne cesserait de jaillir depuis que le monde est monde, une telle évidence n'impose-t-elle pas une réponse négative à ces bizarres questions? Il est certain que si l'on fait de la philosophie, prise en un sens très vague, le document d'une inquiétude peut être inséparable de la condition humaine en général, c'est l'humanité en général qui est le véritable suppôt de la philosophie. Mais la philosophie est peut-être une entreprise plus définie. Hans Jantzen, pour qui précisément Heidegger composa l'un des textes recueillis dans* Vorträge und Aufsätze, *le texte intitulé* Logos, *écrivait récemment*[1] *de l'architecture gothique qu'il était bien imprudent de ne la comprendre qu'évolutivement à partir de l'architecture romane, car elle est caractérisée par une structure sans précédent qui tranche sur celle des édifices romans, et qu'il nomme la* structure diaphane. *Peut-être la philosophie est-elle également une telle mutation sans précédent. Peut-être a-t-elle aussi sa structure à elle, et peut-être* diaphane, *par laquelle elle contraste avec les autres monuments de l'inquiétude humaine en général plus qu'elle ne forme continuité avec eux. Et si, comme le montre Jantzen, le domaine d'apparition de la* structure diaphane, *domaine d'où ce n'est qu'ensuite qu'elle rayonne à travers le monde, se laisse délimiter autour de Paris, peut-être pourrions-nous admettre sans paradoxe que, comme nous le lisons dans* Qu'est-ce que la philosophie? : « *La philosophie est, dans son être originel, de telle nature que c'est d'abord le monde grec et seulement lui qu'elle a saisi en le réclamant pour se déployer, elle.* »

Un trait commun à tous les textes recueillis dans Vorträge und Aufsätze, *c'est que tous font signe en direction du monde grec. Les trois derniers textes ont même pour titre trois mots essentiels de la langue des philosophes grecs :* Logos, Moira, Aletheia. *Et nous lisons dans la* Conférence aux Libraires : « *Une méditation sur ce qui est aujourd'hui sous nos yeux ne peut prendre éclosion et croissance que si, à travers un dialogue avec les penseurs grecs et la langue qu'ils parlent, elle va s'enraciner jusque dans le terroir de ce qui nous est historialement* Dasein. *Un tel dialogue est encore en attente de son début. A peine commence-t-il à se préparer, et c'est pourtant lui qui demeure la condition préalable du dialogue inéluctable avec le monde de l'Orient asiatique.* » *De tels propos nous déconcertent. Aucune époque a-t-elle eu plus de curiosité histo-*

1. *Kunst der Gotik*, Hamburg, Rowohlt, 1957. Cf. *Aufsätze : Über gotischem Kirchenraum.*

rique que la nôtre? Et la sociologie et même l'ethnographie venant à la rescousse de ce qui n'était d'abord qu'enquête philologique et archéologique, n'avons-nous pas, sur l'événement historique que fut le monde grec, des lumières incomparables? Peut-on dire sérieusement que le « dialogue avec les penseurs grecs et la langue qu'ils parlent » est encore « en attente de son début »? Et en quoi nous aiderait-il à engager le dialogue avec l'Asie? Mais peut-être notre connaissance de plus en plus scientifique des Grecs nous éloigne-t-elle précisément de plus en plus du dialogue, ou, si l'on veut, du colloque (Gespräch) *que nomme Heidegger. Dialogue, lisons-nous dans* Hölderlin und das Wesen der Dichtung, *cela suppose avant tout* pouvoir entendre. *Fixer un statut, fût-il scientifique, à celui que nous prétendons entendre n'est pas entrer en dialogue avec lui. Entrer en dialogue avec les Grecs nous suppose devenus capables d'entendre la parole grecque d'une oreille grecque, ce qui suppose à son tour une problématisation des champs d'écoute à l'intérieur desquels seulement ces objets historiques que sont devenus les mots de la langue grecque — ces mots pouvant être tout aussi bien des temples ou des statues — risquent de redevenir Parole. En d'autres termes, il ne s'agit plus seulement de traduire, c'est-à-dire de ramener les Grecs jusqu'à nous, mais bien de nous traduire devant eux, c'est-à-dire de nous dépayser de ce qui, pour nous, va de soi dans le domaine d'une vérité devenue autre.*

Mais pourquoi, d'une manière si exclusive, les Grecs? Qu'ils aient été, historiquement, les initiateurs de la philosophie, et même, si l'on veut, de la mutation *philosophique, chacun l'admettra plus ou moins. Mais n'est-il pas excessif de dire : hors du dialogue avec les Grecs, il n'y a pas d'issue possible pour la pensée? Et, de fait, ayant rendu hommage aux Grecs initiateurs, les philosophes parlent généralement d'autre chose, ne se réferant aux Grecs que pour faire apparaître combien ils leur sont, eux, supérieurs, sans oublier, bien sûr, à quel point les Grecs étaient déjà en pointe, car, à quoi bon l'emporter si ce n'est sur des maîtres? A moins qu'avec Nietzsche un enthousiasme illimité pour le monde grec à son aurore ne frappe de discrédit tout ce qui lui succède historiquement. « Tous les systèmes philosophiques sont dépassés; les Grecs brillent d'un éclat plus grand que jamais, surtout les Grecs d'avant Socrate. »*

Peut-être toutefois ne s'agit-il en philosophie ni, comme avant Hegel le croyait déjà Kant, de l'ouverture par les Grecs d'une perspective de progrès dans laquelle ils seraient aujourd'hui largement dépassés, ni, comme le croyait Nietzsche, d'une décadence sur laquelle nous aurions à reconquérir au moins le niveau que d'emblée surent atteindre les Grecs. Progrès ou décadence, ces deux mots peuvent manquer également l'essentiel et l'histoire de la philosophie n'être ni l'un ni l'autre. Peut-être nomme-t-elle bien plutôt l'avènement d'une origine qui se réserve dès la splendeur de son début et dont l'oubli croissant est détresse incessamment montante, celle du déclin du jour ou du déclin de l'an dans le décroissement des jours. Mais ce déclin *ou* cet Occident *qui est notre partage est-il irrémédiable déchéance? Ou bien ne décline-t-il qu'entrant dans une aurore, celle de la vérité voilée en lui depuis toujours? Questions étranges, assurément. Mais si le matin de la pensée recèle une profondeur plus immémoriale que lui, peut-être n'est-ce que le soir venu qu'il devient possible d'en faire l'épreuve. « Le soir qui s'incline du côté de l'esprit donne autre chose au regard, autre chose à la méditation.*

Le soir change sens et image.

Ce qui paraît, et dont les poètes disent les visages, à travers un tel soir, apparaît autre. Le règne invisible auquel les penseurs attachent leur méditation advient, par un tel soir, à une parole autre. Le soir transforme, à partir d'une autre figure et d'un autre sens la légende du poème et de la pensée ainsi que leur dialogue. Cela, le soir ne le peut que parce que lui-même change... Dans ce change s'abrite une discession à l'égard du règne jusqu'ici valide des époques du jour et de l'an[1]. »

Peut-être est-ce seulement en ces vêpres de la pensée que ce qui, en elle, fut matin, paraît enfin dans sa grandeur d'énigme. Le matin reste opaque à lui-même autant qu'il est splendeur inaugurale. Le soir est l'éclosion du matin à sa vérité jusqu'ici voilée. Si le monde grec est le matin de la pensée, peut-être ce matin n'est-il profond que médité de notre soir où il décline entrant dans l'aube plus matinale d'un jour encore inadvenu. Une méditation de cette sorte suppose que notre soir apprenne à se savoir comme soir, revenant de l'emportement représentatif qui ne cesse d'aller de l'avant à la récollection gardienne du saisissement initial d'où prend issue toute notre histoire. Mais devenir mémoire d'un tel début, c'est nous en dépendre déjà pour la liberté d'une partance où nous accédons d'un saut. « Ce saut est la soudaineté sans pont de l'entrée dans l'appartenance qui seule est là pour promouvoir une situation où l'homme et l'être se répondent, et ainsi la constellation des deux[2]. » *Cette manière de dire peut surprendre. Ne voyons-nous donc pas monter, dans le ciel d'Occident, la constellation qui sidère notre monde, en tant qu'il est de plus en plus le monde de la technique? Cette figure énigmatique du présent qui est nôtre, n'est-ce pas vers le* jadis *du monde grec qu'elle fait signe? N'en est-elle pas la présence vespérale, c'est-à-dire* eschatologique[3]? *Que*

1. *Georg Trakl. Eine Erörterung seines Gedichtes*, dans *Merkur*, Munich, 1952, n°6. Une traduction française de ce texte a paru dans *N. R. F.*, n°s 61 et 62 (janvier et février 1958).

2. *Identität und Differenz*, Neske, 1957, p. 24.

3. *Holzwege*, Klostermann, pp. 301-302.

le monde grec nous soit essentiellement présence, c'est certes un lieu commun de la philosophie. Mais que cette présence soit essentiellement eschatologique, c'est ce qui est offert ici à une pensée plus endurante. Une telle pensée est bien étrangère aux philosophes. Toutefois les poètes, ces « signaleurs de l'avenir », disait Nietzsche, en ont déjà pressenti quelque chose : « Héraclite ferme le cycle de la modernité qui, à la lumière de Dionysos et de la tragédie, s'avance pour un ultime chant et une dernière confrontation. » Ainsi nous parle l'un des nôtres. Nous avons reconnu René Char.

Si la méditation à laquelle nous convie Heidegger éprouve le monde grec comme focal à notre monde, ce n'est donc ni pour saluer de loin une grandeur dépassée ni pour rajeunir une philosophie frappée de déchéance en la renouvelant de l'antique. Il ne s'agit pour lui que de préparer au dialogue avec les penseurs grecs, dialogue « encore en attente de son début ». Les inventeurs de l'Hellade, qu'il s'agisse d'Hegel, penseur du crépuscule, ou au contraire de Nietzsche, lorsqu'il tente d'arracher à la philosophie un nouveau chant du coq, n'ont pas pénétré dans la dimension encore inadvenue d'un tel dialogue. Hölderlin, cependant, nous y a précédés. Peut-être, en effet, ce tournant dans son œuvre que l'on désigne parfois comme « volte occidentale » n'est-il pas ce que l'on veut qu'il soit, à savoir le déchirement de l'adieu au matin exaltant que fut le monde grec, trop juvénilement préféré au destin « moins imposant » que nous réserve la terre du soir. Peut-être la discession qu'abrite une telle « volte » nous sépare-t-elle bien plutôt de ce qui, du matin jusqu'au soir, fut seul d'abord à déployer son règne, pour l'éclosion sans précédent d'une sobriété plus essentielle. Cette sobriété essentielle, vespérale, hespérique qui fait passer par l'endurance le chemin du dépassement, si parmi nous peut-être elle est visage enfin et lumière poétique dans l'œuvre brève de René Char, qu'il nous soit permis de la reconnaître, mysté-

rieusement proche, dans la pensée en apparence si distante de Martin Heidegger. Car, disait-il encore à Cerisy en évoquant une parole de Hölderlin :« Entre elles deux, pensée et poésie, règne une parenté profondément retirée parce que toutes deux s'adonnent au service du langage et se prodiguent pour lui. Entre elles deux pourtant persiste en même temps un abîme profond, car elles demeurent sur les monts les plus séparés. »

Nous avons plus d'une fois écrit le mot peut-être. *Heidegger, dit-on, le prononce volontiers. Un tel* peut-être *n'évoque pas la dimension du doute, ni même celle de l'espoir et de son réconfort. Il est le mot de l'endurance ou encore du questionnement, pointe où se rassemble la pensée. La tâche est maintenant d'entendre. Puisse simplement le lecteur entendre, à travers la traduction si sobre et si méditée de M. André Préau, ce qu'entendit il y a quelques mois à Aix-en-Provence l'un des auditeurs silencieux d'une conférence inhabituelle : « La voix calme, un peu voilée... cette voix sans bavures dont la seule musique rythmée dissipait progressivement les ténèbres... la voix si juste de Martin Heidegger* [1]. »

Jean BEAUFRET.

1. Michel Thurlotte, dans *Arc* (cahiers méditerranéens), printemps 1958. La conférence *Hegel und die Griechen* fut prononcée par Heidegger à Aix le 20 mars 1958 sur l'invitation de la Faculté des Lettres.

ESSAIS
ET
CONFÉRENCES

Le traducteur désire exprimer ici ses remerciements à M. Martin Heidegger, qui a bien voulu préciser le sens de certains termes et passages de l'original, et à M. Jean Beaufret, qui a fait bénéficier le texte français de mainte indication ou suggestion précieuse.

*

Les indications données spécialement par l'auteur sont marquées (Heid.).

Toutes les notes sont du traducteur.

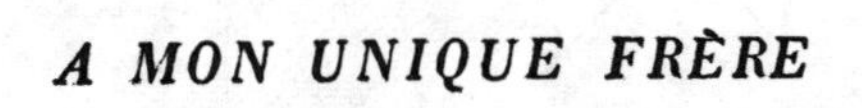
A MON UNIQUE FRÈRE

AVANT-PROPOS

Aussi longtemps qu'il reste devant nous sans avoir été lu, ce livre est une réunion d'essais et de conférences. Pour celui qui le lit, il pourrait devenir un recueil, c'est-à-dire un recueillement, qui n'a plus besoin de se soucier de la séparation des morceaux. Le lecteur se verrait conduit sur un chemin préalablement suivi par un auteur, lequel, s'il est heureux, provoque, en tant qu'*auctor*, un *augere*, un développement.

Dans le cas présent, il s'agit, comme précédemment, de faire effort afin que, grâce à des tentatives incessantes, un domaine soit préparé pour ce qui, depuis toujours, doit être pensé, mais qui est encore impensé. Un domaine tel qu'à partir du champ qu'il donne, l'impensé demande [1] qu'on le pense.

Un auteur, s'il était ce que dit ce mot, n'aurait rien à exprimer et rien à communiquer. Il ne devrait même pas vouloir inciter, car ceux que l'on a incités sont déjà sûrs de leur science.

Un auteur engagé sur des chemins de pensée ne peut, dans le cas le plus favorable, que montrer de loin, sans être lui-même un sage au sens du σοφός [2].

1. Il le demande *(beansprucht)* sous la forme d'une parole adressée *(Anspruch)*, en elle-même énigmatique, et qui attend une réponse *(Entsprechen)*, une interprétation.

2. Il est « un montreur » sans être pour cela « un sage » *(ein Weiser* dans les deux cas).

Des chemins de pensée, pour lesquels ce qui est passé est sans doute passé, mais ce qui est en mode rassemblé [1] demeure en venue : de tels chemins attendent qu'un jour des hommes qui pensent s'y engagent. Alors que le mode de représentation courant, technique au sens le plus large du terme, veut toujours aller plus loin et qu'il entraîne tout le monde, les chemins qui montrent découvrent parfois une vue sur un unique massif [2].

Todtnauberg, août 1954.

1. *Gewesendes*. Cf. en fin de volume la *Note du Traducteur*, *1* et *2*. Ce qui a été demeure pour autant qu'il est en mode rassemblé. Il pourra donc à nouveau venir au jour. Cf. plus loin pp. 124, 192, 220-221 et 275.

2. *Ge-birg*, « abri rassemblant ». Cf. *N. du Tr.*, *2*. La grandeur du *Ge-birg* est évoquée sous l'aspect de la montagne *(Gebirge)*.

I

LA QUESTION DE LA TECHNIQUE

Dans ce qui suit nous *questionnons* au sujet de la technique. Questionner, c'est travailler à un chemin, le construire. C'est pourquoi il est opportun de penser avant tout au chemin et de ne pas s'attacher à des propositions ou appellations particulières. Le chemin est un chemin de la pensée. Tous les chemins de la pensée conduisent, d'une façon plus ou moins perceptible et par des passages inhabituels, à travers le langage. Nous questionnons au sujet de la *technique* et voudrions ainsi préparer un libre rapport à elle. Le rapport est libre, quand il ouvre notre être *(Dasein)* à l'essence *(Wesen)* de la technique. Si nous répondons à cette essence, alors nous pouvons prendre conscience de la technicité dans sa limitation.

La technique n'est pas la même chose que l'essence de la technique. Quand nous recherchons l'essence de l'arbre, nous devons comprendre que ce qui régit tout arbre en tant qu'arbre n'est pas lui-même un arbre qu'on puisse rencontrer parmi les autres arbres.

De même l'essence de la technique n'est absolument rien de technique. Aussi ne percevrons-nous jamais notre rapport à l'essence de la technique, aussi longtemps que nous nous bornerons à nous représenter la technique et à la pratiquer, à nous en accommoder ou à la fuir. Nous demeurons partout enchaînés à la technique et privés de liberté, que nous l'affirmions avec passion ou que nous la niions pareillement. Quand cependant nous considérons la technique comme quelque chose de neutre, c'est alors que nous lui sommes livrés de la pire façon : car cette conception, qui jouit aujourd'hui d'une faveur toute particulière, nous rend complètement aveugles en face de l'essence de la technique.

On a longtemps enseigné que l'essence d'une chose est *ce que* cette chose est. Nous questionnons au sujet de la technique, quand nous demandons ce qu'elle est. Un chacun connaît les deux réponses qui sont faites à cette question. D'après l'une, la technique est le moyen de certaines fins. Suivant l'autre, elle est une activité de l'homme. Ces deux manières de caractériser la technique sont solidaires l'une de l'autre. Car poser des fins, constituer et utiliser des moyens, sont des actes de l'homme. La fabrication et l'utilisation d'outils, d'instruments et de machines font partie de ce qu'est la technique. En font partie ces choses mêmes qui sont fabriquées et utilisées, et aussi les besoins et les fins auxquels elles servent. L'ensemble de ces dispositifs est la technique. Elle est elle-même un dispositif *(Einrichtung)*, en latin un *instrumentum.*

La représentation courante de la technique, suivant laquelle elle est un moyen et une activité humaine, peut donc être appelée la conception instrumentale et anthropologique de la technique.

Qui voudrait nier qu'elle soit exacte? Elle se conforme visiblement à ce que l'on a sous les yeux lorsqu'on parle de technique. La conception instrumentale de la technique est même exacte d'une façon si peu rassurante qu'elle est aussi applicable à la technique moderne, dont on affirme d'ailleurs, avec un certain droit, que par rapport à la technique artisanale antérieure elle est quelque chose de tout à fait autre, donc de nouveau. Une centrale électrique, elle aussi, avec ses turbines et ses dynamos, est un moyen construit par l'homme pour une fin posée par l'homme. L'avion à réaction, la machine à haute fréquence, sont des moyens pour des fins. Naturellement une station de radar est moins simple qu'une girouette. Naturellement, la construction d'une machine à haute fréquence exige le jeu combiné de différents procédés de la technique industrielle. Naturellement, une scierie travaillant dans une vallée perdue de la Forêt-Noire est un moyen primitif, comparée à la centrale électrique du Rhin.

Il demeure exact que la technique moderne soit, elle aussi, un moyen pour des fins. C'est pourquoi la conception instrumentale de la technique dirige tout effort pour placer l'homme dans un rapport juste à la technique. Le point essentiel est de manier de la bonne façon la technique entendue comme moyen. On veut, comme on dit, « prendre en main » la technique et l'orienter vers des fins « spirituelles ». On veut s'en rendre maître. Cette volonté d'être le maître devient d'autant plus insistante que la technique menace davantage d'échapper au contrôle de l'homme.

Mais supposons maintenant que la technique ne soit pas un simple moyen : quelles chances restent alors à la volonté de s'en rendre maître ? Nous disions pourtant que la conception instrumentale de la technique était exacte; et elle l'est bien aussi. La vue exacte observe toujours, dans ce qui est devant nous, quelque chose de juste. Mais, pour être exacte, l'observation n'a aucun besoin de dévoiler l'essence de ce qui est devant nous. C'est là seulement où pareil dévoilement a lieu que le vrai se produit [1]. C'est pourquoi ce qui est simplement exact n'est pas encore le vrai. Ce dernier seul nous établit dans un rapport libre à ce qui s'adresse à nous à partir de sa propre essence. La conception instrumentale

1. *Ereignet sich.* Voir *N. du Tr., 4.*

de la technique, bien qu'exacte, ne nous révèle donc pas encore son essence. Afin de parvenir jusqu'à celle-ci ou du moins de nous en approcher, il nous faut chercher le vrai à travers l'exact. Il nous faut demander : qu'est-ce que le caractère instrumental lui-même? De quoi relèvent des choses telles qu'un moyen et une fin? Un moyen est ce par quoi quelque chose est opéré et ainsi obtenu. Ce qui a un effet comme conséquence, on l'appelle cause. Mais ce par le moyen de quoi une autre chose est opérée n'est pas seul à être une cause. La fin, selon laquelle la nature des moyens est déterminée, est aussi regardée comme cause. Là où des fins sont recherchées et des moyens utilisés, où l'instrumentalité est souveraine, là domine la causalité.

Depuis des siècles, la philosophie enseigne qu'il y a quatre causes : 1° la *causa materialis*, la matière avec laquelle, par exemple, on fabrique une coupe d'argent; 2° la *causa formalis*, la forme, dans laquelle entre la matière; 3° la *causa finalis*, la fin, par exemple le sacrifice, par lequel sont déterminées la forme et la matière de la coupe dont on a besoin; 4° la *causa efficiens*, celle qui produit l'effet, la coupe réelle achevée : l'orfèvre. Ce qu'est la technique, représentée comme moyen, se dévoilera lorsque nous aurons ramené l'instrumentalité à la quadruple causalité.

Mais si la causalité, de son côté, cachait dans l'obscurité ce qu'elle est! A vrai dire, depuis des siècles, on fait comme si la doctrine des quatre causes était une vérité tombée du ciel et qu'elle fût claire comme le jour. Le moment, toutefois, pourrait être venu de demander : pourquoi y a-t-il précisément quatre causes? quand on parle d'elles, que veut dire à proprement parler le mot « cause »? A partir de quoi le *caractère* causal des quatre causes se détermine-t-il d'une façon si une qu'elles soient solidaires les unes des autres?

Aussi longtemps que nous n'attaquons pas ces questions, la causalité, et avec elle l'instrumentalité, et avec celle-ci la conception courante de la technique, demeurent obscures et flottantes.

La coutume, depuis longtemps, est de représenter la cause comme ce qui opère. Opérer veut dire alors : obtenir des résultats, des effets. La *causa efficiens*, l'une des quatre causes, marque la causalité d'une façon déterminante. Cela va si loin que l'on ne compte plus du tout la *causa finalis*, la finalité, comme rentrant dans la causalité. *Causa, casus* se rattachent au verbe *cadere*, tomber, et signifient ce qui fait en sorte que quelque chose dans le résultat « échoie » de telle ou telle manière. La doctrine des quatre causes remonte à Aristote. Cependant tout ce que les époques ultérieures cherchent chez les Grecs sous la représentation et l'appellation de « causalité » n'a, dans le domaine de la pensée grecque et pour elle, rien de commun avec l'opérer et l'effectuer. Ce que nous nommons cause *(Ursache)*, ce que les Romains appelaient *causa*, se disait chez les Grecs αἴτιον : ce qui répond [1] d'une autre chose. Les quatre causes sont les modes, solidaires entre eux, de l' « acte dont on répond » *(Verschulden)*. Un exemple peut éclairer ceci.

L'argent est ce de quoi la coupe d'argent est faite. En tant que cette matière (ὕλη), il est co-responsable de la coupe. Celle-ci doit à l'argent ce de quoi elle est faite, elle l'a grâce à lui. Mais elle ne reste pas seulement redevable envers l'argent. En tant que coupe, ce qui est redevable envers l'argent apparaît sous l'aspect extérieur d'une coupe, et non sous celui d'une agrafe ou d'un anneau. Il est donc

1. *Verschuldet*, est coupable de, porte la responsabilité de. *Schuld*, à la fois faute et dette, se rattache à *sollen* (« devoir ») qui réunit originellement les deux sens de commettre (une infraction) et d'être tenu (des conséquences).

en même temps redevable à l'aspect (εἶδος) de sa forme de coupe. L'argent, dans lequel est entré l'aspect d'une coupe, l'aspect, sous lequel apparaît la chose d'argent, sont tous deux, à leur manière, co-responsables de la coupe sacrificielle.

Un troisième facteur, cependant, demeure avant tout responsable de la coupe. C'est ce qui l'inclut au préalable dans le domaine de la consécration et de l'offrande. Elle est ainsi définie comme chose sacrificielle. Ce qui dé-finit termine la chose. La chose ne cesse pas avec cette « fin », mais commence à partir d'elle comme ce qu'elle sera après la fabrication. Ce qui en ce sens termine et achève se dit en grec τέλος, mot qu'on traduit trop fréquemment par « but » et « fin » et qu'ainsi on interprète mal. Le τέλος est responsable de ce qui comme matière et de ce qui comme aspect est co-responsable de la coupe sacrificielle.

Un quatrième facteur enfin répond aussi de la présence et de la disponibilité de la coupe sacrificielle achevée : c'est l'orfèvre; mais nullement en ceci que par son opération il produit la coupe sacrificielle achevée comme effet d'une fabrication : nullement en tant que *causa efficiens*.

La doctrine d'Aristote ne connaît pas la cause que ce nom désigne, pas plus qu'elle n'emploie un terme grec correspondant.

L'orfèvre considère et il rassemble les trois modes mentionnés de l' « acte dont on répond » *(Verschulden)*. Considérer *(überlegen)* se dit en grec λέγειν, λόγος et repose dans l'ἀποφαίνεσθαι, dans le faire-apparaître. L'orfèvre est co-responsable comme ce à partir de quoi la pro-duction et le reposer-sur-soi de la coupe sacrificielle trouvent et conservent leur première émergence [1]. Les trois modes précités de l' « acte dont on répond »

1. C'est à partir de l'orfèvre que la coupe commence à apparaître, à émerger dans la non-occultation.

doivent à la réflexion de l'orfèvre d'apparaître et d'entrer en jeu dans la production de la coupe; ils lui doivent aussi la manière dont ils le font.

La coupe sacrificielle, présente et à notre disposition, est ainsi régie par les quatre modes de l' « acte dont on répond ». Ils diffèrent entre eux et sont pourtant solidaires les uns des autres. Qu'est-ce qui les unit au préalable? Dans quel milieu joue le jeu concerté des quatre modes de l' « acte dont on répond »? D'où provient l'unité des quatre causes? Que veut dire, pensé à la grecque, cet « acte dont on répond »?

Nous autres, hommes d'aujourd'hui, inclinons trop facilement à comprendre l' « acte dont on répond » en mode moral, comme un manquement ou encore à l'interpréter comme une sorte d'opération. Dans les deux cas, nous nous fermons le chemin conduisant vers le sens premier de ce qu'on a appelé plus tard « causalité ». Aussi longtemps que ce chemin ne s'ouvre pas à nous, nous n'apercevons pas non plus ce qu'est proprement cette instrumentalité qui repose dans la causalité.

Pour nous prémunir contre ces fausses interprétations de l' « acte dont on répond », nous éclairerons ses quatre modes en partant de ce dont ils ont à répondre. Pour reprendre notre exemple, ils répondent de ceci que la coupe d'argent est devant nous et à notre disposition comme chose servant au sacrifice. Être devant et à la disposition (ὑποκεῖσθαι) caractérisent la présence d'une chose présente *(das Anwesen eines Anwesenden)*. Les quatre modes de l'acte dont on répond conduisent quelque chose vers son « apparaître ». Ils le laissent advenir dans l' « être-près-de » *(An-wesen)*. Ils le libèrent dans cette direction et le laissent s'avancer *(lassen... an)*, à savoir dans sa venue parfaite. L'acte dont on répond a le trait fondamental de ce laisser-s'avancer dans la venue. Au sens d'un pareil laisser-s'avancer, l'acte dont on répond est le « faire-venir » *(Ver-an-lassen)* [1]. Considérant le sentiment qu'avaient les Grecs de l' « acte dont on répond », de l'αἰτία, nous donnons maintenant au mot *ver-an-lassen* un sens plus large (que le sens habituel), de façon que ce mot exprime l'essence de la causalité telle que les Grecs la pensaient. Au contraire, la signification courante et plus étroite d' « occasionner » n'évoque rien de plus qu'un choc initial et un déclenchement et désigne une sorte de cause secondaire dans l'ensemble de la causalité.

Dans quel domaine, cependant, joue le jeu concerté des quatre modes du « faire-venir »? Ce qui n'est pas encore présent, ils le laissent arriver dans la présence. Ainsi sont-ils régis d'une façon une par un conduire, qui conduit une chose présente dans l' « apparaître ». Dans une phrase du *Banquet* (205 *b*), Platon nous dit ce qu'est cet acte de conduire : ἡ γάρ τοι ἐκ τοῦ μὴ ὄντος εἰς τὸ ὂν ἰόντι ὁτῳοῦν αἰτία πᾶσά ἐστι ποίησις.

« Tout faire-venir *(Veranlassung)*, pour ce — quel qu'il soit — qui passe et s'avance du non-présent dans la présence, est ποίησις, est pro-duction *(Hervor-bringen)*. »

Le point essentiel est que nous prenions la pro-duction dans toute sa portée et en même temps au sens des Grecs. Une pro-duction, ποίησις, n'est pas seulement la fabrication artisanale, elle n'est pas seulement l'acte poétique et artistique qui fait apparaître et informe en image. La φύσις, par laquelle la chose s'ouvre d'elle-même, est aussi une pro-duction, est ποίησις. La φύσις est même ποίησις au sens le plus élevé. Car ce qui est présent φύσει a en soi (ἐν ἑαυτῷ) (cette possibilité de) s'ouvrir (qui est impliquée dans) la pro-duction, par exemple (la possibilité qu'a) la fleur de s'ouvrir dans la flo-

1. « *Ver-an-lassen* est plus actif que *an-lassen* (laisser s'avancer). Le *ver-* pousse pour ainsi dire le laisser vers un faire » (Heid.).

raison. Au contraire, ce qui est pro-duit par l'artisan ou l'artiste, par exemple la coupe d'argent, n'a pas en soi (la possibilité de) s'ouvrir (impliquée dans) la pro-duction, mais il l'a dans un autre (ἐν ἄλλῳ), dans l'artisan ou dans l'artiste.

Les modes du faire-venir, les quatre causes, jouent donc à l'intérieur de la pro-duction. C'est par celle-ci que, chaque fois, vient au jour aussi bien ce qui croît dans la nature que ce qui est l'œuvre du métier ou des arts.

Mais comment a lieu la pro-duction, soit dans la nature, soit dans le métier ou dans l'art? Qu'est-ce que le pro-duire, dans lequel joue le quadruple mode du faire-venir? Le faire-venir concerne la présence de tout ce qui apparaît au sein du pro-duire. Le pro-duire fait passer de l'état caché à l'état non caché [1], il présente *(bringt vor)*. Pro-duire *(her-vorbringen)* a lieu seulement pour autant que quelque chose de caché arrive dans le non-caché [2]. Cette arrivée repose, et trouve son élan, dans ce que nous appelons le dévoilement [3]. Les Grecs ont pour ce dernier le nom d'ἀλήθεια, que les Romains ont traduit par *veritas*. Nous autres Allemands disons *Wahrheit* (vérité) et l'entendons habituellement comme l'exactitude de la représentation.

Où nous sommes-nous égarés? Nous demandions ce qu'est la technique et sommes maintenant arrivés devant l'ἀλήθεια, devant le dévoilement. En quoi l'essence de la technique a-t-elle affaire avec le dévoilement? Réponse : en tout. Car tout « pro-duire » se fonde dans le dévoilement. Or, celui-ci rassemble en lui les quatre modes du faire-venir — la causalité — et les régit. Dans son domaine rentrent les fins et les moyens, et aussi l'instrumen-

1. Cf. *N. du Tr.*, *6*.
2. Cf. pp. 55 et 190.
3. *Das Entbergen*, le désabritement, le faire-sortir-du-retrait.

talité. Celle-ci passe pour être le trait fondamental de la technique. Si, précisant peu à peu notre question, nous demandons ce qu'est proprement la technique entendue comme moyen, alors nous arrivons au dévoilement. En lui réside la possibilité de toute fabrication productrice.

Ainsi la technique n'est pas seulement un moyen : elle est un mode du dévoilement. Si nous la considérons ainsi, alors s'ouvre à nous, pour l'essence de la technique, un domaine tout à fait différent. C'est le domaine du dévoilement, c'est-à-dire de la véri-té (*Wahr-heit*).

Cette perspective nous étonne. Il faut aussi qu'elle nous étonne, le plus longtemps possible, et d'une manière si pressante que nous prenions enfin au sérieux la simple question : que dit donc le mot de « technique »? Le mot vient de grec : τεχνικόν désigne ce qui appartient à la τέχνη. Quant au sens de ce dernier mot, nous devons tenir compte de deux points. D'abord τέχνη ne désigne pas seulement le « faire » de l'artisan et son art, mais aussi l'art au sens élevé du mot et les beaux-arts. La τέχνη fait partie du pro-duire, de la ποίησις ; elle est quelque chose de « poiétique ».

L'autre point à considérer au sujet du mot τέχνη est encore plus important. Jusqu'à l'époque de Platon, le mot τέχνη est toujours associé au mot ἐπιστήμη. Tous deux sont des noms de la connaissance au sens le plus large. Ils désignent le fait de pouvoir se retrouver en quelque chose, de s'y connaître. La connaissance donne des ouvertures. En tant que telle, elle est un dévoilement. Dans une étude particulière (*Éth. Nic.*, VI, ch. 3 et 4), Aristote distingue l'ἐπιστήμη et la τέχνη, et cela sous le rapport de ce qu'elles dévoilent et de la façon dont elles le dévoilent. La τέχνη est un mode de l'ἀληθεύειν. Elle dévoile ce qui ne se pro-duit pas soi-même et n'est pas encore devant nous, ce qui peut donc prendre, tantôt telle apparence, telle tournure, et tantôt telle autre. Qui construit une maison ou un bateau, qui façonne une coupe sacrificielle dévoile la chose à pro-duire suivant les perspectives des quatre modalités du « faire-venir ». Ce dévoilement rassemble au préalable l'apparence extérieure et la matière du bateau ou de la maison, dans la perspective de la chose achevée et complètement vue, et il arrête à partir de là les modalités de la fabrication. Ainsi le point décisif, dans la τέχνη, ne réside aucunement dans l'action de faire et de manier, pas davantage dans l'utilisation de moyens, mais dans le dévoilement dont nous parlons. C'est comme dévoilement, non comme fabrication, que la τέχνη est une pro-duction.

Il suffit ainsi de montrer ce que dit le mot τέχνη et comment les Grecs concevaient ce qu'il désigne pour que nous soyons conduits vers la même connexion qui s'est révélée à nous, lorsque nous recherchions ce qu'était en vérité l'instrumentalité en tant que telle.

La technique est un mode du dévoilement. La technique déploie son être *(west)* dans la région où le dévoilement et la non-occultation, où ἀλήθεια, où la vérité a lieu.

A cette détermination de la région où doit être cherchée l'essence de la technique, on peut objecter qu'elle est certes valable pour la pensée grecque et qu'à mettre les choses au mieux elle convient pour la technique artisanale, mais qu'elle n'est pas applicable à la technique moderne, qui est motorisée. Or, c'est elle précisément (la technique moderne) et elle seule l'élément inquiétant qui nous pousse à demander ce qu'est « la » technique. On dit que la technique moderne est différente de toutes celles d'autrefois, au point de ne pouvoir leur être comparée, parce qu'elle est fondée sur la science moderne, exacte, de la nature. Entre temps, on a vu clairement que l'inverse aussi était vrai : la physique moderne, en tant qu'expérimentale, dépend d'un matériel technique et est liée aux progrès de la construction des appareils. Cette relation réciproque de la technique et de la physique est bien exacte; mais la constatation qui en est faite demeure une simple constatation « historique » [1] de faits et elle ne nous dit rien du fondement de cette relation réciproque. La question décisive demeure pourtant : quelle est donc l'essence de la technique moderne, pour que celle-ci puisse s'aviser d'utiliser les sciences exactes de la nature?

Qu'est-ce que la technique moderne? Elle aussi est un dévoilement. C'est seulement lorsque nous arrêtons notre regard sur ce trait fondamental que ce qu'il y a de nouveau dans la technique moderne se montre à nous.

Le dévoilement, cependant, qui régit la technique moderne ne se déploie pas en une pro-duction au sens de la ποίησις. Le dévoilement qui régit la technique moderne est une pro-vocation *(Herausfordern)* par laquelle la nature est mise en demeure de livrer une énergie qui puisse comme telle être extraite *(herausgefördert)* et accumulée. Mais ne peut-on en dire autant du vieux moulin à vent? Non : ses ailes tournent bien au vent et sont livrées directement à son souffle. Mais si le moulin à vent met à notre disposition l'énergie de l'air en mouvement, ce n'est pas pour l'accumuler.

Une région, au contraire, est pro-voquée à l'extraction de charbon et de minerais. L'écorce terrestre se dévoile aujourd'hui comme bassin houiller, le sol comme entrepôt de minerais. Tout autre apparaît le champ que le paysan cultivait autrefois, alors que cultiver *(bestellen)* signifiait encore : entourer de haies et entourer de soins. Le travail du paysan

1. Voir *N. du Tr.*, *3.*

ne pro-voque pas la terre cultivable. Quand il sème le grain, il confie la semence aux forces de croissance et il veille à ce qu'elle prospère. Dans l'intervalle, la culture des champs, elle aussi, a été prise dans le mouvement aspirant d'un mode de culture *(Bestellen)* d'un autre genre, qui *requiert (stellt)* la nature. Il la requiert au sens de la provocation. L'agriculture est aujourd'hui une industrie d'alimentation motorisée. L'air est requis pour la fourniture d'azote, le sol pour celle de minerais, le minerai par exemple pour celle d'uranium, celui-ci pour celle d'énergie atomique, laquelle peut être libérée pour des fins de destruction ou pour une utilisation pacifique.

Le « requérir », qui pro-voque les énergies naturelles, est un « avancement » *(ein Fördern)* en un double sens. Il fait avancer, en tant qu'il ouvre et met au jour. Cet avancement, toutefois, vise au préalable à faire avancer une autre chose, c'est-à-dire à la pousser en avant vers son utilisation maximum et aux moindres frais. Le charbon extrait *(gefördert)* dans le bassin houiller n'est pas « mis là » pour qu'il soit simplement là et qu'il soit là n'importe où. Il est stocké, c'est-à-dire qu'il est sur place pour que la chaleur solaire emmagasinée en lui puisse être « commise ». Celle-ci est provoquée à livrer une forte chaleur, laquelle est commise *(bestellt)* à la livraison de la vapeur, dont la pression actionne un mécanisme et par là maintient une fabrique en activité.

La centrale électrique est mise en place dans le Rhin. Elle le somme *(stellt)* de livrer sa pression hydraulique, qui somme à son tour les turbines de tourner. Ce mouvement fait tourner la machine dont le mécanisme produit le courant électrique, pour lequel la centrale régionale et son réseau sont commis aux fins de transmission. Dans le domaine de ces conséquences s'enchaînant l'une l'autre à partir de la mise en place de l'énergie électrique, le fleuve du Rhin apparaît, lui aussi, comme quelque chose de commis. La centrale n'est pas construite dans le courant du Rhin comme le vieux pont de bois qui depuis des siècles unit une rive à l'autre. C'est bien plutôt le fleuve qui est muré dans la centrale. Ce qu'il est aujourd'hui comme fleuve, à savoir fournisseur de pression hydraulique, il l'est de par l'essence de la centrale. Afin de voir et de mesurer, ne fût-ce que de loin, l'élément monstrueux qui domine ici, arrêtons-nous un instant sur l'opposition qui apparaît entre les deux intitulés : « Le Rhin », muré dans l'usine d'*énergie*, et « Le Rhin », titre de cette œuvre d'*art* qu'est un hymne de Hölderlin. Mais le Rhin, répondra-t-on, demeure de toute façon le fleuve du paysage. Soit, mais comment le demeure-t-il? Pas autrement que comme un objet pour lequel on passe une commande *(bestellbar)*, l'objet d'une visite organisée par une agence de voyages, laquelle a constitué *(bestellt)* là-bas une industrie des vacances.

Le dévoilement qui régit complètement la technique moderne a le caractère d'une interpellation *(Stellen)* au sens d'une pro-vocation. Celle-ci a lieu lorsque l'énergie cachée dans la nature est libérée, que ce qui est ainsi obtenu est transformé, que le transformé est accumulé, l'accumulé à son tour réparti et le réparti à nouveau commué. Obtenir, transformer, accumuler, répartir, commuer sont des modes du dévoilement. Mais celui-ci ne se déroule pas purement et simplement. Il ne se perd pas non plus dans l'indéterminé. Le dévoilement se dévoile à lui-même ses propres voies, enchevêtrées de façons multiples, et il se les dévoile en tant qu'il les dirige. La direction elle-même, de son côté, est partout assurée. Direction et assurance (de direction) sont même les traits principaux du dévoilement qui provoque.

Maintenant quelle sorte de dévoilement convient à ce qui se réalise par l'interpellation pro-voquante? Ce qui se réalise ainsi est partout commis à être sur-le-champ au lieu voulu, et à s'y trouver de telle façon qu'il puisse être commis à une commission ultérieure [1]. Ce qui est ainsi commis a sa propre position-et-stabilité *(Stand)*. Cette position stable nous l'appelons le « fonds » *(Bestand)*. Le mot dit ici plus que stock et des choses plus essentielles. Le mot « fonds » est maintenant promu à la dignité d'un titre [2]. Il ne caractérise rien de moins que la manière dont est présent tout ce qui est atteint par le dévoilement qui pro-voque. Ce qui est là *(steht)* au sens du fonds *(Bestand)* n'est plus en face de nous comme objet *(Gegenstand)*.

Mais un avion commercial, posé sur sa piste de départ, est pourtant un objet! Certainement. Nous pouvons nous représenter ainsi cet engin. Mais alors il cache ce qu'il est et la façon dont il est. Sur la piste où il se tient, il ne se dévoile comme fonds que pour autant qu'il est commis à assurer la possibilité d'un transport. Pour cela il faut qu'il soit commissible, c'est-à-dire prêt à s'envoler, et qu'il le soit dans toute sa construction, dans chacune de ses parties. (Ce serait ici le lieu d'examiner la définition que Hegel donne de la machine, à savoir un instrument indépendant. Du point de vue de l'instrument artisanal, cette caractérisation est exacte. Mais ainsi justement la machine n'est pas pensée à partir de l'essence de la technique, dont pourtant elle relève. Du point de vue du fonds, la machine est absolument dépendante; car elle tient son être uniquement d'une commission donnée à du commissible.)

Si en ce moment, où nous tentons de montrer la

1. *Ueberall ist es bestellt, auf der Stelle zur Stelle zu stehen und zwar zu stehen, um selbst bestellbar zu sein für ein weiteres Bestellen.*
2. D'une appellation fondamentale.

technique moderne comme le dévoilement qui pro-voque, les expressions « interpeller », « commettre », « fonds » s'imposent à nous et s'accumulent d'une manière sèche, uniforme, donc ennuyeuse, ce fait a sa raison d'être dans le sujet qui est en question.

Qui accomplit l'interpellation pro-voquante, par laquelle ce qu'on appelle le réel est dévoilé comme fonds? L'homme, manifestement. Dans quelle mesure peut-il opérer un pareil dévoilement? L'homme peut sans doute, de telle ou telle façon, se représenter ou façonner ceci ou cela, ou s'y adonner; mais il ne dispose point de la non-occultation dans laquelle chaque fois le réel se montre ou se dérobe. Si depuis Platon le réel se montre dans la lumière d'idées, ce n'est pas Platon qui en est cause. Le penseur a seulement répondu à ce qui se déclarait à lui.

C'est seulement pour autant que, de son côté, l'homme est déjà pro-voqué à libérer les énergies naturelles que ce dévoilement qui commet peut avoir lieu. Lorsque l'homme y est pro-voqué, y est commis, alors l'homme ne fait-il pas aussi partie du fonds, et d'une manière encore plus originelle que la nature? La façon dont on parle couramment de matériel humain, de l'effectif des malades d'une clinique, le laisserait penser. Le garde forestier qui mesure le bois abattu et qui en apparence suit les mêmes chemins et de la même manière que le faisait son grand-père est aujourd'hui, qu'il le sache ou non, commis par l'industrie du bois. Il est commis à faire que la cellulose puisse être commise et celle-ci de son côté est provoquée par les demandes de papier pour les journaux et les magazines illustrés. Ceux-ci, à leur tour, interpellent l'opinion publique, pour qu'elle absorbe les choses imprimées, afin qu'elle-même puisse être commise à une formation d'opinion dont on a reçu la commande. Mais justement parce que l'homme est pro-voqué d'une façon plus originelle que les énergies naturelles, à savoir au « commettre », il ne devient jamais pur fonds. En s'adonnant à la technique, il prend part au commettre comme à un mode du dévoilement. Or, la non-occultation elle-même, à l'intérieur de laquelle le commettre se déploie, n'est jamais le fait de l'homme, aussi peu que l'est le domaine que déjà l'homme traverse, chaque fois que comme sujet il se rapporte à un objet.

Où et comment a lieu le dévoilement, s'il n'est pas le simple fait de l'homme? Nous n'avons pas à aller chercher bien loin. Il est seulement nécessaire de percevoir sans prévention ce qui a toujours réclamé l'homme dans une parole à lui adressée, et cela d'une façon si décidée qu'il ne peut jamais être homme, si ce n'est comme celui auquel une telle parole s'adresse. Partout où l'homme ouvre son œil et son oreille, déverrouille son cœur, se donne à la pensée et considération d'un but, partout où il forme et œuvre, demande et rend grâces, il se trouve déjà conduit dans le non-caché. La non-occultation de ce dernier s'est déjà produite, aussi souvent qu'elle é-voque l'homme dans les modes du dévoilement qui lui sont mesurés et assignés. Quand l'homme à l'intérieur de la non-occultation dévoile à sa manière ce qui est présent, il ne fait que répondre à l'appel de la non-occultation, là même où il le contredit. Ainsi quand l'homme cherchant et considérant suit à la trace [1] la nature comme un district de sa représentation, alors il est déjà réclamé par un mode du dévoilement, qui le pro-voque à aborder la nature comme un objet de recherche, jusqu'à ce que l'objet, lui aussi, disparaisse dans le sans-objet du fonds.

Ainsi la technique moderne, en tant que dévoilement qui commet, n'est-elle pas un acte pure-

1. *Nachstellt.* L'auteur reprendra ce terme pour caractériser l'être de la vengeance, cf. pp. 130 et suiv.

ment humain. C'est pourquoi il nous faut prendre telle qu'elle se montre cette pro-vocation qui met l'homme en demeure de commettre le réel comme fonds. Cette pro-vocation rassemble l'homme dans le commettre. Pareil « rassemblant » concentre l'homme (sur la tâche) de commettre le réel comme fonds.

Ce qui originellement déploie les monts *(Berge)* en lignes et les traverse comme une réunion de plis, c'est le « rassemblant » que nous appelons *Gebirg* (montagnes).

Ce qui rassemble d'une façon originelle et à partir de quoi se déploient les modes de notre humeur, nous l'appelons le cœur *(Gemüt)*.

Maintenant cet appel pro-voquant qui rassemble l'homme (autour de la tâche) de commettre comme fonds ce qui se dévoile, nous l'appelons — l'Arraisonnement [1].

Nous nous risquons à employer ce mot *(Gestell)* dans un sens qui jusqu'ici était parfaitement insolite.

Suivant sa signification habituelle, le mot *Gestell* désigne un objet d'utilité, par exemple une étagère pour livres. Un squelette s'appelle aussi un *Gestell*. Et l'utilisation du mot *Gestell* qu'on exige

1. *Ge-stell*, où *ge-*, comme dans *Gebirg* et *Gemüt*, a une fonction rassemblante (cf. *N. du Tr., 2)* : « l'être rassemblé des actes *stell-* », l'invitation à ces actes. On a vu ce radical figurer dans un petit groupe de verbes qui désignent, soit les opérations fondamentales de la raison et de la science (suivre à la trace, présenter, mettre en évidence, représenter, exposer), soit les mesures d'autorité de la technique (interpeller, requérir, arrêter, commettre, mettre en place, s'assurer de...). *Stellen* est au centre de ce groupe, c'est ici : « arrêter quelqu'un dans la rue pour lui demander des comptes, pour l'obliger à *rationem reddere* » (Heid.), c'est-à-dire pour lui réclamer sa raison suffisante. L'idée va être reprise et développée dans *Der Satz vom Grund* (1957). La technique arraisonne la nature, elle l'arrête et l'inspecte, et elle l'ar-raisonne, c'est-à-dire la met à la raison, en la mettant au régime de la raison, qui exige de toute chose qu'elle rende raison, qu'elle donne sa raison. — Au caractère impérieux et conquérant de la technique s'opposeront la modicité et la docilité de la « chose ».

maintenant de nous [1] paraît aussi affreuse que ce squelette, pour ne rien dire de l'arbitraire avec lequel les mots d'une langue faite sont ainsi maltraités. Peut-on pousser la bizarrerie encore plus loin? Sûrement pas. Seulement cette bizarrerie est un vieil usage de la pensée. Et les penseurs, à vrai dire, s'y conforment justement lorsqu'il s'agit de penser ce qu'il y a de plus élevé. Nous autres, tard-venus, ne pouvons plus mesurer la portée de l'acte par lequel Platon ose employer le mot εἶδος pour ce qui déploie son être en tout et en un chacun. Car, dans la langue de tous les jours, εἶδος signifie l'aspect qu'une chose visible offre à notre œil corporel. Platon exige cependant de ce mot quelque chose de très insolite : qu'il désigne ce qui précisément n'est pas, n'est jamais perceptible par les yeux du corps. Mais même ainsi on n'en a pas encore fini avec l'extraordinaire. Car ἰδέα ne désigne pas seulement l'aspect non sensible de ce qui est sensiblement visible. Ce qui constitue l'essence dans ce qu'on peut entendre, toucher, sentir, dans tout ce qui est de quelque manière accessible : cela est appelé « aspect », ἰδέα, et est aussi tel. Au regard de ce que Platon, ici et dans d'autres cas, exige de la langue et de la pensée, l'usage que nous nous permettons de faire en ce moment du mot *Gestell* pour désigner l'essence de la technique moderne, est presque inoffensif. Cet usage que nous demandons, cependant, demeure une exigence et prête à malentendu.

Arraisonnement *(Ge-stell)* : ainsi appelons-nous le rassemblant de cette interpellation *(Stellen)* qui requiert l'homme, c'est-à-dire qui le pro-voque à dévoiler le réel comme fonds dans le mode du « commettre ». Ainsi appelons-nous le mode de dévoilement qui régit l'essence de la technique

1. L'auteur s'unit ici aux auditeurs et parle en leur nom contre lui-même.

moderne et n'est lui-même rien de technique. Fait en revanche partie de ce qui est technique tout ce que nous connaissons en fait de tiges, de pistons, d'échafaudages, tout ce qui est pièce constitutive de ce qu'on appelle un montage. Le montage, cependant, avec les pièces constitutives mentionnées, rentre dans le domaine du travail technique, qui répond toujours à la pro-vocation de l'Arraisonnement, mais n'est jamais ce dernier ni, encore moins, ne le produit.

Dans l'appellation *Ge-stell* (« Arraisonnement »), le verbe *stellen* ne désigne pas seulement la provocation, il doit conserver en même temps les résonances d'un autre *stellen* dont il dérive, à savoir celles de cet *her-stellen* (« placer debout devant », « fabriquer ») qui est uni à *dar-stellen* (« mettre sous les yeux », « exposer ») et qui, au sens de la ποίησις, fait apparaître la chose présente dans la non-occultation. Cette production qui fait apparaître, par exemple, l'érection d'une statue dans l'enceinte du temple, et d'autre part le commettre pro-voquant que nous considérons en ce moment sont sans doute radicalement différents et demeurent pourtant apparentés dans leur être. Tous deux sont des modes du dévoilement, de l'ἀλήθεια. Dans l'Arraisonnement se produit *(ereignet sich)* cette non-occultation, conformément à laquelle le travail de la technique moderne dévoile le réel comme fonds. Aussi n'est-elle ni un acte humain ni encore moins un simple moyen inhérent à un pareil acte. La conception purement instrumentale, purement anthropologique, de la technique devient caduque dans son principe; on ne saurait la compléter par une explication métaphysique ou religieuse qui lui serait simplement annexée.

Il reste vrai toutefois que l'homme de l'âge technique est pro-voqué au dévoilement d'une manière qui est particulièrement frappante. Le dévoilement concerne d'abord la nature comme étant le principal réservoir du fonds d'énergie. Le comportement « commettant » de l'homme, d'une manière correspondante, se révèle d'abord dans l'apparition de la science moderne, exacte, de la nature. Le mode de représentation propre à cette science suit à la trace la nature considérée comme un complexe calculable de forces. La physique moderne n'est pas une physique expérimentale parce qu'elle applique à la nature des appareils pour l'interroger, mais inversement : c'est parce que la physique — et déjà comme pure théorie — met la nature en demeure *(stellt)* de se montrer comme un complexe calculable et prévisible de forces que l'expérimentation est commise à l'interroger, afin qu'on sache si et comment la nature ainsi mise en demeure répond à l'appel.

Mais la science mathématique de la nature a vu le jour près de deux siècles avant la technique moderne. Comment donc aurait-elle pu être alors déjà placée au service de cette dernière? Les faits témoignent du contraire. La technique moderne n'a-t-elle pas fait ses premiers pas seulement lorsqu'elle a pu s'appuyer sur la science exacte de la nature? Du point de vue des calculs de l' « histoire », l'objection demeure correcte. Pensée au sens de l'histoire, elle passe à côté du vrai [1].

La théorie de la nature élaborée par la physique moderne a préparé les chemins, non pas à la technique en premier lieu, mais à l'essence de la technique moderne. Car le rassemblement qui pro-voque et conduit au dévoilement commettant règne déjà dans la physique. Mais, en elle, il n'arrive pas encore à se manifester proprement lui-même. La physique moderne est le précurseur de l'Arraisonnement,

1. Sur la distinction de l'« histoire » *(Historie)* et de l'histoire *(Geschichte)*, cf. *N. du Tr., 3* .

précurseur encore inconnu dans son origine. L'essence de la technique moderne se cache encore pour longtemps, là même où l'on invente déjà des moteurs, là même où l'électrotechnique trouve sa voie, où la technique de l'atome est mise en train.

Tout ce qui est essentiel *(alles Wesende)*, et non pas seulement l'essence de la technique moderne, se tient partout en retrait le plus longtemps possible. Néanmoins, sous le rapport de sa puissance rectrice, il demeure ce qui précède toute autre chose : ce qui vient des tout premiers temps. Les penseurs grecs avaient quelque connaissance de cet état de choses lorsqu'ils disaient : « Plus tôt une chose s'ouvre et exerce sa puissance, et plus tard elle se manifeste à nous autres hommes. » L'aube originelle ne se montre à l'homme qu'en dernier lieu. Aussi s'efforcer, dans le domaine de la pensée, de pénétrer d'une façon encore plus initiale ce qui a été pensé au commencement n'est pas l'effet d'une volonté absurde de ranimer le passé, mais le fait d'une disposition calme, où l'on est prêt à s'étonner de ce qui vient à nous de l'aube première.

Pour la chronologie de l' « histoire », la science moderne de la nature a commencé au XVIIe siècle. Au contraire, la technique à base de moteurs ne s'est pas développée avant la seconde moitié du XVIIIe siècle. Seulement ce qui est plus tardif pour la constatation « historique », la technique moderne, est antérieur pour l'histoire, du point de vue de l'essence qui est en lui et qui le régit.

Si, de plus en plus, la physique moderne doit s'accommoder du fait que son domaine de représentation échappe à toute intuition, ce renoncement ne lui est pas dicté par quelque commission de savants. Il est pro-voqué par le pouvoir de l'Arraisonnement, qui exige que la nature puisse être commise comme fonds. C'est pourquoi, quel que soit le mouvement par lequel la physique s'éloigne du mode de représentation exclusivement tourné vers les objets et qui encore récemment était le seul qui comptât, il est une chose à laquelle elle ne peut jamais renoncer : à savoir que la nature réponde à l'appel d'une manière d'ailleurs quelconque, mais saisissable par le calcul et qu'elle puisse demeurer commise en tant que système d'informations. Ce système se détermine alors à partir d'une conception encore une fois modifiée de la causalité. Celle-ci ne présente plus maintenant, ni le caractère du « faire-venir pro-ducteur »[1] ni le mode de la *causa efficiens*, encore moins celui de la *causa formalis*. La causalité paraît se rétracter et n'être plus qu'une notification pro-voquée de fonds à mettre en sûreté tous à la fois ou les uns après les autres. A cette rétraction de la causalité correspondrait le processus de la modération croissante des prétentions, tel que Heisenberg, dans sa conférence, l'a exposé d'une manière saisissante (W. Heisenberg, *Das Naturbild in der heutigen Physik* (« L'image de la nature dans la physique contemporaine »), dans *Die Künste im technischen Zeitalter* (« Les arts à l'époque de la technique »), Munich, 1954, pp. 43 et suiv.).

C'est parce que l'essence de la technique moderne réside dans l'Arraisonnement que cette technique doit utiliser la science exacte de la nature. Ainsi naît l'apparence trompeuse que la technique moderne est de la science naturelle appliquée. Cette apparence peut se soutenir aussi longtemps que nous ne questionnons pas suffisamment et qu'ainsi nous ne découvrons ni l'origine essentielle de la science moderne ni encore moins l'essence de la technique moderne.

Nous demandons ce qu'est la technique, afin de mettre en lumière notre rapport à son essence. L'es-

1. *Hervorbringendes Veranlassen* : dévoilement en mode de ποίησις.

sence de la technique moderne se montre dans ce que nous avons appelé l'Arraisonnement. Seulement le faire observer ne répond aucunement à la question concernant la technique, si répondre veut dire correspondre, à savoir à l'essence de ce qui est en cause.

Où nous voyons-nous maintenant conduits, si nous avançons d'un pas encore dans la méditation de ce qu'est l'Arraisonnement lui-même comme tel? Il n'est rien de technique, il n'a rien d'une machine. Il est le mode suivant lequel le réel se dévoile comme fonds. Nous demandons encore : ce dévoilement a-t-il lieu quelque part au delà de tout acte humain? Non. Mais il n'a pas lieu non plus *dans* l'homme seulement, ni *par* lui d'une façon déterminante.

L'Arraisonnement est ce qui rassemble cette interpellation, qui met l'homme en demeure de dévoiler le réel comme fonds dans le mode du « commettre ». En tant qu'il est ainsi pro-voqué, l'homme se tient dans le domaine essentiel de l'Arraisonnement. Il ne pourrait aucunement assumer après coup une relation avec lui. C'est pourquoi la question de savoir comment nous pouvons entrer dans un rapport avec l'essence de la technique, une pareille question sous cette forme arrive toujours trop tard. Mais il est une question qui n'arrive jamais trop tard : c'est celle qui demande si nous prenons expressément conscience de nous-mêmes comme de ceux dont le faire et le non-faire sont partout, d'une manière ouverte ou cachée, pro-voqués par l'Arraisonnement. La question surtout n'arrive jamais trop tard, de savoir si et comment nous nous engageons proprement dans le domaine où l'Arraisonnement lui-même a son être.

L'essence de la technique moderne met l'homme sur le chemin de ce dévoilement par lequel, d'une manière plus ou moins perceptible, le réel partout devient fonds. Mettre sur un chemin — se dit, dans notre langue, envoyer. Cet envoi *(Schicken)* qui rassemble et qui peut seul mettre l'homme sur un chemin du dévoilement, nous le nommons *destin (Geschick)*. C'est à partir de lui que la substance *(Wesen)* de toute histoire se détermine. L'histoire n'est pas seulement l'objet de l' « histoire », pas plus qu'elle n'est seulement l'accomplissement de l'activité humaine. Celle-ci ne devient historique que lorsqu'elle est en rapport avec une dispensation du destin[1] (Cf. *Vom Wesen der Wahrheit*, 1930, 1re éd., 1943, pp. 16 et suiv.). Et c'est seulement lorsque le destin nous « envoie » dans le mode objectivant de représentation qu'il rend ce qui relève de l'histoire accessible comme objet à l' « histoire », c'est-à-dire à une science, et qu'il rend possible, à partir de là, l'assimilation courante de l'historique à l' « historique ».

En tant qu'il est la pro-vocation au commettre, l'Arraisonnement envoie dans un mode du dévoilement. L'Arraisonnement, comme tout mode de dévoilement, est un envoi du destin. La pro-duction, la ποίησις, elle aussi, est destin au sens indiqué.

La non-occultation de ce qui est suit toujours un chemin de dévoilement. L'homme dans tout son être est toujours régi par le destin du dévoilement. Mais ce n'est jamais la fatalité d'une contrainte. Car l'homme, justement, ne devient libre que pour autant qu'il est inclus dans le domaine du destin et qu'ainsi il devient un homme qui écoute, non un serf que l'on commande [2].

L'essence de la liberté n'est pas ordonnée *origi-*

1. *Dieses wird geschichtlich erst als ein geschickliches.* Sur *geschicklich*, cf p. 263, n. 6.

2. *Ein Hörender, nicht aber ein Höriger*, où *ein Höriger* (« un serf ») est celui qui écoute n'importe quoi et se laisse dominer par n'importe qui.

nellement à la volonté, encore moins à la seule causalité du vouloir humain.

La liberté régit ce qui est libre au sens de ce qui est éclairé, c'est-à-dire dévoilé. L'acte du dévoilement, c'est-à-dire de la vérité, est ce à quoi la liberté est unie par la parenté la plus proche et la plus intime. Tout dévoilement appartient à une mise à l'abri et à une occultation. Mais ce qui libère, le secret, est caché et toujours en train de se cacher. Tout dévoilement vient de ce qui est libre, va à ce qui est libre et conduit vers ce qui est libre. La liberté de ce qui est libre ne consiste, ni dans la licence de l'arbitraire, ni dans la soumission à de simples lois. La liberté est ce qui cache en éclairant et dans la clarté duquel flotte ce voile qui cache l'être profond *(das Wesende)* de toute vérité et fait apparaître le voile comme ce qui cache. La liberté est le domaine du destin qui chaque fois met en chemin un dévoilement.

L'essence de la technique moderne réside dans l'Arraisonnement et celui-ci fait partie du destin de dévoilement : ces propositions disent autre chose que les affirmations, souvent entendues, que la technique est la fatalité de notre époque, où fatalité signifie : ce qu'il y a d'inévitable dans un processus qu'on ne peut modifier.

Quand au contraire nous considérons l'essence de la technique, alors l'Arraisonnement nous apparaît comme un destin de dévoilement. Ainsi nous séjournons déjà dans l'élément libre du destin, lequel ne nous enferme aucunement dans une morne contrainte, qui nous forcerait à nous jeter tête baissée dans la technique ou, ce qui reviendrait au même, à nous révolter inutilement contre elle et à la condamner comme œuvre diabolique. Au contraire : quand nous nous ouvrons proprement à l'*essence* de la technique, nous nous trouvons pris, d'une façon inespérée, dans un appel libérateur.

L'essence de la technique réside dans l'Arraisonnement. Sa puissance fait partie du destin. Parce que celui-ci met chaque fois l'homme sur un chemin de dévoilement, l'homme ainsi mis en chemin, avance sans cesse au bord d'une possibilité : qu'il poursuive et fasse progresser seulement ce qui a été dévoilé dans le « commettre » et qu'il prenne toutes mesures à partir de là. Ainsi se ferme une autre possibilité : que l'homme se dirige plutôt, et davantage, et d'une façon toujours plus originelle, vers l'être du non-caché et sa non-occultation, pour percevoir comme sa propre essence son appartenance au dévoilement : appartenance qui est tenue en main [1].

Placé entre ces deux possibilités, l'homme est exposé à une menace partant du destin. Le destin du dévoilement comme tel est dans chacun de ses modes, donc nécessairement, *danger*.

De quelque manière que le destin du dévoilement exerce sa puissance, la non-occultation, dans laquelle se montre chaque fois ce qui est, recèle le danger que l'homme se trompe au sujet du non-caché et qu'il l'interprète mal. Ainsi, là où toute chose présente apparaît dans la lumière de la connexion cause-effet, Dieu lui-même peut perdre, dans la représentation (que nous nous faisons de lui), tout ce qu'il a de saint et de sublime, tout ce que son éloignement a de mystérieux. Dieu, vu à la lumière de la causalité, peut tomber au rang d'une cause, de la *causa efficiens*. Alors, et même à l'intérieur de la théologie, il devient le Dieu des philosophes, à savoir de ceux qui déterminent le non-caché et le caché suivant la causalité du « faire », sans jamais considérer l'origine essentielle de cette causalité.

De même la non-occultation suivant laquelle la nature se révèle comme un effet complexe et cal-

1. *Gebraucht*. Cf. *N. du Tr.*, *5*, et ci-dessous pp. 43 et 44.

culable de forces peut sans doute autoriser des constatations exactes; mais, justement en raison de ces succès, elle peut demeurer le danger que le vrai se dérobe au milieu de toute cette exactitude.

Le destin de dévoilement n'est pas en lui-même un danger quelconque, il est *le* danger.

Mais, si le destin nous régit dans le mode de l'Arraisonnement, alors il est le danger suprême. Le danger se montre à nous de deux côtés différents. Aussitôt que le non-caché n'est même plus un objet pour l'homme, mais qu'il le concerne exclusivement comme fonds, et que l'homme, à l'intérieur du sans-objet, n'est plus que le commettant du fonds, — alors l'homme suit son chemin à l'extrême bord du précipice, il va vers le point où lui-même ne doit plus être pris que comme fonds. Cependant c'est justement l'homme ainsi menacé qui se rengorge et qui pose au seigneur de la terre. Ainsi s'étend l'apparence que tout ce que l'on rencontre ne subsiste qu'en tant qu'il est le fait de l'homme. Cette apparence nourrit à son tour une dernière illusion : il nous semble que partout l'homme ne rencontre plus que lui-même. Heisenberg a eu pleinement raison de faire remarquer qu'à l'homme d'aujourd'hui le réel ne peut se présenter autrement (*loc. cit.*, pp. 60 et suiv.). *Pourtant aujourd'hui l'homme précisément ne se rencontre plus lui-même en vérité nulle part, c'est-à-dire qu'il ne rencontre plus nulle part son être (Wesen).* L'homme se conforme d'une façon si décidée à la pro-vocation de l'Arraisonnement qu'il ne perçoit pas celui-ci comme un appel exigeant, qu'il ne se voit pas lui-même comme celui auquel cet appel s'adresse et qu'ainsi lui échappent toutes les manières (dont il pourrait comprendre) comment, en raison de son être, il ek-siste dans le domaine d'un appel et pourquoi il *ne peut* donc *jamais* ne rencontrer que lui-même.

Mais l'Arraisonnement ne menace pas seulement l'homme dans son rapport à lui-même et à tout ce qui est. En tant que destin il renvoie à ce dévoilement qui est de la nature du « commettre ». Là où celui-ci domine, il écarte toute autre possibilité de dévoilement. L'Arraisonnement cache surtout cet autre dévoilement, qui, au sens de la ποίησις, pro-duit et fait paraître la chose présente. Comparée à cet autre dévoilement, la mise en demeure provoquante pousse dans le rapport inverse à ce qui est. Là où domine l'Arraisonnement, direction et mise en sûreté du fonds marquent tout dévoilement de leur empreinte. Ils ne laissent même plus apparaître leur propre trait fondamental, à savoir ce dévoilement comme tel.

Ainsi l'Arraisonnement pro-voquant ne se borne-t-il pas à occulter un mode précédent de dévoilement, le pro-duire, mais il occulte aussi le dévoilement comme tel et, avec lui, ce en quoi la non-occultation, c'est-à-dire la vérité, se produit *(sich ereignet)*.

L'Arraisonnement nous masque l'éclat et la puissance de la vérité.

Le destin qui envoie dans le commettre est ainsi l'extrême danger. La technique n'est pas ce qui est dangereux. Il n'y a rien de démoniaque dans la technique, mais il y a le mystère de son essence. C'est l'essence de la technique, en tant qu'elle est un destin de dévoilement, qui est le danger. Le sens modifié du mot *Ge-stell* (« l'Arraisonnement ») nous deviendra peut-être un peu plus familier, si nous pensons *Ge-stell* au sens de *Geschick* (destin) et de *Gefahr* (danger).

La menace qui pèse sur l'homme ne provient pas en premier lieu des machines et appareils de la technique, dont l'action peut éventuellement être mortelle. La menace véritable a déjà atteint l'homme dans son être. Le règne de l'Arraisonnement nous menace de l'éventualité qu'à l'homme puisse être refusé de revenir à un dévoilement plus originel et d'entendre ainsi l'appel d'une vérité plus initiale.

Aussi, là où domine l'Arraisonnement, y a-t-il *danger* au sens le plus élevé.

> *Mais, là où il y a danger, là aussi*
> *Croît ce qui sauve.*

Considérons avec soin la parole de Hölderlin. Que veut dire « sauver »? Nous sommes habitués à penser que ce mot veut dire simplement : saisir encore à temps ce qui est menacé de destruction, pour le mettre en sûreté dans sa permanence antérieure. Mais « sauver » veut dire davantage. « Sauver » est : reconduire dans l'essence, afin de faire apparaître celle-ci, pour la première fois, de la façon qui lui est propre [1]. Si l'essence de la technique, l'Arraisonnement, est le péril suprême et si en même temps Hölderlin dit vrai, alors la domination de l'Arraisonnement ne peut se borner à rendre méconnaissable toute clarté de tout dévoilement, tout rayonnement de la vérité. Alors il faut au contraire que ce soit justement l'essence de la technique qui abrite en elle la croissance de ce qui sauve. Mais alors un regard suffisamment aigu, posé sur ce qu'est l'Arraisonnement en tant qu'un destin de dévoilement, ne pourrait-il faire apparaître, dans sa naissance même, ce qui sauve?

Comment « ce qui sauve » croît-il aussi, là où il y a danger? Là où une chose croît, elle prend racine, c'est à partir de là qu'elle se développe. L'un et l'autre processus échappe aux regards, il a lieu dans le silence et en son temps. Mais, si nous nous fions à la parole du poète, nous ne devons justement pas

1. *Retten*, sauver d'un danger, originellement arracher, enlever, a été pris aussi dans le sens élargi d'aider, d'assister. Cf. plus loin pp. 177-178.

nous attendre à pouvoir, sans médiation ni préparation, saisir « ce qui sauve » là où il y a danger. C'est pourquoi, il nous faut maintenant considérer au préalable comment ce qui sauve s'enracine, et même à la plus grande profondeur, dans ce qui est l'extrême danger : la domination de l'Arraisonnement, et comment il se développe à partir de là. Pour considérer ces points, il est nécessaire de faire un dernier pas sur notre chemin, afin de fixer sur le danger un regard encore plus clair. Il nous faut donc demander à nouveau ce qu'est la technique : car, d'après ce que nous avons dit, c'est dans son essence que « ce qui sauve » prend racine et se développe.

Mais comment pourrions-nous, dans l'essence de la technique, apercevoir « ce qui sauve », aussi longtemps que nous n'examinons pas dans quelle acception du mot « essence » l'Arraisonnement est proprement l'essence de la technique?

Jusqu'ici nous avons compris le mot « essence » *(Wesen)* dans sa signification courante. Dans le langage philosophique de l'École, « essence » veut dire : *ce que* quelque chose est, en latin *quid.* La quiddité [1] répond à la question concernant l'essence. Ce qui, par exemple, convient à toutes les espèces d'arbres, au chêne, au hêtre, au bouleau, au sapin, est la même « arboréité ». Dans celle-ci entendue comme genre commun, comme « universel », rentrent les arbres réels et possibles. Maintenant l'essence de la technique, l'Arraisonnement, est-il le genre commun de tout ce qui est technique? S'il en était ainsi, alors la turbine à vapeur, la station émettrice de T. S. F., le cyclotron, seraient autant d'arraisonnements. Mais ici le mot *Gestell* ne désigne pas un instrument ni aucune espèce d'appareil. Encore moins désigne-t-il le concept général

1. *Die quidditas, die Was-heit.*

applicable à de pareils « fonds ». Les machines et les appareils sont aussi peu des cas particuliers ou des espèces de l'Arraisonnement que le sont l'homme au tableau de commande ou l'ingénieur dans le bureau des constructions. Tout cela sans doute, chaque chose à sa façon, rentre dans l'Arraisonnement, soit comme partie intégrante d'un fonds, ou comme fonds, ou comme commettant, mais l'Arraisonnement n'est jamais l'essence de la technique au sens d'un genre. L'Arraisonnement est un mode « destinal » [1] du dévoilement, à savoir le mode provoquant. Le dévoilement pro-ducteur, la ποίησις, est aussi un pareil mode « destinal ». Mais ces modes ne sont pas des espèces qui, ordonnées entre elles, tomberaient sous le concept de dévoilement. Le dévoilement est ce destin qui, chaque fois, subitement et d'une façon inexplicable pour toute pensée, se répartit en dévoilement pro-ducteur et en dévoilement pro-voquant et se donne à l'homme en partage. Dans le dévoilement pro-ducteur, le dévoilement pro-voquant a son origine qui est liée au destin. Mais en même temps, par l'effet du destin, l'Arraisonnement rend méconnaissable la ποίησις.

Ainsi l'Arraisonnement, en tant que destin de dévoilement, est sans doute l'essence de la technique, mais il n'est jamais essence au sens du genre et de l'*essentia*. Si nous faisons attention à ce point, nous sommes frappés par un fait étonnant : c'est la technique qui exige de nous que nous pensions dans une autre acception ce que l'on entend généralement par « essence » *(Wesen)*. Mais dans quelle acception?

Déjà, quand nous disons *Hauswesen* (les affaires de la maison) ou *Staatswesen* (les choses de l'état), nous ne pensons pas à la généralité d'un genre, mais à la façon dont la maison ou l'état exercent leur

1. *Geschickhaft*, envoyé par le destin.

puissance, s'administrent, se développent et dépérissent. C'est la façon dont ils déploient leur être *(wie sie wesen)*. Dans un poème que Gœthe aimait particulièrement et qui est intitulé *Un fantôme rue Kanderer*, J. P. Hebel emploie le vieux mot *die Weserei* : il signifie la mairie, pour autant que la vie de la commune s'y rassemble et que l'existence villageoise y demeure en mouvement, c'est-à-dire s'y déroule *(west)*. C'est du verbe *wesen* que le nom [1] dérive. *Wesen* comme verbe est la même chose que *währen* (durer) : non seulement sous le rapport du sens, mais aussi en ce qui concerne sa constitution phonétique [2]. Socrate et Platon pensent déjà l'essence *(Wesen)* de quelque chose comme ce qui est *(als das Wesende)* au sens de ce qui dure. Pourtant, ils comprennent ce qui dure au sens de ce qui perdure (ἀεὶ ὄν). Mais ce qui perdure, ils le trouvent dans ce qui demeure et se maintient quoi qu'il advienne. Ce qui demeure à son tour, ils le découvrent dans l'aspect (εἶδος, ἰδέα), par exemple dans l'idée de « maison ».

En celle-ci se montre ce qu'est toute chose du genre « maison ». Au contraire, les maisons particulières, réelles et possibles, sont des modifications changeantes et périssables de l' « idée » et font donc partie de ce qui ne dure pas.

Mais on ne pourra jamais établir que ce qui dure doive résider uniquement et exclusivement dans ce que Platon conçoit comme idée, Aristote comme τὸ τί ἦν εἶναι (« ce que toute chose était déjà ») et la métaphysique, avec les interprétations les plus diverses, comme *essentia*.

1. Au sujet du verbe *wesen* et du nom *Wesen*, cf. *N. du Tr., 1.* Le substantif *Wesen*, « être, essence », a des acceptions variées, dont celles de « manière d'être ou d'agir » et de « tout ce qui concerne » quelque chose.

2. *Währen* (vieux-haut-allemand *werên*) a été expliqué comme forme « durative » construite sur *wesan*, qui deviendra *wesen*. Cf. plus bas p. 55.

Tout ce qui est au sens fort *(alles Wesende)* dure. Mais ce qui dure n'est-il que ce qui perdure? L'essence de la technique dure-t-elle au sens de la permanence d'une idée planant au-dessus de tout ce qui est technique? Ainsi naîtrait l'apparence que le nom de la « technique » désigne une abstraction mythique. Comment la technique est-dans-son-être, c'est ce qu'on ne peut voir, si ce n'est à partir de cette perpétuation, dans laquelle l'Arraisonnement se produit comme destin de dévoilement. Au lieu de *fortwähren* (continuer à durer, perdurer) Gœthe utilise une fois *(Les Affinités électives*, IIe partie, ch. X, nouvelle *Les enfants étranges du voisin*) le mot mystérieux *fortgewähren* (continuer à accorder). Son oreille entend ici *währen* (durer) et *gewähren* (accorder, octroyer) dans une harmonie inexprimée. Mais si maintenant nous réfléchissons mieux que nous ne l'avons fait à ce qui proprement dure et peut-être est seul à durer, alors nous pouvons dire : *Seul dure ce qui a été accordé. Ce qui dure à l'origine, à partir de l'aube des temps, c'est cela même qui accorde* [1].

En tant qu'il forme l'essence de la technique, l'Arraisonnement est « ce qui dure ». « Ce qui dure » domine-t-il aussi au sens de ce qui accorde? La seule question semble être une méprise évidente. Car, d'après tout ce qui a été dit, l'Arraisonnement est un destin qui rassemble en même temps qu'il envoie dans le dévoilement pro-voquant. « Pro-voquer » peut tout dire, mais non pas « accorder ».

1. *Nur das Gewährte währt. Das anfänglich aus der Frühe währende ist das Gewährende.* — Ici, comme page 299, « ce qui accorde » est identifié à « ce qui dure en mode rassemblé » : le *ge-* de *gewahren* pouvant être pris comme préfixe significatif à valeur rassemblante (cf. *N. du Tr.*, *2*). Seul dure — donc seul est — ce qui a été accordé. Et ce qui accorde *(gewährt)*, c'est ce qui dès l'origine est et dure en mode rassemblé *(ge-währt)* : ce qui constitue ainsi pour les autres choses la garantie (*Gewahr*) de leur être (cf. pp. 235 et 301 et *Der Satz vom Grund*, p. 107).

Ainsi nous paraît-il, aussi longtemps que nous négligeons d'observer que la pro-vocation qui engage dans l'acte par lequel le réel est commis comme fonds, demeure toujours, elle aussi, un envoi (du destin), qui conduit l'homme vers un des chemins du dévoilement. En tant qu'elle est ce destin, l'essence de la technique engage l'homme dans ce qu'il ne peut de lui-même, ni inventer, ni encore moins faire. Car — un homme qui ne serait qu'homme, uniquement de et par lui-même : une telle chose n'existe pas.

Seulement, si ce destin, l'Arraisonnement, est l'extrême péril, non seulement pour l'être de l'homme, mais pour tout dévoilement comme tel, alors cet acte qui envoie peut-il, lui aussi, être appelé un acte qui accorde? Certainement et complètement, si toutefois « ce qui sauve » doit croître dans ce destin. Tout destin de dévoilement se produit à partir de l'acte qui accorde et en tant que tel. Car c'est seulement celui-ci qui apporte à l'homme cette part qu'il prend au dévoilement et que l'avènement du dévoilement laisse-être-et-préserve [1]. En tant que celui qui est ainsi conduit à son être et préservé [2], l'homme, dans ce qu'il a en propre, est assigné *(vereignet)* à l'avènement *(Ereignis)* de la vérité. Ce qui accorde et qui envoie de telle ou telle façon [3] dans le dévoilement, est comme tel ce qui sauve. Car celui-ci permet à l'homme de contempler la plus haute dignité de son être et de s'y rétablir. Dignité qui consiste à veiller sur la non-occultation et, avec elle et d'abord, sur l'occultation, de tout être qui est sur cette terre. C'est justement dans l'Arraisonnement, qui menace d'entraîner l'homme dans le commettre comme dans le mode prétendument unique du dévoilement et qui ainsi pousse l'homme

1. *Braucht*. Cf. plus haut p. 35 et n. 1.
2. *Als der so Gebrauchte.*
3. En mode « poiétique », pro-ducteur, ou en mode pro-voquant.

avec force vers le danger qu'il abandonne son être libre, c'est précisément dans cet extrême danger que se manifeste l'appartenance la plus intime, indestructible, de l'homme à « ce qui accorde », à supposer que pour notre part nous nous mettions à prendre en considération l'essence de la technique.

Ainsi — contrairement à toute attente — l'être de la technique recèle en lui la possibilité que ce qui sauve se lève à notre horizon.

C'est pourquoi le point dont tout dépend est que nous considérions ce lever possible, et que, nous souvenant, nous veillions sur lui. Comment le faire? Avant tout en apercevant ce qui dans la technique est essentiel, au lieu de nous laisser fasciner par les choses techniques. Aussi longtemps que nous nous représentons la technique comme un instrument, nous restons pris dans la volonté de la maîtriser. Nous passons à côté de l'essence de la technique.

Si cependant nous demandons comment l'instrumentalité, entendue comme une espèce de causalité, est-dans-son-être *(west)*, alors nous appréhendons cet être comme le destin d'un dévoilement.

Si nous considérons enfin que l'*esse* de l'essence [1] se produit *(sich ereignet)* dans « ce qui accorde » et qui, préservant l'homme, le main-tient [2] dans la part qu'il prend au dévoilement, alors il nous apparaît que l'essence de la technique est ambiguë en un sens élevé. Une telle ambiguïté nous dirige vers le secret de tout dévoilement, c'est-à-dire de la vérité.

D'un côté l'Arraisonnement pro-voque à entrer dans le mouvement furieux du commettre, qui bouche toute vue sur la production du dévoilement et met ainsi radicalement en péril notre rapport à l'essence de la vérité.

1. *Das Wesende des Wesens*, sous-entendu « de la technique ».
2. *Braucht*. Cf. pp. 35 et 43 et leurs notes.

D'un autre côté l'Arraisonnement a lieu dans « ce qui accorde » et qui détermine l'homme à persister (dans son rôle) : être — encore inexpérimenté, mais plus expert peut-être à l'avenir — celui qui est main-tenu à veiller sur l'essence de la vérité. Ainsi apparaît l'aube de ce qui sauve.

L'irrésistibilité du commettre et la retenue de ce qui sauve passent l'une devant l'autre comme, dans le cours des astres, la trajectoire de deux étoiles. Seulement leur évitement réciproque est le côté secret de leur proximité.

Si nous regardons bien l'essence ambiguë de la technique, alors nous apercevons la constellation, le mouvement stellaire du secret.

La question de la technique est la question de la constellation dans laquelle le dévoilement et l'occultation, dans laquelle l'être même de la vérité se produisent.

Mais à quoi nous sert-il d'observer la constellation de la vérité? Nous regardons le danger et dans ce regard nous percevons la croissance de ce qui sauve.

Ainsi nous ne sommes pas encore sauvés. Mais quelque chose nous demande de rester en arrêt, surpris, dans la lumière croissante de ce qui sauve. Comment est-ce possible? C'est possible ici, maintenant et dans la souplesse de ce qui est petit [1], de telle façon que nous protégions ce qui sauve, pendant sa croissance. Ceci implique que nous ne perdions jamais de vue l'extrême danger.

L'être de la technique menace le dévoilement, il menace de la possibilité que tout dévoilement se limite au commettre et que tout se présente seulement dans la non-occultation du fonds. L'action humaine ne peut jamais remédier immédiatement à ce danger. Les réalisations humaines ne peuvent

1. *Im Geringen.* Cf. pp. 215 et 217-218.

jamais, à elles seules, écarter le danger. Néanmoins, la méditation humaine peut considérer que ce qui sauve doit toujours être d'une essence supérieure, mais en même temps apparentée, à celle de l'être menacé.

Peut-être alors un dévoilement qui serait accordé de plus près des origines pourrait-il, pour la première fois, faire apparaître ce qui sauve, au milieu de ce danger qui se cache dans l'âge technique plutôt qu'il ne s'y montre?

Autrefois la technique n'était pas seule à porter le nom de τέχνη. Autrefois τέχνη désignait aussi ce dévoilement qui pro-duit la vérité dans l'éclat de ce qui paraît.

Autrefois τέχνη désignait aussi la pro-duction du vrai dans le beau. La ποίησις des beaux-arts s'appelait aussi τέχνη.

Au début des destinées de l'Occident, les arts montèrent en Grèce au niveau le plus élevé du dévoilement qui leur était accordé. Ils firent resplendir la présence des dieux, le dialogue des destinées divine et humaine. Et l'art ne s'appelait pas autrement que τέχνη. Il était un dévoilement unique et multiple. Il était pieux, c'est-à-dire « en pointe », πρόμος : docile à la puissance et à la conservation de la vérité.

Les arts ne tiraient point leur origine du (sentiment) artistique. Les œuvres d'art n'étaient point l'objet d'une jouissance esthétique. L'art n'était point un secteur de la production culturelle.

Qu'était l'art? Peut-être seulement pour de courts moments, mais de hauts moments (de l'histoire)? Pourquoi portait-il l'humble nom de τέχνη? Parce qu'il était un dévoilement pro-ducteur et qu'ainsi il faisait partie de la ποίησις. Le nom de ποίησις fut finalement donné, comme son nom propre, à ce dévoilement qui pénètre et régit tout l'art du beau : la poésie, la chose poétique.

Le même poète dont nous avons entendu la parole :

> *Mais là où est le danger, là aussi*
> *Croît ce qui sauve.*

nous dit :

> *...l'homme habite en poète sur cette terre.*

La poésie place le vrai dans le rayonnement de ce que Platon dans le *Phèdre* appelle τὸ ἐκφανέστατον, ce qui resplendit de la façon la plus pure. La poésie pénètre tout art, tout acte par lequel l'être essentiel *(das Wesende)* est dévoilé dans le Beau.

Les beaux-arts devraient-ils être appelés (à prendre part) au dévoilement poétique? Le dévoilement devrait-il les réclamer d'une façon plus initiale, afin qu'ainsi pour leur part ils protègent spécialement la croissance de ce qui sauve, qu'ils réveillent, qu'ils fondent à nouveau le regard dirigé vers « ce qui accorde » et la confiance en ce dernier?

Cette haute possibilité de son essence est-elle accordée à l'art au milieu de l'extrême danger? Personne ne peut le dire. Mais nous pouvons nous étonner. De quoi? De l'autre possibilité : que partout s'installe la frénésie de la technique, jusqu'au jour où, à travers toutes les choses techniques, l'essence de la technique déploiera son être dans l'avènement de la vérité.

L'essence de la technique n'est rien de technique : c'est pourquoi la réflexion essentielle sur la technique et l'explication décisive avec elle doivent avoir lieu dans un domaine qui, d'une part, soit apparenté à l'essence de la technique et qui, d'autre part, n'en soit pas moins foncièrement différent d'elle.

L'art est un tel domaine. A vrai dire, il l'est seulement lorsque la méditation de l'artiste, de son côté, ne se ferme pas à cette constellation de la vérité que nos *questions* visent.

Questionnant ainsi, nous témoignons de la situation critique où, à force de technique, nous ne percevons pas encore l'être essentiel de la technique, où à force d'esthétique nous ne préservons plus l'être essentiel de l'art. Toutefois, plus nous questionnons en considérant l'essence de la technique et plus l'essence de l'art devient mystérieuse.

Plus nous nous approchons du danger, et plus clairement les chemins menant vers « ce qui sauve » commencent à s'éclairer. Plus aussi nous interrogeons. Car l'interrogation est la piété de la pensée [1].

1. Cette « piété » *(Frömmigkeit)* est « la manière dont la pensée répond-et-correspond *(ent-spricht)* à ce qu'il faut penser » (Heid.). Voir aussi plus haut p. 46 l'explication du mot *fromm* (« pieux ») = προμος.

SCIENCE ET MÉDITATION

Suivant une représentation courante, nous désignons par le nom de « culture » le domaine où se déroule l'activité spirituelle et créatrice de l'homme. En font notamment partie la science, sa pratique et son organisation. La science est ainsi rangée parmi les valeurs auxquelles l'homme attache du prix, vers lesquelles, pour des motifs variés, il tourne son intérêt.

Aussi longtemps toutefois que nous nous bornons à prendre la science en ce sens culturel, nous ne mesurons jamais la portée de son être [1]. Il en va de même pour l'art. Encore aujourd'hui on les nomme volontiers tous deux ensemble : l'art et la science. L'art aussi peut être représenté comme un secteur de l'affairement culturel. Mais alors on n'apprend rien sur son être. L'art, si on l'examine pour y découvrir son être, est une consécration et un lieu sûr où, d'une façon toujours nouvelle, le réel fait présent à l'homme de sa splendeur jusque-là cachée, afin que, dans une pareille clarté, il voie plus purement et entende plus distinctement ce qui se dit à son être.

Pas plus que l'art, la science ne se réduit à une activité culturelle de l'homme. La science est un mode, à vrai dire décisif, dans lequel tout ce qui est s'expose devant nous.

Disons donc : la réalité, à l'intérieur de laquelle

1. *Ihres Wesens.*

l'homme d'aujourd'hui se meut et essaie de se tenir, est dans ses traits fondamentaux co-déterminée dans une mesure croissante par ce qu'on nomme la science occidentale ou européenne.

Si nous réfléchissons à ce processus, il apparait que la science a développé, dans les pays de l'Occident et aux époques de son histoire, une puissance que l'on ne rencontre sur terre nulle part ailleurs et qu'elle est en train d'étendre finalement cette puissance à la terre entière.

Maintenant la science n'est-elle rien d'autre qu'une fabrication de l'homme, qui se serait haussée jusqu'à une pareille domination, de sorte qu'on pourrait penser qu'il suffirait aussi bien d'un vouloir humain, de décisions prises par des commissions pour la supprimer un jour? Ou bien est-ce un plus haut partage qui s'impose ici? Ce qui domine dans la science, est-ce autre chose qu'une simple volonté de savoir de la part de l'homme? En fait, il en est ainsi. C'est une autre chose qui fait ici la loi. Mais cette autre chose se cache à nous, aussi longtemps que nous restons attachés aux représentations habituelles concernant la science.

Cette autre chose est une situation [1] qui régit toutes les sciences et qui toutefois leur demeure à elles-mêmes cachée. Pour que cette situation tombe sous notre regard, il faut pourtant qu'une clarté suffisante existe sur le point de savoir ce qu'est la science. Comment faire pour que ce qu'elle est nous apparaisse? Le moyen le plus sûr, semble-t-il, est que nous décrivions l'activité scientifique d'aujourd'hui. Un tel exposé pourrait montrer comment depuis longtemps les sciences s'engrènent, d'une façon toujours plus résolue et en même temps moins frappante, dans toutes les formes d'organisation de la vie moderne : dans l'industrie, dans l'activité

1. *Sachverhalt*, état de choses.

économique, dans l'enseignement, dans la politique, dans la conduite de la guerre, dans les publications de toutes sortes. Il est important de connaître cet engrenage. Mais, pour pouvoir l'exposer, il nous faut d'abord connaître par expérience ce en quoi consiste l'être de la science. On peut l'exprimer en une courte phrase : *La science est la théorie du réel.*

Cette phrase ne prétend fournir, ni une définition toute prête ni une formule commode. Elle ne contient que des questions. Celles-ci s'éveillent quand on explique la phrase. Auparavant, il nous faut noter que le mot « science », dans la phrase « la science est la théorie du réel », désigne toujours et uniquement la science moderne, y compris la contemporaine. L'affirmation que « la science est la théorie du réel » n'est vraie ni de la science du moyen âge ni de celle de l'antiquité. La *doctrina* médiévale demeure aussi essentiellement différente d'une théorie du réel qu'elle-même, à son tour, l'est de l'ἐπιστήμη antique. L'être de la science moderne, qui, sous sa forme européenne, est entre-temps devenue planétaire, n'en est pas moins fondé dans la pensée des Grecs, qui depuis Platon s'appelle philosophie.

Par cette indication, nous n'entendons nullement affaiblir le caractère révolutionnaire de cette sorte de savoir qui est celle des modernes; tout au contraire : ce qui caractérise le savoir moderne, c'est la mise au jour résolue d'un trait qui restait encore caché dans l'être du savoir dont les Grecs avaient l'expérience : trait qui avait justement besoin du savoir grec pour devenir en face de lui un autre savoir.

Quiconque se risque aujourd'hui — en questionnant, réfléchissant et ainsi co-opérant — à suivre le mouvement en profondeur de l'ébranlement mondial que nous vivons heure par heure, ne doit pas seulement prendre garde que notre monde présent est complètement régi par la volonté de savoir de la science moderne, mais il doit aussi considérer, avant toute autre chose, qu'aucune méditation sur ce qui est aujourd'hui ne peut germer et se développer, à moins qu'elle n'enfonce ses racines dans le sol de notre existence historique par un dialogue avec les penseurs grecs et avec leur langue. Ce dialogue attend encore d'être commencé. C'est à peine s'il est seulement préparé et lui-même, à son tour, demeure pour nous la condition préalable du dialogue inévitable avec le monde extrême-oriental.

Le dialogue avec les penseurs grecs, et il faut entendre en même temps les poètes grecs, ne prétend pas toutefois à une renaissance moderne de l'antiquité. Il est tout aussi peu le fait d'une curiosité « historique » pour quelque chose qui sans doute a disparu entre temps, mais qui pourrait encore servir à nous expliquer dans leur genèse, en mode « historique », quelques traits du monde moderne.

Ce qui, à l'aube de l'antiquité grecque, a été pensé, ou dit sous forme poétique, est encore aujourd'hui présent [1], si présent que son être, à soi-même encore fermé, est prêt de tous côtés à nous accueillir et qu'il vient sur nous, là surtout où nous nous y attendons le moins, à savoir dans le règne de la technique moderne, laquelle est complètement étrangère à l'antiquité, mais a néanmoins en elle son origine essentielle.

Pour éprouver cette présence de l'histoire, nous devons nous détacher de la représentation « historique » de l'histoire qui est encore dominante. La représentation « historique » conçoit l'histoire comme un objet où s'écoule un avoir-lieu, qui passe en même temps de par son caractère changeant.

1. *Gegenwärtig*, « présent » au sens temporel, en tant qu'opposé au passé et au futur, mais interprété en outre comme « tourné vers » (*entgegen-wartet* : « est prêt à accueillir »).

Dans la phrase « la science est la théorie du réel », ce qui a été pensé à la première heure, ce qui a été envoyé à la première heure (par le destin) demeure présent.

Nous expliquons maintenant la phrase en la considérant de deux points de vue. Demandons en premier lieu : que veut dire « le réel »? Nous demanderons ensuite : que veut dire « la théorie »?

L'explication montrera en même temps comment la théorie et le réel se dirigent tous deux, de par leur essence, l'un vers l'autre.

Pour rendre clair ce que veut dire le terme « le réel » dans la phrase « la science est la théorie du réel », laissons-nous guider par le mot lui-même. Le réel *(das Wirkliche)* remplit [1] le domaine de l' « œuvrant », de ce qui œuvre. Que veut dire « œuvrer » *(wirken)?* La réponse à cette question doit suivre l'étymologie; mais ce qui demeure décisif, c'est la façon dont elle le fait. Établir simplement le sens ancien des mots, qui souvent n'évoque plus rien, s'emparer de cette signification avec l'intention de s'en servir dans un usage nouveau de la langue, cette manière de faire ne conduit à rien, si ce n'est à l'arbitraire. Il s'agit bien plutôt, en s'appuyant sur la signification ancienne du mot et les changements qu'elle a subis, d'apercevoir le domaine de choses dans lequel le mot introduit et où il parle. Il s'agit de considérer ce domaine essentiel comme celui à l'intérieur duquel se meut la chose désignée par le mot. C'est ainsi seulement que le mot parle et il le fait en rapport avec les significations que la chose désignée a parcourues et dans lesquelles elle s'est déployée d'un bout à l'autre de l'histoire de la pensée et de la poésie.

« Œuvrer » veut dire « faire » *(tun)*. Et que veut dire « faire »? Le mot *tun* se rattache à la racine

1. *Erfüllt*, aux deux sens d'emplir et de réaliser.

indo-européenne *dhe*, d'où dérive aussi le grec θέσις : mise, pose, position. Mais ce « faire » n'est pas entendu seulement comme activité humaine, surtout pas comme activité au sens de l'action et de l'agissement. La croissance, la puissance de la nature (φύσις) est aussi un « faire » au sens exact de la θέσις. C'est seulement plus tard que les termes φύσις et θέσις entrent en opposition, ce qui à son tour ne devient possible que parce qu'une même chose les détermine. Φύσις est θέσις : de soi-même pro-poser quelque chose, le placer debout, l'amener et le pro-duire, à savoir dans la présence *(Anwesen)*. Ce qui « fait » en ce sens est l'œuvrant, le présent [1] dans sa présence. Le mot « œuvrer », entendu comme amener et pro-duire, désigne ainsi l'une des manières dont la chose présente est présente. Œuvrer est amener et pro-duire, soit que quelque chose se pro-duise de soi dans la présence, soit que l'homme accomplisse l'ad-duction et la pro-duction de quelque chose. Dans le langage du moyen âge, notre mot allemand *wirken* (œuvrer) désigne encore la pro-duction des maisons, des objets d'utilité, des tableaux et statues; plus tard la signification de *wirken* se limite à la pro-duction au sens de coudre, broder, tisser.

Le réel est l'œuvrant et l'œuvré : ce qui pro-duit dans la présence et ce qui est pro-duit. La « réalité », pensée d'une manière suffisamment large, veut dire alors : être là devant nous, avoir été pro-duit dans la présence, c'est la présence en elle-même achevée de ce qui se pro-duit. *Wirken* (« œuvrer ») se rattache à la racine indo-européenne *uerg* d'où dérivent notre mot *Werk* (œuvre) et le grec ἔργον. Mais on ne saurait y insister trop souvent : le trait fondamental de l'œuvrer et de l'œuvre ne réside pas dans l'*efficere* et l'*effectus*, mais en ceci que quelque chose

1. *Das An-wesende*, avec mise en évidence de *an-*, qui évoque la proximité et l'incitation.

arrive dans le non-caché, s'y tient et s'y trouve. Là même où les Grecs — à savoir Aristote — parlent de ce que les Latins appellent *causa efficiens*, ils ne pensent jamais à la production d'un effet. Ce qui se parfait dans l'ἔργον est ce qui se pro-duit dans la plénitude de la présence; ἔργον est ce qui est présent au sens propre, qui est le sens le plus élevé. Là est la raison, et l'unique raison, pour laquelle Aristote désigne la présence de ce qui est proprement présent comme l'ἐνέργεια, et aussi comme l'ἐντελέχεια : le fait de se tenir dans l'accomplissement (à savoir de la présence). Ces noms créés par Aristote pour désigner la présence propre du présent sont, dans ce qu'ils disent, séparés par un abîme de la signification plus tardive, moderne, d'ἐνέργεια au sens d' « énergie » et d'ἐντελέχεια au sens d' « entéléchie » comme disposition à œuvrer et capacité d'œuvrer.

Le terme aristotélicien fondamental pour la présence, ἐνέργεια, n'est traduit correctement par notre mot *Wirklichkeit* (réalité) que si, de notre côté, nous pensons *wirken* (œuvrer) à la grecque, au sens de : *a*mener — dans le non-caché, *pro*duire — dans la présence [1]. *Wesen* (être) [2] est le même mot que *währen* (durer), demeurer [3]. Nous pensons la présence *(Anwesen)* comme la permanence de ce qui, arrivé dans la non-occultation, y demeure. Mais, postérieurement à Aristote, cette signification d'ἐνέργεια : durer dans l'œuvre, a été recouverte par d'autres acceptions. Les Romains traduisent, c'est-à-dire pensent, ἔργον à partir de l'*operatio* entendue comme *actio* et disent pour ἐνέργεια *actus*, un tout autre mot avec un tout autre domaine de signification. Ce qui est a-mené

1. Her — *ins Unverborgene*, vor — *ins Anwesen bringen*. D'où le verbe *hervorbringen*, « pro-duire ». Cf. pp. 17 et 190.
2. Élément principal de *Anwesen*, présence.
3. Cf. p. 41.

et pro-duit apparaît maintenant comme ce qui résulte d'une *operatio*. Le résultat est ce qui s'ensuit d'une *actio* et la suit : la con-séquence. Le réel est maintenant le conséquent. La conséquence est amenée par une chose qui la précède, par la cause *(causa)*. Le réel apparaît maintenant dans la lumière de la causalité de la *causa efficiens*. Dieu lui-même est représenté dans la théologie, non dans la foi, comme *causa prima*, comme la première cause. Finalement, à la suite de la relation cause-effet, la succession se pousse au premier plan, et avec elle l'écoulement temporel. Kant connaît la causalité comme une règle de la succession. Dans les travaux les plus récents de W. Heisenberg, le problème causal est un problème purement mathématique de mesure du temps. Seulement une autre chose encore, et non moins essentielle, est liée à ce changement (dans la conception) de la réalité du réel. Ce qui au sens du conséquent a été obtenu par une opération se montre à nous comme une chose qui s'est mise en évidence dans un « faire », c'est-à-dire maintenant dans une réalisation et un travail. Ce qui a été « obtenu à la suite » dans le fait *(Tat)* d'un tel « faire » est le « réel de fait » *(das Tatsächliche)*. Le mot *tatsächlich* (« en fait ») sert aujourd'hui à certifier et dit autant que « certainement » et « sûrement ». Au lieu de « il en est certainement ainsi », nous disons « en fait il en est ainsi », « il en est réellement ainsi ». Que maintenant, depuis le début de l'époque moderne, à partir du XVIIe siècle, le mot « réel » soit synonyme de « certain », il ne faut voir là, ni un hasard ni un caprice innocent des changements de sens de simples mots.

Le « réel » au sens de la donnée de fait forme maintenant l'opposé de ce qui, lorsqu'on veut s'en assurer, perd sa consistance et se présente comme simple apparence ou comme pure opinion. Seulement, même à travers ces changements variés de signification, le réel conserve encore un trait fondamental antérieur, mais qui aujourd'hui ressort moins bien, ou autrement : celui de la chose présente qui d'elle-même se met en évidence.

Mais aujourd'hui le réel se manifeste dans l'ensuivre *(im Erfolgen)*. Le résultat de cet ensuivre est que la chose présente arrive par lui à une position *(Stand)* assurée et qu'on la rencontre comme une telle position. Le réel se montre désormais comme ob-jet *(Gegen-Stand)*.

Le mot *Gegenstand* (objet) apparaît seulement au XVIIIe siècle, comme traduction allemande du latin *obiectum*. Que les termes *Gegenstand* et *Gegenständlichkeit* (objectivité) reçoivent chez Gœthe un poids particulier, il y a à cela des raisons profondes. Mais ni la pensée médiévale ni la pensée grecque ne conçoivent la chose présente comme objet. Nous appelons maintenant objectité *(Gegenständigkeit)* le mode de présence *de cette* chose présente qui apparaît comme objet à l'époque moderne.

Elle est en première ligne un caractère de la chose présente elle-même. Quel processus toutefois fait apparaître l'objectité de la chose présente et comment la chose présente devient un objet pour un (re)pré-senter *(ein Vor-stellen)*, c'est ce qui ne peut se montrer à nous que si nous demandons : Qu'est-ce que le réel par rapport à la théorie, qu'est-il donc, d'une certaine manière, en partie du fait de la théorie? En d'autres termes, nous demandons maintenant : dans la phrase « la science est la théorie du réel », que veut dire le mot « théorie »? Le nom « théorie » vient du verbe grec θεωρεῖν. Le substantif correspondant est θεωρία. Ces mots possèdent une signification élevée et mystérieuse. Le verbe θεωρεῖν est formé par l'union de deux termes : θέα et ὁράω. Θέα (cf. théâtre) est l'aspect, l'apparence, sous laquelle quelque chose se montre, la vue dans laquelle il s'offre. Cet aspect, sous lequel la chose présente montre ce qu'elle est, Platon le nomme εἶδος. Avoir vu cet aspect, εἰδέναι, c'est savoir. Le deuxième composant de θεωρεῖν, ὁράω, signifie : regarder quelque chose, le saisir dans la lumière des yeux, le considérer. Il en résulte que θεωρεῖν est θέαν ὁρᾶν : regarder l'aspect sous lequel apparaît la chose présente et, par une telle vue, demeurer, voyant, près d'elle.

Le mode de vie (βίος) qui reçoit ses caractères du θεωρεῖν et qui s'y consacre, les Grecs l'appellent βίος θεωρητικός, le mode de vie de celui qui contemple, qui regarde le pur paraître de la chose présente. En diffère le βίος πρακτικός, le mode de vie qui se voue à l'action et à la production. Si toutefois nous considérons cette distinction, nous ne devons jamais oublier que pour les Grecs le βίος θεωρητικός, la vie contemplative, surtout sous sa forme la plus pure, la pensée, est l'activité la plus haute. La θεωρία est la forme accomplie de l'existence humaine, elle l'est en elle-même, et non pas seulement par l'effet d'une utilité adventice. Car la théorie est la pure relation aux aspects de la chose présente, lesquels concernent l'homme par leur paraître, en ce qu'ils font briller la présence des dieux. On pourrait aussi caractériser le θεωρεῖν par ceci qu'il permet de percevoir et d'exposer les ἀρχαί et αἰτίαι de la chose présente : nous ne pouvons aborder ici ce sujet, qui exigerait un examen de ce que l'expérience des Grecs comprenait par les mots que nous interprétons depuis longtemps comme *principium* et *causa*, fondement et cause (cf. Aristote, *Éth. Nic.*, VI, ch. 2, 1139, *a* et *sq.*).

Les Grecs, qui, d'une manière unique en son genre, pensaient à partir de leur langage, c'est-à-dire recevaient de lui leur façon-d'être *(Dasein)*, pouvaient entendre autre chose encore dans le mot θεωρία; et ceci est en relation avec le rang suprême occupé par la θεωρία à l'intérieur du βίος grec. Les deux composants θεα et οραω peuvent être accentués différemment, comme θεά et ὥρα. Θεά est la déesse. Comme telle apparait à Parménide, penseur des premiers temps, l'Ἀλήθεια, la non-occultation, à partir de laquelle et dans laquelle la chose présente déploie sa présence *(anwest)*. Nous traduisons ἀλήθεια par le mot latin *veritas* et par notre mot allemand *Wahrheit* (vérité).

Le grec ὥρα signifie les égards que nous avons, l'honneur et la considération que nous accordons. Si nous pensons maintenant le mot θεωρία à partir de ces dernières significations, la θεωρία est alors l'attention respectueuse donnée à la non-occultation de la chose présente. La théorie, au sens ancien, c'est-à-dire au sens premier, nullement vieilli, est *vue de la vérité* et *gardienne de la vérité* [1]. Le mot *wara* du vieux-haut-allemand (d'où *wahr*, vrai, *wahren*, garder, et *Wahrheit*, vérité) se rattache à la même racine que le grec ὁράω, ὥρα : Ϝορα.

L'être *(Wesen)* à plusieurs sens, et à tous égards élevé, de la théorie telle que les Grecs la pensaient demeure voilé lorsque nous parlons aujourd'hui en physique de la théorie de la relativité, en biologie de la théorie de la descendance, en histoire de la théorie des cycles, dans la science juridique de la théorie du droit naturel. Néanmoins, à travers la « théorie » au sens moderne passe toujours l'ombre de la θεωρία première. Celle-là vit de celle-ci, et non pas seulement dans le sens extérieurement constatable d'une dépendance historique. Ce qui a lieu ici deviendra plus clair si nous demandons maintenant : Qu'est-ce que « la théorie » qui est nommée dans la phrase « la science moderne est la théorie du réel » et en quoi diffère-t-elle de la θεωρία ancienne?

1. *Das hütende Schauen der Wahrheit.*

En choisissant un chemin en apparence extérieur nous répondrons avec la brièveté requise. Considérons la manière dont les paroles grecques θεωρεῖν et θεωρία sont traduites en latin et en allemand. Nous disons avec intention « les paroles » et non les mots pour laisser entendre que, dans l'être et l'influence souveraine du langage, c'est un destin qui chaque fois se décide.

Les Romains ont traduit θεωρεῖν par *contemplari*, θεωρία par *contemplatio*. Cette traduction, marquée par l'esprit de la langue romaine, c'est-à-dire par celui de l'existence romaine, fait disparaître d'un seul coup l'essentiel de ce que disent les paroles grecques. Car *contemplari* veut dire : séparer quelque chose, le placer dans un secteur et l'y enclore. *Templum* est le grec τέμενος, qui provient d'une tout autre expérience que le θεωρεῖν. Τέμνειν veut dire couper, séparer. L'insécable est l'ἄτμητον, l'ἄ-τομον, l'atome.

Dans son sens originel, le latin *templum* signifie le secteur découpé au ciel et sur la terre, le point cardinal, la région du ciel définie d'après le cours du soleil. C'est à l'intérieur de celle-ci que les auspices font leurs observations, pour lire l'avenir dans le vol, les cris et la façon de manger des oiseaux (cf. Ernout-Meillet, *Dictionnaire étymologique de la langue latine*, 3e éd., 1951, p. 1202 : *contemplari dictum est a templo, i. e. loco qui ab omni* parte aspici, *vel ex quo omnis* pars videri *potest, quem antiqui templum nominabant*).

Dans la θεωρία devenue *contemplatio* s'annonce le facteur déterminant, déjà partiellement préparé dans la pensée grecque, du regard incisif et séparateur. Par un acte séparé et qui est une intervention, on s'avance vers ce qui doit être vu; et le caractère de cet acte se fait admettre dans la connaissance. Seulement, alors encore, la *vita contemplativa* demeure distincte de la *vita activa*.

Dans le langage de la piété et de la théologie chrétiennes du moyen âge, cette distinction reçoit encore un autre sens. Elle met en contraste la vie contemplative des cloîtres et la vie active des mondains.

Le mot allemand pour *contemplatio* est *Betrachtung* [1]. Le θεωρεῖν grec, la vue de l'aspect de la chose présente, apparaît maintenant comme considération *(Betrachten)*. La théorie est la considération *(Betrachtung)* du réel. Mais que veut dire *Betrachtung?* On parle d'une *Betrachtung* au sens d'une méditation religieuse et d'une « descente en soi ». Cette sorte de *Betrachtung* rentre dans le domaine de la *vita contemplativa* qui vient d'être nommée. Nous parlons aussi de contempler *(betrachten)* une œuvre d'art, dans la vue de laquelle nous nous libérons [2]. Dans de telles acceptions le mot *Betrachtung* reste proche de vision et il semble vouloir dire encore la même chose que l'ancienne θεωρία des Grecs. Seulement (lorsque nous disons que) la science moderne apparaît comme théorie, la « théorie » est alors quelque chose d'essentiellement autre que la « θεωρία » grecque. Si donc nous traduisons « théorie » par *Betrachtung*, nous donnons au mot *Betrachtung* un autre sens (que celui de contemplation ou de considération), non pas un sens arbitrairement inventé, mais celui même qu'il tient de son origine. Si nous acceptons pleinement ce que nomme le mot allemand *Betrachtung*, alors nous percevons ce qu'il y a de nouveau dans l'être de la science moderne, entendue comme la théorie du réel.

Que veut dire *Betrachtung? Trachten* est le latin *tractare*, traiter, élaborer. *Nach etwas trachten (tra-*

1. Dont le sens moderne le plus courant est considération, examen, réflexion sur.
2. Le message et la fascination de l'œuvre d'art nous arrachent à nous-mêmes.

chten vers quelque chose) veut dire : s'avancer *vers* quelque chose par son travail, le poursuivre, lui tendre des pièges pour s'en assurer. La théorie entendue comme *Betrachtung* serait ainsi cette élaboration du réel qui le suit à la trace et s'en assure. Mais caractériser la science de cette manière pourrait bien aller manifestement contre son essence. Car la science, comme théorie, est précisément « théorique ». Elle s'abstient d'élaborer le réel. Elle met tout en œuvre pour saisir le réel tel qu'il est. Elle n'intervient pas dans le réel pour le modifier. La science pure, proclame-t-on, est « désintéressée ».

Et pourtant : la science moderne, entendue comme théorie au sens de visée *(Be-trachten)*, est une élaboration du réel, une intervention, nullement rassurante, dans le réel. Justement par cette élaboration, elle correspond à un trait fondamental du réel lui-même. Le réel est la chose présente qui se met en évidence. A l'époque moderne, toutefois, la chose présente se montre de telle façon qu'elle met sa présence en position [1] dans l'objectité. A ce règne de l'objet, comme mode de la présence, correspond la science, pour autant que, de son côté, comme théorie, elle provoque le réel, visant spécialement son objectité. La science met le réel au pied du mur [2]. Elle l'arrête et l'interpelle, pour qu'il se présente chaque fois comme l'ensemble de ce qui opère et de ce qui est opéré *(als Gewirk)*, c'est-à-dire dans les conséquences supervisables de causes données. Ainsi le réel peut-il être désormais poursuivi et dominé du regard. (La science) s'assure du réel dans son objectité. Il en résulte des domaines d'objets, domaines dont la visée scientifique peut à sa manière suivre à la piste les objets. Le (mode

1. *Zum Stehen bringt*, « amène à se tenir debout », « arrête ».
2. *Die Wissenschaft stellt das Wirkliche.* Cf. p. 26, n. 1.

de) représentation qui suit à la piste et qui s'assure de tout le réel dans son objectité « pistable » est le trait fondamental de la représentation par laquelle la science moderne répond au réel. Mais le travail qui maintenant décide de tout et qui, dans chaque science, réalise une telle représentation est cette élaboration du réel qui, d'une manière générale, fait d'abord et spécialement ressortir le réel dans une objectité, par quoi tout le réel est transformé d'avance en une diversité d'objets (offerts à l'activité qui les) suivra à la trace et s'assurera d'eux.

Que les choses présentes, par exemple la nature, l'homme, l'histoire, le langage, se mettent en évidence en tant que le réel dans son objectité, que du même coup la science devienne la théorie qui suit le réel à la trace et s'en assure comme d'un objet, cette situation eût été aussi étonnante pour un homme du moyen âge qu'elle eût dû être déconcertante pour la pensée grecque.

Ainsi la science moderne entendue comme la théorie du réel n'est-elle rien qui aille de soi. Elle n'est pas plus une simple fabrication de l'homme qu'elle n'est arrachée au réel. Bien au contraire, l'être de la science est rendu nécessaire par la présence des choses présentes, au moment même où la présence se met en évidence dans l'objectité du réel. Ce moment, comme tous ceux de son espèce, demeure mystérieux. Ce ne sont pas seulement les plus grandes pensées qui arrivent comme sur des pattes de colombes, mais surtout et avant tout les changements qui ont lieu dans le (mode de) présence de tout ce qui est présent.

La théorie s'assure chaque fois d'un district du réel comme de son domaine d'objets. Que l'objectité ait le caractère d'un domaine se montre en ceci qu'il dessine à l'avance les possibilités de l'interrogation. Tout nouveau phénomène apparaissant à l'intérieur d'un domaine de la science est travaillé jusqu'à ce qu'il s'encadre dans l'ensemble objectif, déterminant, de la théorie. Parfois ce dernier est lui-même alors modifié. Mais l'objectité comme telle demeure sans changements dans ses traits fondamentaux. La raison déterminante, préalablement représentée, d'un comportement et d'une démarche constitue, d'après le sens rigoureux du concept, l'essence de ce qu'on appelle « but ». Si quelque chose demeure en soi déterminé par un but, c'est bien la pure théorie. Elle est déterminée par l'objectité de la chose présente. Abandonnons cette objectité et nous nions l'être de la science. Tel est, par exemple, le sens de l'assertion que la physique atomique contemporaine n'invalide aucunement la physique classique de Galilée et de Newton, mais qu'elle limite simplement son domaine de validité. Seulement cette limitation est en même temps la confirmation du caractère déterminant de l'objectité pour la théorie de la nature, objectité en vertu de laquelle la nature s'offre à notre représentation comme un système cinétique spatio-temporel et de quelque manière précalculable.

La science moderne étant théorie dans le sens que nous venons de caractériser, le mode de son effort, c'est-à-dire le mode du processus par lequel elle suit (le réel) à la piste et s'assure (de lui), c'est-à-dire la méthode, a dans toute sa visée la priorité décisive. On cite souvent une phrase de Max Planck : « Est réel ce qu'on peut mesurer. » Il faut comprendre : ce qui décide de ce qui, pour la science, ici pour la physique, peut être accepté comme connaissance assurée, c'est la mensurabilité posée avec l'objectité de la nature et ce sont, en conformité avec elle, les possibilités du processus de mesure. Mais la phrase de Max Planck n'est vraie que parce qu'elle dit quelque chose qui appartient à l'être de la science moderne, et non pas seulement de la science de la nature. Le procédé par lequel toute théorie du réel suit le réel à la trace et s'en assure est un calcul. A vrai dire, nous ne devons pas entendre ce terme au sens rétréci d'opérations faites sur des nombres. Au sens large et essentiel, calculer veut dire : compter avec une chose, c'est-à-dire la prendre en considération, compter sur elle, c'est-à-dire la placer dans notre expectative. De cette manière toute objectivation du réel est un calcul, soit qu'expliquant par voie causale elle coure après les effets des causes, ou que par la morphologie elle apprenne à connaître les objets, ou enfin qu'elle s'assure, dans leurs principes, de connexions de séquence et d'ordre. Les mathématiques non plus ne sont pas un calcul au sens d'opérations faites sur des nombres pour établir des résultats quantitatifs, en revanche elles sont le calcul qui a placé partout dans son expectative l'harmonisation, par le moyen d'équations, de relations d'ordre et qui, en conséquence, « compte » à l'avance avec une équation fondamentale pour tout ordre simplement possible.

La science moderne comme théorie du réel reposant sur la primauté de la méthode, il lui faut, en tant qu'elle s'assure des domaines d'objets, délimiter ces derniers les uns par rapport aux autres et répartir dans des compartiments ce qui a été délimité, c'est-à-dire le compartimenter. La théorie du réel est nécessairement une science compartimentée.

L'exploration d'un domaine d'objets doit, au cours de son travail, entrer dans la manière d'être particulière des objets qui en font partie. Cette attention donnée au particulier fait, du processus de la science compartimentée, une recherche spéciale. C'est pourquoi la spécialisation n'est aucunement (le symptôme d') une dégénérescence due à quelque aveuglement, encore moins un signe de décadence marquant la science moderne. La spécialisation n'est pas non plus un mal qui serait simplement inévitable. Elle est une conséquence nécessaire et la conséquence positive de l'être de la science moderne.

La délimitation des domaines d'objets entre eux, leur inclusion dans des régions spéciales ne détachent pas les sciences les unes des autres, mais seules, au contraire, rendent possibles entre elles des rapports frontaliers, par quoi se dessinent des zones-frontières. De ces dernières part une impulsion particulière qui déclenche des interrogations nouvelles, souvent décisives. Le fait est connu. Sa raison d'être demeure énigmatique, aussi énigmatique que l'être entier de la science moderne.

Cet être, nous l'avons sans doute caractérisé maintenant en expliquant la phrase « la science est la théorie du réel » suivant ses deux termes principaux. C'était là une préparation à notre seconde démarche, au cours de laquelle nous demandons : quelle situation latente demeure en retrait dans l'être de la science?

Nous apercevrons cette situation, aussitôt que, dans quelques sciences prises à titre d'exemple, nous aurons considéré spécialement ce qu'il en est de l'objectité des domaines d'objets des sciences. La physique, où maintenant sont incluses, à voir les choses en gros, la macrophysique et la physique atomique, l'astrophysique et la chimie, considère la nature (φύσις) pour autant que celle-ci se met en évidence comme privée de vie. Dans une telle objectité, la nature se montre comme l'ensemble coordonné des mouvements des corps matériels. Le trait fondamental du corporel est l'impénétrabilité, qui à son tour se présente comme une espèce particulière d'ensemble de mouvements des objets élémentaires. La physique classique représente ceux-ci et leurs rapports comme mécanique géométrique du point, la physique contemporaine comme « noyau » et « champ ». En conséquence, pour la physique classique, tout état de mouvement des corps qui remplissent l'espace est à tout moment déterminable, aussi bien quant au lieu que quant à la grandeur de mouvement : déterminable, c'est-à-dire précalculable d'une façon non équivoque. Au contraire, dans la physique atomique, un état de mouvement ne peut, par raison de principe, être déterminé que, soit quant au lieu, soit quant à la grandeur de mouvement. Aussi la physique classique estime-t-elle que la nature peut être précalculée d'une façon totale et non équivoque, alors que, d'après la physique atomique, on ne peut s'assurer de connexions objectives que d'une manière : à savoir en mode statistique.

L'objectité de la nature matérielle montre, dans la physique atomique contemporaine, des *traits fondamentaux tout autres* que dans la physique classique. Celle-ci, la physique classique, peut bien être incorporée à celle-là, la physique atomique, mais l'inverse est impossible. On ne pourrait plus ramener la physique nucléaire à la physique classique et l'y mettre en sûreté. Et pourtant..., *même* la physique contemporaine du noyau et du champ demeure encore une physique, c'est-à-dire une science, c'est-à-dire une théorie : suivant à la trace les objets du réel dans leur objectité, pour s'assurer d'eux dans l'unité de l'objectité. Pour la physique contemporaine aussi, il s'agit de s'assurer de ces objets élémentaires, en lesquels consistent tous les autres objets du domaine entier. Le (mode de) représentation de la physique contemporaine vise toujours, lui aussi, à « pouvoir écrire une unique équation fondamentale de laquelle découlent les propriétés de toutes les particules élémentaires et par là le comportement de la matière en général » (Heisenberg, *Die gegenwärtigen Grundprobleme der Atomphysik* (« Les problèmes fondamentaux de la physique atomique contemporaine »). Cf. *Wand-*

lungen in den Grundlagen der Naturwissenschaft (« Changements survenus dans les fondements de la science de la nature »), 8e éd., 1948, p. 98.)

Cette allusion sommaire à la différence qui sépare les deux époques de la physique moderne fait apparaître clairement où a lieu le changement qui fait passer de l'une à l'autre : dans l'appréhension et la détermination de l'objectité dans laquelle la nature se met en évidence. Mais, dans ce changement qui a conduit de la physique classique et géométrisante à la physique du noyau et du champ, ce qui *ne* change *pas*, c'est ceci, que la nature doit au préalable se présenter à la réquisition du (travail) qui s'assure d'elle en la poursuivant et que la science accomplit en tant que théorie. Comment toutefois, dans la phase la plus récente de la physique atomique, *l'objet lui-même* disparaît et comment c'est ainsi avant tout la relation sujet-objet en tant que pure relation qui prend le pas *sur* l'objet et le sujet et dont il faut s'assurer comme d'un fonds [1] : c'est là un point que nous ne pouvons examiner ici de plus près.

[L'objectité se transforme et devient la permanence du fonds, déterminée par l'Arraisonnement *(Gestell)* (cf. *La Question de la Technique*). La relation sujet-objet réalise ainsi, pour la première fois, son pur caractère de « relation », c'est-à-dire de « commission » [2] : le sujet et l'objet sont tous deux, comme fonds, absorbés en lui. Ceci ne veut pas dire que la relation sujet-objet disparaisse, mais au contraire qu'elle parvient aujourd'hui au degré suprême de sa puissance, telle qu'elle est pré-

1. *Bestand*. Cf. p. 23.

2. *Gelangt... in ihren reinen « Beziehungs »-, d. h. Bestellungscharakter.* La relation *bezieht*, « attire » ses deux termes, les « fait venir », elle les « rapporte » l'un à l'autre en les plaçant en opposition; et elle les *bestellt*, les convoque, leur assigne leur place et leur fonction, c'est-à-dire les « commet ».

déterminée dans l'Arraisonnement. Elle devient un fonds à commettre.]

Considérons maintenant la situation latente impliquée dans le règne de l'objectité.

La théorie arrête *(stellt... fest)* le réel, dans le cas de la physique la nature inanimée, (elle le fixe) dans *un* domaine d'objets. Cependant la nature est toujours déjà présente d'elle-même. L'objectivation, de son côté, demeure dépendante de la nature présente. Là même où, pour des raisons essentielles comme dans la physique atomique contemporaine, la théorie devient telle qu'elle échappe nécessairement à toute intuition, elle est liée au fait que les atomes se mettent en évidence pour une perception sensible, bien que cette manifestation des particules élémentaires puisse avoir lieu d'une façon très indirecte et comportant du point de vue technique de multiples intermédiaires (cf. chambre de Wilson, compteur de Geiger, lâcher de ballons libres pour la constatation des mésons). La théorie ne passe jamais à côté de la nature déjà présente et, en ce sens, elle ne la « contourne » jamais. La physique peut sans doute représenter la conformité générale de la nature à des lois sous son aspect le plus universel, à partir de l'identité de la matière et de l'énergie, cette représentation de physicien est à vrai dire la nature elle-même, mais il est indéniable qu'elle est seulement la nature (mise en évidence) comme ce domaine d'objets dont l'objectité ne reçoit ses déterminations que par le travail du physicien et est spécialement produite au cours de ce travail. La nature, dans l'objectité qu'elle revêt pour la science moderne de la nature, est seulement *une* manière dont les choses présentes qui de toute antiquité ont été appelées φύσις, se manifestent et s'offrent à l'élaboration scientifique. Même lorsque le domaine d'objets de la physique forme une unité fermée, cette objectité ne peut jamais embrasser la plénitude d'être de la nature. La représentation scientifique ne peut jamais encercler l'être de la nature, parce que l'objectité de la nature n'est, dès le début, qu'*une* manière dont la nature se met en évidence. Ainsi, pour la science de la physique, la nature demeure-t-elle l'Incontournable *(das Unumgängliche)*. Ce mot veut dire ici deux choses. D'abord la nature ne peut être contournée pour autant que la théorie ne passe jamais à côté de la chose présente, mais demeure dépendante d'elle [1]. Ensuite la nature ne peut être contournée pour autant que l'objectité comme telle empêche que la façon de représenter et de « s'assurer de... » qui lui correspond puisse jamais cerner la plénitude d'être de la nature [2]. C'est au fond cela qui hantait l'esprit de Gœthe dans son conflit malheureux avec la physique de Newton. Gœthe ne pouvait pas encore voir que sa représentation intuitive de la nature se mouvait aussi dans ce milieu qu'est l'objectité, dans la relation sujet-objet et qu'ainsi, dans son principe, elle ne différait pas de la physique et demeurait, métaphysiquement, la même chose qu'elle. Le mode scientifique de représentation, de son côté, ne peut jamais décider si, par son objectité, la nature ne se dérobe pas plutôt qu'elle ne fait apparaître la plénitude cachée de son être. La science ne peut même pas poser cette question : car, comme théorie, elle s'est déjà fixée dans le domaine enfermé dans l'objectité et limité par elle.

Dans l'objectité de la nature, à laquelle correspond la physique en tant qu'objectivation, règne ce qui est incontournable en un double sens. Une fois cet Incontournable aperçu dans une science et considéré, fût-ce rapidement, nous le voyons facilement dans toutes les autres.

1. La nature est ce autour de quoi on ne peut faire de *détour*, elle est inévitable.
2. On ne peut faire le *tour* de la nature, elle est inentourable.

La psychiatrie vise la vie psychique de l'homme dans ses manifestations pathologiques, c'est-à-dire toujours en même temps dans ses manifestations saines. Elle se représente les unes et les autres à partir de l'objectité de l'unité corporelle, psychique et spirituelle de l'homme tout entier. Dans l'objectité de la psychiatrie, l'existence *(Dasein)* humaine, qui est déjà présente, se met chaque fois en évidence. L'être-là *(Da-sein)*, dans lequel l'homme ek-siste comme homme, demeure l'Incontournable de la psychiatrie.

L' « histoire » (-science) [1], qui, d'un mouvement toujours plus pressant, se développe en histoire universelle, remplit (la fonction, par laquelle) elle suit le réel à la trace et s'assure de lui, dans le domaine qui, comme histoire (-réalité) se présente à l'appel de sa théorie. Le mot *Historie* (« histoire ») (ἱστορεῖν) signifie « apprendre en s'informant et rendre visible » et désigne ainsi un mode de représentation. Au contraire le mot *Geschichte* (histoire) signifie ce qui arrive, pour autant qu'il est préparé et commis de telle et telle manière, c'est-à-dire mis en ordre et envoyé [1]. L' « histoire » est l'étude exploratrice de l'histoire. Mais la visée « historique » ne crée pas l'histoire elle-même. Tout ce qui est « historique », tout ce qui est représenté et établi à la manière de l'« histoire » est historique, c'est-à-dire fondé sur le destin inclus dans l'avoir-lieu. Mais jamais l'histoire n'est nécessairement « historique ».

L'histoire ne se manifeste-t-elle dans son être que par et pour l'« histoire » ou n'est-elle pas plutôt recouverte par l'objectivation de cette dernière? La science historique n'en peut décider. Mais ce qui est décidé, c'est que l'histoire, en tant qu'elle est l'Incontournable, régit la théorie de l'« histoire ».

1. Cf. *N. du Tr.*, *3.*

Tournée vers les écrits des nations et des peuples, la philologie en fait l'objet d'explications et d'interprétations. Les écrits d'une littérature sont toujours le parler d'une langue. Quand la philologie traite de la langue, elle l'élabore suivant les points de vue objectifs fixés par la grammaire, l'étymologie, l'histoire comparée des langues, par la stylistique et la poétique.

Toutefois la langue parle sans devenir littérature et ne se soucie nullement de savoir si la littérature, de son côté, parvient à l'objectité à laquelle répondent les constatations d'une science de la littérature. Dans la théorie de la philologie règne le langage en tant qu'il est l'Incontournable.

La nature, l'homme, l'histoire, le langage demeurent pour les sciences indiquées l'Incontournable qui déjà s'impose à l'intérieur de leur objectité et dont elles dépendent à tout moment, mais que pourtant, par leur mode de représentation, elles ne peuvent jamais cerner dans la plénitude de son être. Cette impuissance des sciences n'est pas fondée en ce que (le travail par lequel) elles suivent le réel à la trace et s'assurent de lui ne prend jamais fin, mais en ceci qu'en principe l'objectité dans laquelle la nature, l'homme, l'histoire, le langage se mettent chaque fois en évidence demeure toujours elle-même *une* espèce de la présence, espèce sous laquelle ladite chose présente peut apparaître, mais ne doit jamais nécessairement apparaître.

L'Incontournable ainsi caractérisé régit l'être de toute science. Cet Incontournable, maintenant, est-il la situation latente que nous voudrions rendre visible? Oui et non. Oui, pour autant que l'Incontournable fait partie de la situation dont il s'agit; non, pour autant qu'à lui seul il ne constitue pas encore la situation. Ce qui déjà se montre en ceci que cet Incontournable lui-même soulève encore une question essentielle.

L'Incontournable régit l'être de la science. On devrait donc s'attendre à ce que la science elle-même pût découvrir en elle l'Incontournable et le déterminer comme tel. Mais ceci précisément n'a pas lieu, pour la raison qu'une chose semblable est par essence impossible. A quoi peut-on le reconnaître? Si les sciences elles-mêmes pouvaient à tout moment découvrir en elles l'Incontournable, elles devraient être en mesure, avant toute autre chose, de se représenter leur être propre. Mais elles demeurent en tout temps hors d'état de le faire.

La physique en tant que physique ne peut rien dire au sujet de la physique. Tout ce que dit la physique parle le langage de la physique. La physique elle-même n'est pas l'objet possible d'une expérience physique. Il en est de même de la philologie. En tant que théorie de la langue et de la littérature, elle n'est jamais l'objet possible d'une considération philologique. On peut en dire autant de chaque science.

Une objection, cependant, pourrait être élevée. En tant que science, l'histoire, comme toute autre science, a une histoire. La science de l'histoire peut donc se viser elle-même au sens de sa thématique et de sa méthode. Certainement. Par une telle visée, l' « histoire » saisit l'histoire de la science qu'elle est. Seulement par là l' « histoire » ne saisit jamais son être comme « histoire », c'est-à-dire comme science. Si l'on veut dire quelque chose sur les mathématiques en tant que théorie, il faut alors quitter le domaine d'objets des mathématiques et leur mode de représentation. On ne pourra jamais, par un calcul mathématique, décider de ce que sont les mathématiques elles-mêmes.

Il reste donc établi que les sciences sont hors d'état de se pré-senter *(vor-stellen)* jamais elles-mêmes comme sciences par les moyens de leur théorie et par les procédés de la théorie.

Si, d'une façon générale, il demeure refusé à la science de pouvoir aborder (la question de) son propre être d'une façon scientifique, alors encore bien moins les sciences peuvent-elles accéder à cet Incontournable qui régit leur être.

Ainsi apparaît quelque chose d'irritant. Ce que les sciences ne peuvent contourner : la nature, l'homme, l'histoire, le langage, est, *en tant que* cet Incontournable, inaccessible aux sciences et par elles.

C'est seulement lorsque nous avons aussi égard à cette inaccessibilité de l'Incontournable que la situation qui régit l'être de la science devient visible.

Mais cet Incontournable inaccessible, pourquoi le nommons-nous « la situation latente »? Ce qui est latent n'attire pas l'attention. Il peut être vu sans être, toutefois, spécialement remarqué. La situation que nous montrons et qui est inhérente à l'être de la science demeure-t-elle sans être remarquée simplement parce qu'on prend trop rarement et trop peu l'être de la science en considération? On trouverait difficilement quelqu'un pour l'affirmer sérieusement. Beaucoup de témoignages, au contraire, vont en ce sens qu'une inquiétude étrange parcourt aujourd'hui, non seulement la physique, mais toutes les sciences. Autrefois pourtant, dans les siècles passés de l'histoire de l'esprit et de la science en Occident, on s'est efforcé, toujours à nouveau, de définir l'être de la science. L'effort passionné et incessant dans cette direction est avant tout un trait fondamental des temps modernes. Comment la situation dont il s'agit aurait-elle pu alors passer inaperçue? On parle aujourd'hui d'une « crise des fondements » des sciences. A vrai dire elle concerne seulement les concepts fondamentaux des sciences particulières. Elle n'est aucunement une crise de la science comme telle. Aujourd'hui celle-ci va son chemin, plus en sûreté que jamais.

L'Incontournable inaccessible, qui régit entièrement les sciences et qui rend ainsi leur être énigmatique, est cependant beaucoup plus, à savoir quelque chose d'essentiellement autre, qu'une simple incertitude touchant la fixation des concepts fondamentaux, par lesquels à toute science vient s'adjoindre son domaine. Ainsi l'inquiétude dans les sciences dépasse-t-elle de beaucoup la simple incertitude de leurs concepts fondamentaux. On est inquiet dans les sciences et pourtant l'on ne peut pas dire pour quelle raison ni à quel sujet, en dépit des multiples discussions sur les sciences. On philosophe aujourd'hui sur les sciences des points de vue les plus différents. De pareils efforts, venant de la philosophie, se rencontrent avec les exposés de source directe, qui sont partout tentés, par les sciences elles-mêmes, sous forme de résumés synthétiques ou d'histoires de la science.

Et pourtant cet Incontournable inaccessible demeure dans l'inapparent. C'est pourquoi l'inapparence de la situation ne peut consister seulement en ce qu'elle ne *nous* frappe pas et que *nous* n'y prêtons pas attention. L'inapparence de la situation se fonde bien plutôt en ceci qu'elle n'apparaît pas d'elle-même. Que l'on passe outre sans cesse à l'Incontournable inaccessible tient à lui-même comme tel. Pour autant que l'inapparence est un trait fondamental de la situation elle-même, celle-ci n'est suffisamment déterminée que lorsque nous disons :

La situation qui domine l'être de la science, c'est-à-dire de la théorie du réel, est l'Incontournable inaccessible auquel il est constamment passé outre.

La situation latente se cache dans les sciences. Mais elle n'est pas en elles comme la pomme dans le panier. Disons plutôt : ce sont les sciences qui, de leur côté, reposent dans la situation latente comme la rivière dans sa source.

Notre dessein était de montrer de loin la situation, afin qu'elle-même nous indique d'un signe la région d'où provient l'être de la science.

Où sommes-nous arrivés? Nous sommes devenus attentifs à l'Incontournable inaccessible auquel il est constamment passé outre. Il se montre à nous dans l'objectité, dans laquelle le réel se met en évidence et à travers laquelle la théorie suit les objets à la piste, afin de s'assurer, pour son (mode de) représentation, de ceux-ci et de leurs connexions dans le domaine d'objets de la science considérée. La situation latente régit l'objectité où sont tendues et vibrantes aussi bien la réalité du réel que la théorie du réel, donc aussi l'être tout entier de la science moderne et contemporaine.

Nous nous contentons d'indiquer la situation latente. Pour établir ce qu'elle est en elle-même, il faudrait poser de nouvelles questions. Cependant, une fois rendus ainsi attentifs à la situation latente, nous nous trouvons orientés dans une direction qui conduit devant « Ce qui mérite qu'on interroge » (à son sujet) [1]. C'est seulement « Ce qui mérite qu'on interroge » — différent de ce qui est simplement douteux et de tout ce qui est « sans-question » — qui, de lui-même, accorde l'incitation claire et le libre appui, grâce auxquels nous pouvons répondre à ce qui se dit à notre être et l'appeler vers nous. Le voyage vers « Ce qui mérite qu'on interroge » n'est pas une aventure, mais un retour au pays natal.

S'engager dans la direction d'un chemin qu'une chose a, d'elle-même, déjà suivi se dit dans notre langue *sinnan, sinnen* [2]. Entrer dans le sens *(Sinn)*, tel est l'être de la méditation *(Besinnung)*. Ceci veut dire plus que de rendre simplement conscient

1. *Das Fragwürdige*, « le digne-de-question ».
2. *Sinnan* (vieux-haut-allemand) est pour *sind-nan*, de *sind*, chemin, marche.

de quelque chose. Nous ne sommes pas encore arrivés à la méditation, lorsque nous n'en sommes encore qu'à la conscience. La méditation est davantage. Elle est l'abandon à « Ce qui mérite qu'on interroge ».

Par la méditation ainsi comprise, nous arrivons proprement là, où sans en avoir expérience ni vue distincte, nous séjournons depuis longtemps. Dans la méditation, nous allons vers un lieu à partir duquel seulement s'ouvre l'espace que chaque fois parcourent notre faire et notre non-faire.

Méditer est d'une autre essence que le « rendre-conscient » et le savoir de la science, d'une autre essence aussi que la culture *(Bildung)*. Le mot *bilden* (« former ») signifie d'abord : dresser un modèle-image et produire un modèle-écrit. Il signifie ensuite : donner forme, en les développant, à des dispositions préexistantes. La culture place devant l'homme un modèle *(Vorbild)* suivant lequel il informe et développe son faire et son non-faire. La culture a besoin d'une image directrice assurée au préalable et d'un emplacement défendu de tous côtés. La production d'un idéal commun de culture et son rayonnement présupposent une situation de l'homme qui ne soit pas mise en question et qui soit assurée dans toutes les directions. Cette présupposition, de son côté, doit se fonder dans une foi à la puissance irrésistible d'une raison immuable et de ses principes.

Au contraire, la méditation est seule à nous diriger vers le lieu de notre séjour. Celui-ci demeure toujours historique, c'est-à-dire à nous assigné, que nous le représentions, l'analysions et lui donnions une place en mode « historique » ou que nous croyions pouvoir, par un acte de notre seule volonté, nous détacher artificiellement de l'histoire en nous détournant de l' « histoire ».

Comment et par quels moyens notre séjour historique adosse et achève son habitation : la méditation n'en peut rien décider d'une façon immédiate.

L'âge de la culture touche à sa fin, non parce que les incultes arrivent au pouvoir, mais parce que les signes d'un âge du monde deviennent visibles, où pour la première fois « Ce qui mérite qu'on interroge » ouvre à nouveau les portes vers l'être *(zum Wesenhaften)* de toutes les choses et de tous les destins.

Nous répondons à l'appel de l'ampleur, à l'appel de la retenue de cet âge, lorsque, commençant à méditer, nous nous engageons dans la voie déjà suivie[1] par cette situation qui se montre à nous dans l'être de la science, mais non pas là seulement.

Néanmoins, rapportée à son époque, la méditation demeure plus provisoire, plus patiente et plus pauvre que la culture antérieurement pratiquée. Mais la pauvreté de la méditation est la promesse d'une richesse dont les trésors brillent à la lumière de cet Inutile qu'on ne peut faire entrer dans aucun calcul.

Les voies de la méditation changent constamment, suivant le point du chemin où commence un passage, suivant le trajet qu'il parcourt, suivant les grands aperçus qui s'ouvrent en chemin sur « Ce qui mérite qu'on interroge » [2].

Bien que les sciences, sur leurs voies précisément et avec leurs moyens, ne puissent jamais pénétrer jusqu'à l'être de la science, tout savant, cependant, tout homme qui enseigne les sciences ou qui passe par une science peut, comme être pensant, se mouvoir à des niveaux différents de la méditation et les maintenir en éveil.

Mais là même où, par une faveur particulière, le degré suprême de la méditation serait une fois atteint, celle-ci devrait se contenter de préparer

1. Cf. plus haut, p. 76, le sens du mot *sinnen*.
2. Cf. la fin de l'avant-propos.

seulement un état de disposition pour la parole dont l'humanité d'aujourd'hui a besoin.

Celle-ci a besoin de la méditation, mais non pour mettre fin à une perplexité accidentelle, ou pour vaincre les répugnances qui s'opposent à la pensée. Elle a besoin de la méditation comme d'une réponse *(Entsprechen)* qui s'oublie dans la clarté d'une interrogation incessante de l'être inépuisable de « Ce qui mérite qu'on interroge », interrogation à partir de laquelle, au moment approprié, la réponse perd son caractère de question et devient simple dire.

DÉPASSEMENT DE LA MÉTAPHYSIQUE

I

Que veut dire « dépassement[1] de la métaphysique »? La pensée tournée vers l'histoire de l'être n'utilise ce titre que comme un expédient, pour se rendre quelque peu intelligible. Ce titre en vérité donne lieu à beaucoup de malentendus : car il interdit à notre expérience l'accès du fond à partir duquel seulement l'histoire de l'être fait apparaître son essence. Celle-ci est l'éclosion-et-révélation-de-l'être-propre[2], dans laquelle l'être lui-même est accepté-et-approfondi[3]. Le dépassement dont nous parlons ne doit surtout pas faire supposer qu'une discipline soit refoulée hors de l'horizon de la « culture » philosophique. La « métaphysique » est déjà pensée ici comme dispensation *(Geschick)* de la vérité de l'étant, c'est-à-dire de l'étantité *(Seiendheit)* entendue *comme* ce qui, bien qu'encore en retrait, n'en est pas moins par excellence une appro-

1. *Ueberwindung*, du verbe *überwinden*, « surmonter ».
2. *Das Er-eignis*. Cf. *N. du Tr.*, *4*.
3. *Verwunden.* — Le verbe *verwinden* veut dire ici « faire sienne une chose en entrant plus profondément en elle et en la transposant à un niveau supérieur » (Heid.). Dans *Zur Seinsfrage* (1956), Heidegger précisera encore sa pensée. Il s'agit alors de surmonter *(überwinden)* le nihilisme en écartant le mode métaphysique de représentation, non pas pour congédier la métaphysique, mais au contraire pour pouvoir l'accepter *(verwinden)*, c'est-à-dire pour libérer son être, laisser sa vérité revenir à nous, pour sauver la métaphysique dans son être, revenir au lieu où elle a son origine. Cf. ci-après p. 82, al. 2.

priation *(Ereignung)*, à savoir celle de l'oubli de l'être.

Dans la mesure où l'on conçoit le dépassement comme le fait de la philosophie, il vaudrait mieux dire : « La métaphysique, chose passée. » Titre qui, il faut le reconnaître, incite à de nouvelles méprises. Passé veut dire ici : passage et dissolution dans l'avoir-été. Alors que la métaphysique passe, elle *est* passée. Qu'elle soit passée n'exclut pas, mais implique au contraire que ce soit seulement de nos jours que la métaphysique arrive à sa domination absolue, au sein de l'étant lui-même et en tant que celui-ci, sous la forme dénuée de vérité du réel et des objets. Perçue, toutefois du point de vue de son aube et premier commencement, la métaphysique est aussi passée en ce sens qu'elle est entrée dans son tré-passement [1]. Ce trépas *dure* plus longtemps que l'histoire jusqu'ici accomplie de la métaphysique.

II

On ne peut se défaire de la métaphysique comme on se défait d'une opinion. On ne peut aucunement la faire passer derrière soi, telle une doctrine à laquelle on ne croit plus et qu'on ne défend plus.

L'homme, devenu l'*animal rationale*, ce qui veut dire aujourd'hui le vivant qui travaille, ne peut plus qu'errer à travers les déserts de la terre ravagée. Et ceci pourrait être un signe que la métaphysique se manifeste pour nous à partir de l'être lui-même et que le dépassement de la métaphysique a lieu en tant qu'acceptation *(Verwindung)* de l'être. Car le travail (cf. Ernst Jünger, *Der Arbeiter* (« Le travailleur »), 1932) accède aujourd'hui au rang métaphysique de cette objectivation incondition-

1. *Vergangen*, « passée », est interprété par *in ihre Ver-endung eingegangen*, « entrée dans le temps où elle passe et prend fin ».

nelle de toutes les choses présentes qui déploie son être dans la volonté de volonté.

S'il en est ainsi, nous ne devons pas nous figurer que nous nous tenions hors de la métaphysique parce que nous en pressentons la fin. Car la métaphysique, même surmontée, ne disparaît point. Elle revient sous une autre forme et conserve sa suprématie, comme la distinction, toujours en vigueur, qui de l'étant différencie l'être.

Le déclin de la vérité de l'étant veut dire que la manifestation de l'étant, et du *seul* étant, perd l'exclusivité, qu'elle possédait jusqu'ici, d'une prétention servant de règle et de mesure.

III

Le déclin de la vérité de l'étant a lieu d'une façon nécessaire, comme l'achèvement de la métaphysique.

Le déclin s'accomplit à la fois par l'effondrement du monde marqué par la métaphysique et par la dévastation de la terre, résultat de la métaphysique.

Effondrement et dévastation trouvent l'accomplissement qui leur convient, en ceci que l'homme de la métaphysique, l'*animal rationale*, est mis en place *(fest-gestellt)* comme bête de labeur.

Cette mise en place confirme l'extrême aveuglement de l'homme touchant l'oubli de l'être. Mais l'homme veut être *lui-même* le volontaire de la volonté de volonté, pour lequel toute vérité se transforme en l'erreur même dont il a besoin, afin qu'il puisse être sûr de se faire illusion. Il s'agit pour lui de ne pas voir que la volonté de volonté ne peut rien vouloir d'autre que la nullité du néant, en face de laquelle il s'affirme sans pouvoir connaître sa propre et complète nullité.

Avant que l'être puisse se montrer dans sa vérité

initiale, il faut que l'être comme volonté soit brisé, que le monde soit renversé, la terre livrée à la dévastation et l'homme contraint à ce qui n'est que travail. C'est seulement après ce déclin que devient sensible *(ereignet sich)*, au cours d'un long intervalle, la durée abrupte du commencement. Dans le déclin tout prend fin : tout, c'est-à-dire l'étant dans l'horizon entier de la vérité de la métaphysique.

Le déclin s'est déjà produit. Les suites de cet événement *(Ereignis)* sont les grands faits de l'histoire mondiale qui ont marqué ce siècle. Ils indiquent seulement le cours dernier de ce qui a déjà pris fin. Cette fin de course est ordonnée suivant la technique de l' « histoire » et au sens du dernier stade de la métaphysique. Pareille mise en ordre est le dernier acte par lequel ce qui a pris fin est installé dans l'apparence d'une réalité dont l'opération est irrésistible, parce qu'elle prétend pouvoir se passer d'un dévoilement de l'*être de l'être* [1], et cela d'une façon si résolue que tout pressentiment de ce dévoilement lui est superflu.

La vérité encore cachée de l'être se refuse aux hommes de la métaphysique. La bête de labeur est abandonnée au vertige de ses fabrications, afin qu'elle se déchire elle-même, qu'elle se détruise et tombe dans la nullité du Néant.

IV

Jusqu'à quel point la métaphysique fait-elle partie de la nature de l'homme? L'homme, tel que la métaphysique nous le présente, c'est-à-dire comme un étant, est d'abord, entre autres choses, doté de facultés. Son essence constituée de telle et telle façon, sa nature, le quoi et le comment de son être

1. *Des Wesens des Seins.* Cf. *N. du Tr., 1.*

sont déjà en eux-mêmes métaphysiques : *animal* (côté sensible) et *rationale* (côté non sensible). Ainsi encadré par la métaphysique, l'homme demeure lié à la différence non perçue de l'étant et de l'être. La façon dont l'homme se représente les choses et qui est marquée par la métaphysique ne trouve partout que le monde construit par la métaphysique. Celle-ci fait partie de la nature de l'homme. Mais qu'est-ce que la nature elle-même? Qu'est-ce que la métaphysique elle-même? Et l'homme lui-même, qui est-il à l'intérieur de cette métaphysique naturelle? N'est-il qu'un moi qui ne s'affermit dans son égoïté que par référence à un toi, parce qu'il s'affermit alors dans la relation du je au tu?

Pour Descartes l'*ego cogito* est, dans toutes les *cogitationes*, ce qui est déjà présenté et pro-duit, ce qui est présent, hors de question, indubitable, ce qui est déjà dans toute science, la chose proprement certaine, solidement établie avant toute autre, à savoir comme ce qui met toute chose en relation avec *soi* et qui ainsi l'op-pose à toute autre.

A l'objet appartiennent à la fois le fonds de quiddité constitutif de ce qui s'op-pose *(essentia-possibilitas)* et la position de ce qui est en face *(existentia)*[1]. L'objet est l'unité de la position stable *(Ständigkeit)* (et)[2] du fonds constitutif. Le fonds *(Bestand)* dans sa position *(Stand)* est fondamentalement rapporté à la « mise en position » *(Stellen)* du « représenter » *(Vor-stellen)*, en tant que « représenter » est avoir devant soi quelque chose que l'on rend sûr. L'objet originel est l'objectité elle-même. L'objectité originelle est le *je pense* au sens du *je perçois* qui, antérieurement à tout perceptible,

1. *Das Was-bestand des Gegenstehenden* (...) *und das Stehen des Entgegenstehenden* (...) — Le terme allemand pour « objet », *Gegenstand*, est littéralement « ob-stant ».

2. L' « et », qui ne figure pas dans l'original, est une variante possible (Heid.).

s'étend devant *(sich vor-legt)* et s'est déjà étendu devant, qui est *subiectum*. Dans l'ordre de la genèse transcendantale de l'objet, le sujet est le premier objet d'une représentation ontologique.

Ego cogito, c'est *cogito* au sens de : *me cogitare*.

V

La forme moderne de l'ontologie est la philosophie transcendantale, qui devient elle-même théorie de la connaissance.

Comment une doctrine de ce genre apparaît-elle au sein de la métaphysique moderne? Elle apparaît lorsque l'étantité de l'étant [1] est pensée comme la présence *pour* ce mode de représentation qui s'assure (de son objet). L'étantité de l'étant est maintenant l'objectité. La question de l'objectité, de la possibilité de l'op-position (à savoir en face du mode de représentation qui s'assure et qui calcule) est la question de la cognoscibilité.

Mais, à proprement parler, cette question n'est pas comprise comme la question du mécanisme physico-psychique du processus de connaissance, mais comme celle de la possibilité de la présence de l'objet dans et pour la connaissance.

La « théorie de la connaissance » est considération, θεωρία, pour autant que l'ὄν, pensé comme objet, est interrogé sur l'objectité et ce qui la rend possible (ᾗ ὄν).

Dans quelle mesure Kant, du fait qu'il pose les problèmes dans la perspective transcendantale, a-t-il mis en sûreté le côté métaphysique de la métaphysique moderne? Lorsque la vérité devient certitude et qu'ainsi l'étantité de l'étant, l'οὐσία, se transforme et devient l'objectité impliquée dans la *perceptio* et la *cogitatio* de la conscience, du savoir,

1. *Die Seiendheit des Seienden*, l'*entitas* de l'*ens*, l'οὐσία de l'ὄν.

alors et pour autant le savoir et la connaissance passent au premier plan.

La « théorie de la connaissance » et ce que l'on nomme ainsi sont, dans leur fond, la métaphysique et l'ontologie assises sur la vérité, celle-ci étant entendue comme la certitude du mode de représentation qui s'assure (de son objet).

Au contraire c'est s'abuser que d'interpréter la « théorie de la connaissance » comme étant l'explication de la « connaissance » et une « théorie » des sciences, et bien que toute cette entreprise de mise en sûreté ne soit qu'une conséquence du changement de sens de l'être, devenu l'objectité et l'état de chose représentée.

« Théorie de la connaissance » : ce titre couvre l'impuissance fondamentale et croissante de la métaphysique moderne à connaître son propre être et le fond de son être. Parler de « métaphysique de la connaissance », c'est rester dans la même incompréhension. En vérité, il s'agit de la métaphysique de l'objet, c'est-à-dire de l'étant comme objet pour un sujet.

La place croissante prise par la logistique est l'envers pur et simple de la fausse interprétation de la théorie de la connaissance dans la perspective d'un empirisme positiviste.

VI

L'achèvement de la métaphysique commence avec la métaphysique hégélienne du savoir absolu entendu comme esprit de la volonté.

Pourquoi cette métaphysique est-elle seulement le début de l'achèvement et non cet achèvement lui-même? La certitude inconditionnée, sous la forme de la réalité absolue, n'est-elle pas venue jusqu'à cette métaphysique même?

Ici est-il encore possible de se dépasser soi-même?

Non, sans doute. Mais il est encore possible de revenir à soi, hors de toute condition, comme à la volonté de la vie. Cette possibilité n'est pas encore réalisée. La volonté n'est pas encore apparue comme la volonté de volonté, dans sa réalité qu'elle a elle-même préparée. C'est pourquoi la métaphysique n'est pas encore achevée avec la métaphysique de l'esprit.

En dépit des banalités que l'on débite sur l'effondrement de la philosophie hégélienne, le fait subsiste qu'au XIXe siècle cette philosophie a été la seule à déterminer la réalité, non pas sans doute sous la forme extérieure d'une doctrine acceptée et suivie, mais comme métaphysique, comme domination de l'étantité au sens de la certitude. Les mouvements d'opposition à cette métaphysique font *partie* d'elle-même. Depuis la mort de Hegel (1831), les mouvements d'opposition occupent toute la scène, non seulement en Allemagne, mais aussi en Europe.

VII

C'est un trait caractéristique de la métaphysique que, d'un bout à l'autre de son histoire, l'*existentia* n'est jamais traitée, lorsqu'elle l'est, que d'une façon brève et comme une chose qui va de soi. (Cf. l'explication indigente du postulat de la réalité dans la *Critique de la raison pure* de Kant.) Seul Aristote fait exception : il pense à fond l'ἐνέργεια, mais sans que cette pensée ait jamais pu, par la suite, devenir essentielle dans ce qu'elle a d'originel. La transformation de l'ἐνέργεια en *actualitas* et en réalité a rejeté dans l'ombre tout ce qui avait été mis au jour dans l'ἐνέργεια. La connexion entre οὐσία et ἐνέργεια s'obscurcit. Hegel est le premier qui approfondisse à nouveau l'*existentia*, mais il le fait dans sa *Logique*. Schelling pense l'*existentia* dans la distinction qu'il fait de la base et de l'existence, distinction qui toutefois a son origine dans la subjectité.

Dans le rétrécissement de l'être réduit à la « nature », nous percevons un écho tardif et confus de l'être pensé comme φύσις.

En face de la nature on place la raison et la liberté. La nature est l'étant, aussi la liberté et le devoir ne sont-ils plus pensés comme être. On en reste à l'opposition de l'être et du devoir, de l'être et de la valeur. Finalement, dès que la volonté arrive au point extrême de son inessence, l'être lui-même devient aussi une simple « valeur ». La valeur est pensée comme une condition de la volonté.

VIII

La métaphysique, sous toutes ses formes et à toutes les étapes de son histoire, est une unique fatalité, mais peut-être aussi la fatalité nécessaire de l'occident et la condition de sa domination étendue à toute la terre. La volonté qui est derrière cette domination réagit aujourd'hui sur la région centrale de l'occident, région d'où, à son tour, ne part encore qu'une volonté pour répliquer à la volonté.

Le déploiement de la domination inconditionnée de la métaphysique commence seulement. Il commence quand la métaphysique affirme l'in-être *(Unwesen)* qui lui est approprié, qu'elle lui livre son être et l'y consolide.

La métaphysique est une fatalité *(Verhängnis)* en ce sens strict, le seul envisagé ici : en tant que trait fondamental de l'histoire de l'Europe occidentale, elle suspend *(hängen lässt)* les choses humaines au milieu de l'étant, *sans que* l'être de l'étant puisse être jamais connu par expérience *comme le Pli* des deux [1], sans qu'il puisse être ainsi connu, interrogé et installé dans ses limites *(gefügt)* à partir de la métaphysique et par elle, dans la vérité de la métaphysique.

Cette fatalité, cependant, qu'il faut penser en rapport avec l'histoire de l'être, est nécessaire pour la raison que, si l'être lui-même peut éclairer dans sa vérité la différence, qu'il préserve en lui, de l'être et de l'étant, il le peut seulement lorsque la différence se manifeste elle-même spécialement. Mais comment pourrait-elle se manifester, si l'étant ne s'était pas d'abord engagé dans l'oubli extrême de l'être et si en même temps l'être n'avait pas assumé sa domination inconditionnée, inconnaissable à la métaphysique, s'il ne l'avait pas assumée comme volonté de volonté, comme cette volonté qui se fait valoir dès le début, et seulement par ceci que l'étant (ce qui est objectivement réel) obtient le pas sur l'être à titre exclusif?

Ainsi ce qui dans la différence est différenciable se présente en quelque sorte à nous et se tient cependant en retrait dans une étrange incognoscibilité. C'est pourquoi la différence elle-même demeure voilée. Nous en trouvons un signe dans la réaction à la douleur telle qu'on l'observe à l'époque de la métaphysique et de la technique et qui en même temps prédétermine la façon dont l'être de la douleur est interprété.

En même temps que la métaphysique entre dans la période de son achèvement commence la préparation, inconnue, essentiellement inaccessible à la métaphysique, d'une première apparition du Pli de l'être et de l'étant. Dans cette apparition se

1. *Zwiefalt*, le pli en deux. C'est l'être en tant que double (être et étant), ouvrable, par opposition à *das Einfache*, « le simple », l'unité en tant qu'elle ne s'ouvre ni ne se dédouble. Il sera question plus loin assez longuement, et de la Simplicité (pp. 176-179 et n. 5 de la p. 176) et du Pli (pp. 289-309).

cachent encore les premières lueurs de la vérité de l'être, laquelle retire en elle la primauté que l'être possède en ce qui concerne sa puissance.

IX

Le dépassement de la métaphysique est pensé dans son rapport à l'histoire de l'être. Il est un signe précurseur annonçant la com-préhension [1] commençante de l'oubli de l'être. Ce qui se montre dans le signe est antérieur au signe, quoique aussi plus en retrait que lui. C'est l'avènement *(Ereignis)* lui-même. Ce qui, pour la pensée métaphysique, se présente comme le signe précurseur d'autre chose ne compte plus [2] que comme la simple et dernière lueur d'un éclairement plus originel. Le dépassement (de la métaphysique) ne mérite d'être pensé que lorsqu'on pense à l'appropriation-qui-surmonte [1] (l'oubli de l'être). Cette pensée insistante pense encore, en même temps, au dépassement (de la métaphysique). Une telle pensée perçoit cette aube *(Ereignis)* unique à laquelle répond l'expropriation de l'étant, où s'éclairent la détresse de la vérité de l'être [3] et par conséquent les premières émergences de la vérité [4] et où, dans un adieu, elles jettent une lumière sur la condition humaine. Dépasser la métaphysique, c'est la livrer et la remettre à sa propre vérité.

On ne peut tout d'abord se représenter le dépassement de la métaphysique, si ce n'est à partir de la métaphysique elle-même : comme si un nouvel étage lui était ajouté. On a le droit, dans ce cas, de parler encore de « métaphysique de la métaphysique », sujet effleuré dans l'étude *Kant et le pro-*

1. *Verwindung*. Cf. p. 80, n. 3.
2. Pour une pensée ontologique, qui cherche le rapport à l'être.
3. L'indigence de l'homme, qui a perdu la vérité de l'être.
4. Sans lesquelles la détresse ne pourrait être sentie.

blème de la métaphysique, où nous avons essayé d'interpréter la pensée kantienne, qui procède encore de la critique pure et simple de la métaphysique rationnelle, en la considérant précisément sous cet angle. Par là, sans doute, on accorde à la pensée de Kant plus que lui-même ne pouvait penser dans les limites de sa philosophie.

Parler du dépassement de la métaphysique peut signifier aussi que « la métaphysique » demeure le nom du platonisme, qui s'offre au monde moderne dans l'interprétation qu'en ont donnée Schopenhauer et Nietzsche. Le renversement du platonisme, renversement suivant lequel les choses sensibles deviennent pour Nietzsche le monde vrai et les choses suprasensibles le monde illusoire, reste entièrement à l'intérieur de la métaphysique. Cette façon de dépasser la métaphysique, que Nietzsche envisage, à savoir dans le sens du positivisme du XIXe siècle, marque seulement, quoique sous une forme différente et supérieure, que l'on ne peut plus s'arracher à la métaphysique. Il semble à vrai dire que le *méta-*, le passage par transcendance au suprasensible, soit ici écarté en faveur d'une installation à demeure dans le côté « élémentaire » de la réalité sensible, alors que l'oubli de l'être est simplement conduit à son achèvement et que le suprasensible, en tant que volonté de puissance, est libéré et mis en action.

X

La volonté de volonté, sans qu'elle puisse elle-même le savoir ni tolérer un savoir à ce sujet, s'oppose à tout destin : par ce mot nous entendons ici l'attribution d'une manifestation possible de l'être de l'étant. La volonté de volonté durcit toute chose et la conduit dans l'absence de destin. D'où la non-historicité, dont le signe distinctif est le règne de l'« histoire » (-science). L'embarras de cette dernière s'appelle l'« historicisme ». Si l'on voulait conformer l'histoire de l'être au mode de représentation qui est aujourd'hui courant *en « histoire »*, cette tentative malheureuse confirmerait de la façon la plus frappante que c'est bien l'oubli du destin de l'être qui régit notre époque.

L'époque de la métaphysique achevée est sur le point de commencer.

La volonté de volonté impose les formes fondamentales qui lui permettent de se manifester : le calcul et l'organisation de toutes choses. Elle ne le fait toutefois que pour s'assurer elle-même d'une façon qui puisse absolument être continuée

La forme fondamentale sous laquelle la volonté de volonté apparaît et, en calculant, s'installe elle-même dans la non-historicité du monde de la métaphysique achevée peut être appelée d'un mot : la « technique ». Cette appellation englobe alors tous les domaines de l'étant, qui forment à chaque instant l'équipement du tout de l'étant : la nature objectivée, la culture maintenue en mouvement, la politique dirigée, les idéals surhaussés. « La technique » ne désigne donc pas ici les différents secteurs de la production et de l'équipement par machines. Ces dernières activités jouissent sans doute d'une situation privilégiée qui reste à préciser et qui est fondée sur la priorité accordée à tout ce qui est matériel, c'est-à-dire supposé élémentaire et objectif au premier chef.

Nous prenons ici « la technique » en un sens si essentiel qu'il équivaut à celui de « la métaphysique achevée ». Le mot implique un rappel de la τέχνη, laquelle est une condition fondamentale de tout déploiement que la métaphysique peut faire de son être. En même temps le mot permet de penser le caractère planétaire de l'achèvement et du règne de la métaphysique, sans avoir à tenir compte des transformations que l' « histoire » peut observer chez les différents peuples et sur les différents continents.

XI

Dans la volonté de puissance, la métaphysique de Nietzsche fait apparaître l'*avant*-dernière étape du processus par lequel l'étantité de l'étant exerce et déploie sa volonté comme volonté de volonté. Que la dernière étape ne soit pas encore parcourue s'explique par la prépondérance de la « psychologie », par les idées de puissance et de force, par l'enthousiasme pour la vie. C'est pourquoi manquent à cette pensée la rigueur et la netteté du concept aussi bien que la sérénité de la considération historique. L' « histoire » domine, et aussi, par conséquent, l'apologétique et la polémique.

D'où vient que la métaphysique de Nietzsche ait conduit au mépris de la pensée en se réclamant de « la vie »? De ceci, que l'on n'a pas vu comment les procédés par lesquels on s'assure du fonds [1], par le moyen de représentations et de plans (donc par la force), sont, suivant la doctrine de Nietzsche, aussi essentiels pour la « vie » que son passage à une intensité et un niveau supérieurs. Ce surhaussement de la vie lui-même a été compris seulement (en mode psychologique) du côté où il était assimilable à une ivresse, le point décisif étant laissé de côté, à savoir qu'en même temps il donne, à l'activité par laquelle on s'assure du fonds, son impulsion propre et chaque fois nouvelle et qu'il justifie l'intensification de la vie. Aussi, ce qui appartient à la volonté de puissance, c'est la suprématie absolue de la raison calculante et non le vague et la confusion de troubles remous vitaux. Le culte mal dirigé

1. *Bestandsicherung*. Pour *Bestand* (« fonds »), cf. plus haut p. 23.

de Wagner a entouré la pensée de Nietzsche et ses exposés d'une atmosphère d'esthétisme qui, après le précédent créé par les railleries de Schopenhauer contre la philosophie (à savoir celle de Hegel et de Schelling) et après son interprétation superficielle de Platon et de Kant, prépara les dernières décennies du XIXe siècle à cet enthousiasme qui, prenant ses critères du vrai dans la non-historicité, se contente alors de tout ce qu'il y trouve de superficiel et de nuageux.

Derrière tout cela, il n'y a rien d'autre qu'une impuissance à penser à partir de l'être même de la métaphysique, à comprendre, et la portée du changement d'être subi par la vérité, et le sens historique de la suprématie commençante de la vérité comme certitude, une impuissance enfin à partir de cette connaissance pour réintégrer simplement la métaphysique nietzschéenne dans le cours de la métaphysique moderne, au lieu d'en faire un phénomène littéraire qui échauffe les têtes plus qu'il ne clarifie les pensées, plus qu'il ne rend perplexe et même plus peut-être qu'il n'effraie. Finalement la passion de Nietzsche pour les créateurs montre que sa pensée est purement moderne en ce qu'elle part des idées de génie et de chose géniale et qu'elle est en même temps technique en ce qu'elle part de la notion de productivité. Dans le concept de volonté de puissance, les deux « valeurs » constitutives (la vérité et l'art) ne sont que des appellations détournées, d'une part pour la « technique », au sens essentiel de ce travail efficace qui, par plans et calculs, constitue des fonds et, d'autre part, pour la production des « créateurs » qui, dépassant la vie de leur époque, fournissent à la vie un nouveau stimulant et assurent le mouvement culturel.

Tout cela reste au service de la volonté de puissance, mais empêche aussi que son être apparaisse dans la claire lumière de ce savoir large et essentiel qui ne peut procéder que de la pensée tournée vers l'histoire de l'être.

L'être de la volonté de puissance ne peut être compris qu'à partir de la volonté de volonté. Celle-ci, toutefois, ne peut être connue par expérience que lorsque la métaphysique est déjà engagée dans sa transition.

XII

La métaphysique nietzschéenne de la volonté de puissance est préfigurée dans le passage : « Le Grec connaissait et ressentait les terreurs et horreurs de l'existence : pour pouvoir simplement vivre, il lui fallait étendre devant elles le rêve splendide des Olympiens. » (*Socrate et la Tragédie grecque*, ch. III, 1871. Première version de *L'Origine de la tragédie et l'esprit de la musique*, Munich, 1933.)

Au « titanesque » et au « barbare », au « sauvage » et à l' « incontrôlé » d'*une* part, ce texte oppose l'apparence belle et élevée d'*autre* part.

Un point est ici indiqué d'avance, bien qu'il ne soit pas pensé clairement, ni distingué ni vu dans l'unité de son principe : c'est que la « volonté » a besoin *à la fois* d'une mise en sûreté d'un fonds et du passage à une vie supérieure. Mais que la volonté soit volonté de puissance, c'est ce qui demeure caché. La doctrine schopenhauerienne de la volonté domine au début la pensée de Nietzsche. La préface de l'étude en question a été écrite « le jour anniversaire de la naissance de Schopenhauer ».

Avec la métaphysique de Nietzsche, la philosophie est achevée. Ceci veut dire qu'elle a fait le tour des possibilités qui lui étaient assignées. La métaphysique achevée, qui est la base même d'un mode de pensée « planétaire », fournit la charpente d'un ordre terrestre vraisemblablement appelé à une longue durée. Cet ordre n'a plus besoin de la philosophie parce qu'il la possède déjà à sa base. Mais la fin de la philosophie n'est pas la fin de la pensée, laquelle passe à un autre commencement.

XIII

Dans les notes relatives à la dernière partie d'*Ainsi parlait Zarathoustra*, Nietzsche écrit (1886) : « *Nous jouons la carte vérité!* L'humanité en mourra peut-être! Eh bien, soit! » (*Op.*, XII, p. 307.)

Une note contemporaine d'*Aurore* (1880-1881) avait remarqué : « Ce qu'il y a de nouveau dans notre position présente à l'égard de la philosophie, c'est une conviction qui n'a encore été celle d'aucune époque : *Nous ne possédons pas la vérité.* Tous les hommes d'autrefois « possédaient la vérité », même les sceptiques. » (*Op.*, XI, p. 268.)

Que veut dire Nietzsche quand il parle ici et là de « la vérité »? Veut-il parler du « vrai » et pense-t-il celui-ci comme ce qui est réellement ou comme l'élément valable de tout jugement, de toute conduite et de toute vie?

Que veut dire : jouer la carte vérité? Faut-il comprendre : proposer, comme ce qui est vraiment, la volonté de puissance dans le Retour Éternel du Même?

Cette pensée demande-t-elle jamais *en quoi* consiste l'*essence* (Wesen) de la vérité et *d'où* part la vérité de l'*essence* pour se manifester?

XIV

Comment l'objectité en arrive-t-elle à constituer l'essence de l'étant comme tel?

On pense « l'être » comme objectité et à partir de là on se donne beaucoup de mal au sujet de l' « étant en soi ». La seule chose que l'on oublie, c'est alors de demander — et de dire — ce qu'on entend ici par « étant » et par « en soi ».

Qu' « est »-ce que l'être? Convient-il que nous demandions à l' « être » *ce qu'*il *est?* L'être n'est jamais interrogé et, comme on pense qu'il va de soi, il n'est jamais pris en considération. Il se tient dans une vérité sans fond, oubliée depuis longtemps.

XV

L'objet au sens de l'ob-jet ne se rencontre que là où l'homme devient sujet, où le sujet devient moi, où le moi devient *ego cogito :* là seulement où ce *cogitare* est compris dans son être comme « l'unité originellement synthétique de l'apperception transcendantale », là seulement où le point suprême de la « logique » est atteint (dans la vérité entendue comme la certitude du « je pense »). C'est là seulement que l'être de l'objet se dévoile dans son objectité. C'est là seulement que par la suite il devient possible et inévitable de concevoir l'objectité elle-même comme « *le* nouvel objet vrai » et de le penser dans l'absolu.

XVI

Subjectité, objet et réflexion sont inséparables. Quand la réflexion est connue comme telle par expérience, à savoir comme le rapport à l'étant — rapport qui porte [1] — alors seulement l'être peut être déterminé comme objectité.

L'expérience de la réflexion, c'est-à-dire de ce rapport, présuppose toutefois que, d'une façon générale, le rapport à l'étant *soit* perçu comme *repraesentatio :* comme présentation [2].

1. *Als der tragende Bezug zum Seienden.* Le rapport « porte » et soutient la pensée rationnelle et le monde des objets.

2. Comme *vor-stellen,* « placer devant » et aussi « présenter » et « représenter ».

Ceci, toutefois, ne peut avoir valeur de destin que lorsque l'*idea* est devenue *perceptio*. Derrière ce devenir se trouve le passage de la vérité comme accord à la vérité comme certitude, passage où l'*adaequatio* est conservée. La certitude où l'on s'assure soi-même (où l'on se veut soi-même) est la *iustitia* comme justification du rapport à l'étant et à sa première cause, et par là justification de l'appartenance à l'étant. La *iustificatio* au sens où la Réforme prenait ce mot et la notion nietzschéenne de la justice comme vérité sont une seule et même chose.

La *repraesentatio* est essentiellement fondée sur la *reflexio*. C'est pourquoi l'être de l'objectité comme telle ne devient manifeste que là où l'être de la pensée est connu et spécialement accompli comme : « Je pense quelque chose », c'est-à-dire comme réflexion.

XVII

Kant est sur le chemin qui conduit à prendre en considération l'être de la réflexion au sens transcendantal, c'est-à-dire ontologique. Il l'a fait dans une remarque sans apparence, écrite en passant, et qui se trouve dans la *Critique de la Raison pure* sous le titre *De l'amphibolie des concepts de la réflexion*. Cette section est une addition au texte, mais elle est remplie de vues essentielles. Kant y est aux prises avec Leibniz et, par conséquent, avec toute la métaphysique antérieure, telle que Kant la voit et pour autant que, dans sa constitution ontologique, elle est fondée sur l'égoïté.

XVIII

Vue de l'extérieur, l'égoïté paraît être seulement la généralisation et l'abstraction, faites après coup, de tout l' « égoïque » *(des Ichhaften)* que l'on peut tirer des différents « moi » de l'homme. Il est clair que Descartes pense avant tout à son propre « moi » comme au moi de la personne individuelle (de la *res cogitans* en tant que *substantia finita*), alors que Kant à vrai dire pense la « conscience en général ». Seulement Descartes pense aussi — et déjà — son propre moi individuel à la lumière de l'égoïté, bien que cette dernière ne soit encore le thème d'aucune représentation expresse. Cette égoïté apparaît déjà sous la figure du *certum*, de la certitude qui n'est rien d'autre que la mise en sûreté de la chose représentée pour l'acte qui la représente. Le rapport voilé à l'égoïté comme à la certitude de soi-même et de la chose représentée domine déjà. C'est seulement à partir de cette corrélation spécifique que le moi individuel peut être appréhendé comme tel. Le moi humain, c'est-à-dire le soi individuel en train de devenir lui-même, ne peut se vouloir lui-même que dans la lumière du *rapport* de la volonté de volonté, encore inconnue, *à* ce moi. Aucun moi n'existe « en soi » *(an sich)*, mais il *est* dans la mesure où il apparaît centré-en-lui-même *(in sich)*, c'est-à-dire comme égoïté.

C'est pourquoi l'égoïté est présente et agissante, là même où le moi individuel ne se met pas en avant, où il s'efface au contraire et où prédominent la société et les autres formes collectives. Là aussi, et là précisément, règne sans partage l' « égoïsme », qu'il faut penser dans son rapport à la métaphysique et qui n'a rien à voir avec un « solipsisme » naïf.

La philosophie qui a cours à l'époque de la métaphysique achevée est l'anthropologie. (Cf. *Holzwege*, pp. 91 et *sq.*) Que l'on précise ou non qu'il s'agit d'anthropologie « philosophique » n'a pas d'importance. Entre temps la philosophie est devenue anthropologie, et ainsi une proie pour la progéniture de la métaphysique, c'est-à-dire pour la physique au sens le plus large, qui embrasse la physique de la vie et de l'homme, la biologie et la psychologie. Devenue anthropologie, la philosophie elle-même périt du fait de la métaphysique.

XIX

La volonté de volonté pose, comme conditions de sa possibilité, que le fonds soit mis en sûreté (vérité) et que les tendances puissent être poussées au-delà d'elles-mêmes (art). La volonté de volonté organise donc elle-même, en tant qu'être, l'étant. C'est seulement dans la volonté que la technique (la mise en sûreté du fonds) et l'absence totale de méditation (impliquée dans l' « expérience de la vie » — *Erlebnis* —) arrivent à prédominer.

La technique comme forme suprême de la conscience rationnelle — cette dernière entendue au sens technique — et l'absence de méditation comme incapacité organisée, impénétrable à elle-même, d'accéder à un rapport avec « ce qui mérite qu'on interroge » [1] sont solidaires l'une de l'autre : elles sont une seule et même chose.

Pourquoi il en est ainsi et comment on en est arrivé là, nous pouvons supposer que le lecteur l'a maintenant aperçu et compris.

Il ne nous reste plus qu'un point à considérer : l'anthropologie ne se réduit pas à l'étude exploratrice de l'homme et à la volonté arrêtée de tout expliquer à partir de l'homme et comme son expression. Là même où l'on n'étudie rien et où ce sont des décisions que l'on cherche, tout se passe de telle façon qu'on oppose une humanité à une autre et que l'humanité est reconnue comme étant la force originelle, exactement comme si elle était l'α

1. *Zum Fragwürdigen*. Cf. p. 76, n. 1.

et l'ω de tout l'étant et que celui-ci et son interprétation n'en fussent chaque fois que la conséquence.

C'est ainsi qu'arrive à prédominer la question qui seule importe désormais : à quelle forme l'homme se rattache-t-il? « Forme » est ici pensé en un sens métaphysique indéterminé, c'est-à-dire en un sens platonicien, comme ce qui *est*, ce qui seul régit toute tradition et tout développement et qui toutefois en demeure indépendant. Cette reconnaissance anticipée de « l'homme » conduit à chercher l'être en tout premier lieu et seulement dans la sphère *de l'homme* et à considérer celui-ci comme le fonds humain, comme le μὴ ὄν qui suit chaque fois l'ἰδέα.

XX

Obtenant sa sécurité extrême, absolue, la volonté de puissance rend toutes les choses sûres et, pour autant, elle est ce qui seul dirige, donc ce qui seul est exact [1]. L'exactitude de la volonté de volonté l'assure elle-même, d'une façon totale et absolue. Ce qui lui obéit est exact et en ordre, parce que la volonté de volonté demeure elle-même l'ordre unique. Une fois la volonté de volonté devenue sûre d'elle-même, l'être initial de la vérité est perdu. L'exactitude de la volonté de volonté est le non-vrai pur et simple. L'exactitude du non-vrai possède une irrésistibilité propre dans tout le domaine de la volonté de volonté. Mais l'exactitude du non-vrai qui reste caché *comme tel* est en même temps la chose la moins rassurante qui puisse se produire dans le renversement de l'être de la vérité. L'exact maîtrise le vrai et met à l'écart la vérité. Vouloir une sûreté absolue, c'est d'abord mettre au jour une insécurité universelle.

1. *Das einzig Richtende und also Richtige.*

XXI

En elle-même la volonté est déjà accomplissement de l'effort, c'est-à-dire réalisation de la fin visée : ici la fin est essentiellement posée dans le concept, elle y est posée à dessein, sciemment et consciemment, comme représentation générale. Pas de volonté sans conscience. La volonté de volonté est le fait, pour le calcul par lequel le calcul se met lui-même en sûreté, d'être conscient d'une façon suprême et absolue. (Cf. *Volonté de Puissance*, nº 458).

C'est pourquoi elle s'accompagne d'une recherche constante qui, tournée de tous côtés et libre de toutes restrictions, étudie les moyens, les bases et les obstacles, pourquoi elle s'accompagne du calcul qui change les buts et qui en joue avec habileté, de la fraude et de la manœuvre, enfin des procédés d'inquisition à la suite desquels la volonté de volonté est envers elle-même encore méfiante et pleine de ruse et ne songe à rien d'autre qu'à se mettre en sûreté comme la puissance même.

L'absence de but, nous voulons dire celle qui est essentielle, celle de la volonté absolue de volonté, est l'arrivée à perfection de l'être de la volonté, qui s'était annoncé dans le concept kantien de la raison pratique comme pure volonté. Celle-ci se veut elle-même; en tant que volonté, elle est l'être. C'est pourquoi, considérées sous le rapport du contenu, la pure volonté et sa loi sont formelles. Elle est à elle-même, en tant que forme, son unique contenu.

XXII

Que la volonté soit personnifiée temporairement dans des « hommes de volonté » particuliers crée l'apparence que la volonté de volonté est le rayonnement de ces personnes. D'où l'opinion que la volonté de volonté a son origine dans la volonté humaine, alors qu'au contraire l'homme est voulu par la volonté de volonté, sans qu'il ait connaissance de l'être même de ce vouloir.

Pour autant que l'homme est ainsi voulu et qu'il est posé dans la volonté de volonté, il est nécessaire que dans son être un appel s'adresse à « la volonté » et libère celle-ci comme instance de la vérité. La question se pose partout de savoir si l'individu et les collectivités obéissent à cette volonté ou bien s'ils discutent et marchandent encore avec elle, voire contre elle, sans soupçonner que dans un tel jeu, ils ont déjà perdu la partie. Que l'être soit unique se montre aussi dans la volonté de volonté, qui n'admet qu'une seule direction dans laquelle on puisse vouloir. D'où l'uniformité du monde de la volonté de volonté, laquelle uniformité est aussi éloignée de la simplicité des origines que l'inessence l'est de l'essence bien qu'elle en fasse partie.

XXIII

La volonté de volonté nie toute fin en soi et ne tolère aucune fin si ce n'est comme moyen, afin de se vaincre elle-même au jeu, délibérément, et d'organiser un espace pour ce jeu. Mais la volonté de volonté ne peut tout de même pas, alors qu'elle doit s'installer dans l'étant, se présenter comme ce qu'elle est : comme l'anarchie des catastrophes; il faut donc qu'elle montre d'autres légitimations. C'est alors que la volonté de volonté s'avise de parler de « mission ». Mission qui n'est pas pensée dans la perspective de quelque chose d'initial et de sa préservation, mais comme le but assigné au nom d'un prétendu « destin » et qui justifie ainsi la volonté de volonté.

XXIV

La lutte entre ceux qui sont au pouvoir et ceux qui veulent s'en emparer : des deux côtés on se bat pour la puissance. La puissance elle-même est partout le facteur déterminant. Par cette lutte pour la puissance, l'être de la puissance est placé des deux côtés dans l'être de sa domination absolue. Mais en même temps une chose se cache ici : à savoir que cette lutte se déroule au service de la puissance et est voulue par elle. La puissance a dès le début pris ces luttes en main *(sich... bemächtigt)*. Seule la volonté de volonté donne pouvoir à *(ermächtigt)* ces luttes. Mais, si la puissance prend ainsi en main les choses humaines, elle le fait de telle sorte qu'elle exproprie l'homme de la possibilité de jamais s'évader, par ces voies, de l'oubli de l'être. Cette lutte est nécessairement planétaire et comme telle elle ne peut, de par son être, conduire à aucune décision, parce qu'il n'y a rien dont elle puisse décider, vu qu'elle demeure exclue de toute distinction, de la différence (de l'être par rapport à l'étant), donc de toute véri-té *(Wahr-heit)* et que sa force propre la rejette dans ce qui n'a pas de destin : dans l'abandon loin de l'être.

XXV

La douleur qu'il faut d'abord éprouver et dont il faut soutenir le déchirement jusqu'au bout est la compréhension et la connaissance que l'absence de détresse est la détresse suprême et la plus cachée, qui, du plus loin qu'elle soit, commence à peser sur nous.

L'absence de détresse consiste en ceci : on se figure que l'on a bien en main le réel et la réalité et que l'on sait ce qu'est le vrai, sans qu'on ait besoin de savoir où *réside (west)* la vérité.

L'être du nihilisme, du point de vue de l'histoire de l'être, est l'abandon loin de l'être, pour autant qu'en lui se produit ceci, que l'être se laisse aller à faire et à machiner. Ce laisser-aller s'asservit l'homme entièrement. Il n'est pas une décadence ni en aucun sens du mot un *negativum*.

C'est pourquoi toute espèce d'humanité n'est pas apte à réaliser historiquement le nihilisme absolu. C'est pourquoi une lutte est même nécessaire pour décider de l'humanité capable de conduire le nihilisme à son achèvement total.

XXVI

Les signes du dernier abandon loin de l'être sont les proclamations des « idées » et des « valeurs », l'imprévisible va-et-vient entre l' « action », placée très haut, et l' « esprit », jugé indispensable. Tout cela se trouve déjà pris dans le mécanisme de l'équipement du processus de mise en ordre. Ce processus est lui-même déterminé par le vide qui résulte de l'abandon loin de l'être. A l'intérieur de ce vide, la consommation de l'étant pour les fabrications de la technique — dont la culture fait aussi partie — est la seule issue par laquelle l'homme si féru de lui-même puisse encore sauver la subjectivité en la transférant au surhomme. Sous-homme et surhomme sont une seule et même chose, ils se tiennent, de la même façon que, dans l'*animal rationale* de la métaphysique, l' « en-bas » de l'animalité et l' « en-haut » de la raison sont inséparablement unis et se répondent. Sous-homme et surhomme doivent être ici pensés métaphysiquement, et non comme appréciations morales.

La consommation de l'étant, comme telle et dans son cours, est déterminée par l'équipement *(Rüstung)* au sens métaphysique, par lequel l'homme s'érige en « seigneur » de la réalité « élémentaire »[1]. La consommation inclut l'usage ordonné de l'étant, lequel étant devient l'occasion et la matière de réalisations et d'un accroissement de ces dernières. Cet usage de l'étant est à son tour utilisé au bénéfice de l'équipement. Mais, pour autant que celui-ci ne sert qu'à transformer en certitudes l'amélioration des rendements et la propre mise en sûreté et pour autant que le but ainsi visé est en vérité l'absence de but, cet usage est en réalité une usure[2].

Les « guerres mondiales » et leur aspect totalitaire sont déjà des conséquences de l'abandon loin de l'être. Ils poussent à mettre en sûreté, comme un fonds, une forme permanente d'usure. L'homme se trouve pris, lui aussi, dans ce processus et il laisse voir désormais son caractère : d'être la plus importante des matières premières. L'homme est « la plus importante des matières premières » parce qu'il demeure le sujet de toute usure, nous voulons dire qu'il donne à ce processus toute sa volonté, sans conditions, et qu'ainsi il devient en même temps l' « objet » de l'abandon loin de l'être. Les guerres mondiales constituent la forme préliminaire que prend la suppression de la différence entre la guerre et la paix, suppression devenue nécessaire, dès lors que l'étant est abandonné loin de toute vérité de l'être et qu'ainsi le « monde » est devenu un non-monde *(Unwelt)*. Car le « monde », vu sous l'angle de l'histoire de l'Être (cf. déjà *L'être et le temps*)

1. Cf. ci-dessus, sect. IX, fin, p. 91, et X, p. 92.

2. *Ist die Nutzung eine Vernutzung.* Il faut entendre l' « usure » comme celle d'un vêtement, non comme celle d'un usurier. — Dans *Die Perfektion der Technik* (1946) Friedrich Jünger expose comment la technique moderne détruit le capital terrestre en consommant de plus en plus vite toutes les ressources naturelles (humus, charbon, pétrole, minerais). Il est tentant de rapprocher ces vues des remarques de Heidegger sur la consommation de l'étant, bien que celles-ci portent sur l'absence de finalité du processus, alors que pour Jünger la destruction des ressources naturelles est avant tout un acte de mauvaise administration.

désigne la présence *(Wesung)* non objective de la vérité de l'Être pour l'homme, pour autant que l'homme est, dans son être même, transproprié à l'Être [1]. A l'époque où la puissance est seule à être puissante, c'est-à-dire où l'étant, sans retenue ni réserve, fait pression pour être consommé dans l'usure, le monde est devenu non-monde, dans la mesure même où l'être est bien présent, mais sans puissance propre. L'étant est réel en tant qu'effectif [2]. L'action opérante *(Wirkung)* est partout, nulle part le monde se constituant en monde [3], et pourtant l'être est encore là, bien qu'oublié. Au-delà de la guerre et de la paix règne l'errance [4] pure et simple, dans laquelle l'usure de l'étant permet à la mise en ordre de s'assurer elle-même à partir du vide laissé par l'abandon loin de l'être. Changées, ayant perdu leur essence propre, la « guerre » et la « paix » sont prises dans l'errance; devenues méconnaissables, aucune différence entre elles n'apparaissant plus, elles ont disparu dans le déroulement pur et simple des activités qui, toujours davantage, font les choses faisables. Si l'on ne peut répondre à la question : quand la paix reviendra-t-elle? ce n'est pas parce qu'on ne peut apercevoir la fin de la guerre, mais parce que la question posée vise quelque chose qui n'existe plus, la guerre elle-même n'étant plus rien qui puisse aboutir à une paix. La guerre est devenue une variété de l'usure de l'étant, et celle-ci se continue en temps de paix.

1. Sur « Être » avec une majuscule (= *Seyn*), cf. *N. du Tr.*, *1.*
2. *Wirklich als das Wirkliche.*
3. *Und nirgends ein Welten der Welt.* Cf. pp. 214-218.
4. *Irrnis.* — « L'homme est poussé de tous côtés et entraîné loin du secret vers ce qui a cours; tiré d'une chose courante à la suivante, il passe outre au secret : ainsi erre-t-il. » *(Vom Wesen der Wahrheit*, 2e éd., p. 22.)

« La non-occultation de l'étant, la clarté qui lui est accordée, obscurcit la lumière de l'être.

« L'être se retire, alors qu'il se dévoile dans l'étant.

« Ainsi l'être, éclairant l'étant, l'égare dans l'errance. » *(Holzwege*, p. 310) Cf. *Einführung in die Metaphysik*, pp. 83 et 121.

Compter avec une longue guerre n'est qu'une façon déjà dépassée de reconnaître ce qu'apporte de nouveau l'âge de l'usure. Cette longue guerre dans sa longueur progresse lentement, non pas vers une paix à l'ancienne manière, mais bien vers un état de choses où l'élément « guerre » ne sera plus aucunement senti comme tel et où l'élément « paix » n'aura plus ni sens ni substance. L'errance ignore toute vérité de l'être; en revanche, elle développe dans tous les districts, avec leur équipement complet, l'ordre et la sûreté produits par les « plans ». Dans le cercle formé par les districts, les domaines particuliers de l'équipement humain deviennent nécessairement des « secteurs »; le « secteur » poésie, le « secteur » culture ne sont, eux aussi, que des domaines dont les plans nous assurent la possession : domaines, parmi d'autres, du « dirigisme » du moment. L'indignation morale de ceux qui ne savent pas encore ce qui est se tourne souvent contre l'arbitraire et les prétentions à la domination des « chefs » *(Führer)* — forme la plus fatale de l'appréciation que l'on continue à faire d'eux. Ce qui est propre aux chefs, c'est le dépit condamné à réprimer le scandale dont ils sont la cause, mais seulement en apparence puisqu'ils ne sont pas ceux qui agissent. On pense que les chefs, dans la fureur aveugle d'un égoïsme exclusif, se sont arrogé tous les droits et ont tout réglé à leur fantaisie. En vérité, ils représentent les conséquences nécessaires du fait que l'étant est passé dans le mode de l'errance, là où s'étend le vide qui exige un ordre et une sécurité uniques de l'étant. D'où la nécessité d'une « direction », c'est-à-dire d'un calcul qui par ses plans mette en sûreté la totalité de l'étant. Il faut donc mettre en place et équiper des hommes affectés au travail de direction. Les « chefs » sont les ouvriers d'équipement qui ont pouvoir de décision et qui surveillent tous les secteurs où l'usure de l'étant est mise en sûreté : parce que la totalité du cercle (des districts) est sous leurs yeux et qu'ainsi ils dominent l'errance dans la mesure où elle est calculable. S'ils ont tout sous les yeux, c'est de la façon propre à cette capacité de calculer qui, d'avance, s'est jetée tout entière sur les besoins des actions toujours plus puissantes par lesquelles on met en sûreté les régulations au service des possibilités prochaines de mise en ordre. Subordonner tout effort possible à l'ensemble de l'organisation et de la mise en sûreté est le fait de l' « instinct ». Ce mot désigne ici l' « intellect », lequel dépasse cet entendement borné qui calcule seulement de proche en proche, et à l' « intellectualisme » duquel rien n'échappe de ce qui doit, à titre de « facteur », figurer dans la balance des décomptes des différents « secteurs ». L'instinct est ce surhaussement de l'intellect qui correspond au surhomme et qui conduit au calcul absolu de toutes choses. Comme ce calcul régit entièrement la volonté, il semble qu'il n'y ait plus rien à côté de la volonté, sauf la sécurité assurée au penchant pur et simple qui pousse l'homme à calculer et pour lequel « tout calculer » est la première règle du calcul. L' « instinct » passait jusqu'ici pour être un trait distinctif de l'animal, qui dans sa sphère vitale décide de ce qui lui est utile ou nuisible, qui le poursuit et ne recherche rien d'autre. La sûreté de l'instinct chez l'animal répond au fait que ce dernier est enfermé dans sa sphère d'intérêts et ne voit pas au-delà. Aux pleins pouvoirs donnés au surhomme répond la libération totale du sous-homme. L'impulsion de l'animal et la *ratio* de l'homme deviennent identiques.

Demander que l'instinct soit reconnu comme caractère du surhomme, c'est dire que la condition du sous-homme — au sens de la métaphysique — est un élément de celle du surhomme, de telle façon cependant que l'animalité y soit précisément soumise — complètement et sous chacune de ses formes — au calcul et à l'organisation (hygiène sociale, reproduction dirigée). L'homme étant la plus importante des matières premières, on peut compter qu'un jour, sur la base des recherches des chimistes contemporains, on édifiera des fabriques pour la production artificielle de cette matière première. Les travaux du chimiste Kuhn, auquel cette année (1951) la ville de Francfort a décerné le prix Gœthe, ouvrent déjà la possibilité d'organiser et de régler suivant les besoins la production d'êtres vivants mâles et femelles. Au dirigisme littéraire dans le secteur « culture » répond en bonne logique le dirigisme en matière de fécondation. (Qu'une pruderie désuète ne s'abrite pas ici derrière des distinctions qui n'existent plus. Les besoins en matière première humaine sont, de la part de la mise en ordre à fin d'équipement, soumis aux mêmes régulations que les besoins en livres distrayants ou en poésies, pour la confection desquelles le poète n'est en rien plus important que l'apprenti relieur, lequel aide à relier les poésies pour une bibliothèque d'entreprise en allant, par exemple, tirer des réserves le carton nécessaire.)

L'usure de toutes les matières, y compris la matière première « homme », au bénéfice de la production technique de la possibilité absolue de tout fabriquer, est secrètement déterminée par le vide total où l'étant, où les étoffes du réel, sont suspendues. Ce vide doit être entièrement rempli. Mais comme le vide de l'être, surtout quand il ne peut être senti comme tel, ne peut jamais être comblé par la plénitude de l'étant, il ne reste, pour y échapper, qu'à organiser sans cesse l'étant pour rendre possible, d'une façon permanente, la mise en ordre entendue comme la forme sous laquelle l'action sans but est mise en sécurité. Vue sous cet angle, la technique, qui sans le savoir est en rapport avec le vide de l'être, est ainsi l'organisation de la pénurie. Partout où l'étant reste au-dessous des besoins — et, pour la volonté de volonté qui s'affirme de plus en plus, les besoins sont toujours et partout de moins en moins satisfaits —, il faut que la technique intervienne, créant des articles de remplacement et consommant des matières premières. Mais en vérité l'*ersatz* et sa fabrication en masse ne constituent pas un expédient provisoire, mais la seule forme possible sous laquelle la volonté de volonté, la mise en sûreté absolue de l'ordre créé par la mise en ordre, se maintient en action et peut être ainsi, « elle-même », comme le « sujet » de toutes choses. On pousse à dessein, par des plans, à l'accroissement des masses humaines, afin que l'occasion ne manque jamais de revendiquer pour les grandes masses de plus grands « espaces vitaux », qui à leur tour exigeront pour leur mise en valeur de plus grandes masses humaines à proportion de leurs dimensions. Ce cercle de l'usure pour la consommation est l'unique processus qui caractérise l'histoire d'un monde devenu non-monde *(Unwelt)*. Les « natures de chef » sont celles qui, se fondant sur la sûreté de leur instinct, se font embaucher par ce processus en qualité d'organes régulateurs. Ils sont les premiers employés dans ce mouvement d'affaires qu'est l'usure sans réserves de l'étant au service de la mise en sûreté du vide créé par l'abandon loin de l'Être. Ce mouvement d'affaires qu'est l'usure de l'étant a son point de départ dans la défense que, sans le savoir, on oppose à l'Être *(Seyn)*, qu'aucune expérience n'atteint plus; il exclut d'avance, comme facteurs encore essentiels, les distinctions de nations et de peuples. De même que la distinction de la guerre et de la paix est devenue caduque, de même s'efface aussi la distinction du « national » et de l' « international ».

Qui pense aujourd'hui en « européen » n'a plus à craindre qu'on lui reproche d'être un « internationaliste ». Mais il est vrai aussi qu'il n'est plus un « nationaliste », puisqu'il n'a pas moins égard au bien des autres « nations » qu'au sien propre.

De même, l'uniformité qui caractérise le déroulement de l'histoire au cours de l'époque présente ne vient pas d'un mouvement par lequel d'anciens systèmes politiques se rapprocheraient après coup des plus récents. L'uniformité n'est pas la conséquence, mais bien l'origine des explications à main armée entre ceux qui prétendent diriger cette usure de l'étant au prix de laquelle on assure la mise en ordre. Dans l'uniformité de l'étant, qui naît du vide créé par l'abandon loin de l'être, tout est subordonné à cette sûreté calculable de l'ordre de l'étant qui soumet ce dernier à la volonté de volonté; et partout aussi, avant toutes les différences nationales, cette uniformité de l'étant entraîne l'uniformité de la direction, pour laquelle toutes les formes politiques ne sont plus qu'un instrument de direction parmi les autres. La réalité consistant dans l'uniformité du calcul traduisible en plans, il faut que l'homme lui aussi entre dans l'uniformité, s'il veut rester en contact avec le réel. Un homme sans uni-forme, aujourd'hui, donne déjà une impression d'irréalité, tel un corps étranger dans notre monde. L'étant, qui seul est admis dans le monde de la volonté, s'étend dans une absence de différence qui n'est plus maîtrisée que par une action et une organisation régies par le « principe de productivité ». Ce dernier paraît entraîner un ordre hiérarchique; mais en réalité, il est fondé sur l'absence de toute hiérarchie et déterminé par elle, vu que partout le but de la production n'est rien de plus que le vide uniforme, au sein duquel l'usure de tout travail met en sûreté la mise en ordre. Il saute aux yeux que, ce qui découle de ce principe, c'est l'absence de différence; et elle n'est aucunement identique au simple nivellement qui se contente de renverser les hiérarchies préexistantes. L'absence de différence qui accompagne l'usure totale provient d'une volonté « positive » de n'admettre aucune hiérarchie, conformément au primat du vide de toutes les visées. Cette absence de différence atteste que le fonds propre au non-monde de l'abandon loin de l'être a été mis en sûreté. La terre apparaît comme le non-monde de l'errance. Du point de vue de l'histoire de l'Être, elle est l'astre errant.

XXVII

Les pâtres, invisibles, habitent au-delà des déserts de la terre dévastée, qui ne doit plus servir qu'à assurer la domination de l'homme; et toute l'activité de ce dernier se borne à apprécier si quelque chose est ou non important pour la vie, laquelle vie, en sa qualité de volonté de volonté, exige d'avance que tout savoir se meuve dans ce mode du calcul et de l'estimation qui met en sûreté.

La loi cachée de la terre conserve celle-ci dans la modération qui se contente de la naissance et de la mort de toutes choses dans le cercle assigné du possible, auquel chacune se conforme et qu'aucune ne connaît. Le bouleau ne dépasse jamais la ligne de son possible. Le peuple des abeilles habite dans son possible. La volonté seule, de tous côtés s'installant dans la technique, secoue la terre et l'engage dans les grandes fatigues, dans l'usure et dans les variations de l'artificiel. Elle force la terre à sortir du cercle de son possible, tel qu'il s'est développé autour d'elle, et elle la pousse dans ce qui n'est plus le possible et qui est donc l'impossible. Que par ses plans et ses dispositifs la technique réussisse mainte invention et qu'elle produise un défilé ininterrompu de nouveautés ne prouve aucunement que ses conquêtes puissent rendre possible même l'impossible.

L' « actualisme » et le moralisme de l' « histoire » marquent les dernières étapes de l'identification complète de la nature et de l'esprit avec l'être de la technique. Nature et esprit sont devenus deux objets pour la conscience de soi-même, dont la domination absolue les contraint d'avance à une uniformité à laquelle il n'existe pour la métaphysique aucun moyen d'échapper.

C'est une chose de tirer simplement parti de la terre. C'en est une autre de recevoir la bénédiction de la terre et de se sentir peu à peu chez soi dans la loi de cette con-ception [1], afin de veiller [2] au secret de l'être et de préserver l'inviolabilité du possible.

XXVIII

L'action seule ne changera pas l'état du monde, parce que l'être sous son aspect d'efficacité et d'activité rend tout l'étant aveugle en face de ce qui a lieu [3]. Même l'immense douleur qui passe sur la terre ne peut éveiller directement aucun changement, parce qu'on l'éprouve seulement comme douleur, c'est-à-dire passivement, comme un objet offert à une action et par conséquent comme logée dans la même région d'être que l'action : dans la région de la volonté de volonté.

Mais la terre demeure à l'abri dans la loi sans apparence de ce possible qu'elle est elle-même. Au possible la volonté a imposé comme but l'impossible. Les pratiques qui organisent cette contrainte et la maintiennent dominante naissent de l'essence de la

1. *Empfängnis*, qui répond à *empfangen*, « recevoir » et « concevoir ».
2. *Hüten*. L'homme est le pâtre de l'être.
3. *Gegenüber dem Ereignis.*

technique, qui n'est autre chose que la métaphysique en train de s'achever. L'uniformité complète de toutes les choses humaines de la terre sous la domination de la volonté de volonté fait ressortir le non-sens d'une action humaine posée comme absolue.

La dévastation de la terre commence comme un processus voulu, mais qui n'est pas et qui ne peut être connu dans son être. Elle commence à une époque où l'être de la vérité se définit comme certitude, comme ce en quoi les représentations et pro-ductions humaines[1] deviennent sûres d'elles-mêmes. Hegel conçoit cet instant de l'histoire de la métaphysique comme celui où la conscience absolue de soi-même devient principe de la pensée.

Il semble presque que, sous le règne de la volonté, l'être de la douleur soit fermé à l'homme, et pareillement l'être de la joie. L'excès de douleur peut-il encore apporter ici un changement?

Aucun changement n'arrive sans une escorte *(Geleit)* qui d'abord montre le chemin. Mais comment s'approcherait-elle, si ne s'éclaire l'Avènement *(Ereignis)* qui, appelant l'être de l'homme et lui accordant présence et protection[2], le saisit dans la vue *(er-äugnet)*, c'est-à-dire dans le regard *(er-blickt)*, et qui, dans et par ce regard[3], conduit certains mortels sur la voie de l'habitation pensante et poétique?

1. *Das menschliche Vorstellen und Her-stellen.*
2. *Rufend, brauchend.* Cf. *N. du Tr.*, 5.
3. Cf. *Der Satz vom Grund*, p. 85 : « Voir quelque chose, et saisir proprement du regard ce qu'on voit, sont deux choses différentes. Saisir du regard *(er-blicken)* veut dire ici : pénétrer du regard ce qui, de la chose vue, tourne vers nous son regard *(anblickt)*, proprement, c'est-à-dire comme étant ce qu'elle a de plus en propre. »

QUI EST LE ZARATHOUSTRA DE NIETZSCHE[1]?

Il paraît facile de répondre à la question. Car nous trouvons la réponse dans les écrits mêmes de Nietzsche, sous la forme de propositions clairement formulées et, qui plus est, imprimées en italiques. Elles se trouvent dans cet ouvrage où Nietzsche présente spécialement la figure de Zarathoustra. Le livre se compose de quatre parties; écrit au cours des années 1883 à 1885, il porte le titre *Ainsi parlait Zarathoustra*.

Nietzsche a donné à ce livre, comme compagnon de route, un sous-titre : *Un livre pour tous et pour personne*. « Pour tous », il est vrai, ne veut pas dire : pour un chacun au sens de n'importe qui. « Pour tous » veut dire : pour tout homme en tant qu'homme, pour un chacun en toute circonstance et dans la mesure où il devient pour lui-même, en son être, digne d'être pensé. « ...et pour personne » signifie : pour aucun d'entre les curieux, arrivés de toutes parts avec le dernier bateau, gens qui s'enivrent simplement de morceaux isolés ou de phrases détachées du livre et qui sont pris de vertige devant sa langue mi-chantante et mi-criante[2],

1. Le sujet de cette conférence (voir *Indications*) est traité d'une façon plus développée dans les pages 19-47 et 61-78 du volume *Was heisst Denken?* (« Que veut dire « penser »? »), Tübingen, 1954. Le texte qu'on va lire en reprend les points essentiels.

2. « Et pourtant celui qui enseigne doit quelquefois parler fort. Voire crier et encore crier, même quand il s'agit d'enseigner une chose aussi silencieuse que la pensée. Nietzsche, un des hommes

tantôt prudente et tantôt emportée, souvent d'un haut niveau, parfois plate — tout cela au lieu de s'engager dans le chemin de la pensée qui cherche ici son verbe.

Ainsi parlait Zarathoustra. Un livre pour tous et pour personne. Comme est inquiétante la façon dont le sous-titre de l'ouvrage s'est trouvé justifié — mais *a contrario* — au cours des soixante-dix années qui ont suivi sa publication. Il est devenu un livre pour tout le monde et aucun homme capable de pensée ne s'est trouvé, jusqu'à présent, qui fût à la hauteur de sa pensée fondamentale et pût en mesurer l'origine dans toute sa portée. Qui est Zarathoustra? Lisons attentivement le titre principal de l'ouvrage et nous trouverons une indication : *Ainsi parlait Zarathoustra.* Zarathoustra parle. Il est un parleur. De quelle sorte? Un orateur populaire, voire un prédicateur? Non, le parleur Zarathoustra est un porte-parole *(Fürsprecher).* Nous rencontrons ici un très vieux mot de la langue allemande et, à vrai dire, en des sens multiples. *Für,* à proprement parler, signifie « devant » *(vor).* Encore aujourd'hui *Fürtuch* (« étoffe de devant ») est en alémanique le mot courant pour tablier. Le *Fürsprech* (« avocat ») parle devant et conduit la parole. Mais *für* veut dire aussi : en faveur de, pour la défense de. Le porte-parole est finalement celui qui interprète et explique ce dont, et pour quoi, il parle.

Zarathoustra est porte-parole en ce triple sens. Que pro-clame-t-il? En faveur de quoi parle-t-il? Que veut-il expliquer? Zarathoustra est-il seulement le quelconque porte-parole de n'importe quoi, ou

les plus tranquilles et les plus portés à la timidité, connaissait cette nécessité. Il a goûté toute la souffrance d'être obligé de crier » -- « D'un côté, il faut crier..., si l'on veut que les hommes s'éveillent. D'un autre côté ce n'est pas en criant que la pensée peut dire ce qu'elle pense. » *(Was heisst Denken,* pp. 19 et 70.)

bien est-il *le* porte-parole d'une seule chose, de celle qui, avant toute autre et à tout moment, concerne l'homme?

Vers la fin de la troisième partie d'*Ainsi parlait Zarathoustra*, un morceau est intitulé « le Convalescent » *(Der Genesende)*. C'est Zarathoustra. Mais que veut dire « le Convalescent »? *Genesen* [1] (« guérir ») est le même mot que le grec νέομαι, νόστος. Le sens est « rentrer chez soi » [2]; la « nostalgie » est le mal du pays, la douleur de l'éloignement. *Der Genesende* (« le Convalescent ») est celui qui se recueille pour le retour, à savoir pour la rentrée dans sa destinée. Le Convalescent est en route vers lui-même, de sorte qu'il peut dire de lui-même qui il est. Dans le morceau en question, le Convalescent dit : « Moi, Zarathoustra, porte-parole de la vie, porte-parole de la souffrance, porte-parole du cercle ... »

Zarathoustra parle en faveur de la vie, de la souffrance, du cercle et ceci, il le pro-clame. Les trois : « vie — souffrance — cercle » sont interdépendants, ils sont une même chose. Si nous pouvions penser dûment cette chose triple comme une seule et même chose, nous serions en état de pressentir de quoi Zarathoustra est le porte-parole et qui lui-même, en tant que porte-parole, peut bien être. Sans doute pourrions-nous intervenir dès maintenant, armés d'une grosse explication, et dire, avec une incontestable exactitude : la « vie », dans la langue de Nietzsche, signifie la volonté de puissance, trait fondamental de tout ce qui est, et non seulement de l'homme. Ce qu'il faut entendre par « souffrance », c'est Nietzsche lui-même qui nous le dit dans les termes suivants : « Tout ce qui

1. Où *ge-* n'est qu'un préverbe. Νέομαι est pour νέσομαι.
2. D'où, en allemand, les sens dérivés : rentrer du combat, être sauf, échapper à un danger, et finalement « guérir » qui est le sens moderne.

souffre veut vivre... » (*Op.*, VI, p. 469), c'est-à-dire tout ce qui est à la manière de la volonté de puissance. Comprenons : « Les forces informatrices se heurtent » (XVI, 151). Le « cercle » est le signe de l'anneau, dont la courbure revient sur elle-même et par son enroulement produit cet Identique qui toujours revient.

En conséquence, Zarathoustra se présente comme le porte-parole de cette pensée ; « Que tout ce qui est est volonté de puissance, laquelle souffre comme volonté créatrice se heurtant elle-même et se veut ainsi elle-même dans le Retour éternel de l'Identique.

Par cette proposition nous avons ramené à une définition, comme on dit en langage d'école, l'être de Zarathoustra. Nous pouvons noter cette définition, l'imprimer dans notre mémoire et la produire à l'occasion suivant les besoins. Nous pouvons même appuyer spécialement la définition produite de ces phrases imprimées en italiques qui, dans les écrits de Nietzsche, nous disent qui est Zarathoustra.

Dans le morceau déjà mentionné *Le Convalescent* (314) nous lisons :

« Toi (Zarathoustra), *tu es celui qui enseigne le Retour éternel...*! »

Et dans le prologue (*sub* 3) de l'ouvrage entier se trouve :

« *Moi* (Zarathoustra), *je vous enseigne le Surhomme.* »

D'après ces phrases, Zarathoustra, le porte-parole, est un maître qui « enseigne ». Il enseigne manifestement deux choses : le Retour éternel de l'Identique et le Surhomme. Seulement tout d'abord on ne voit pas si et comment se raccorde ce qu'il enseigne. Toutefois, même si le raccordement devenait clair, nous ne saurions toujours pas si c'est bien le porte-parole que nous entendons, si nous apprenons quelque chose de ce maître. Faute de l'entendre et d'apprendre de lui, nous ne savons jamais au juste qui est Zarathoustra. Aussi ne suffit-il pas de rapprocher des phrases d'où ressort ce que le porte-parole et maître dit de lui-même. Nous devons voir *comment* il le dit, à quelle occasion et dans quelle intention. La parole décisive: « Tu es celui qui enseigne le Retour éternel! », ce n'est pas Zarathoustra qui se la dit spontanément à lui-même. Ce sont ses animaux qui la lui disent. Ils sont nommés dès le début du prologue et, plus clairement, dans sa conclusion (*sub* 10). Nous lisons là : « ... alors que le soleil était au midi : puis il (Zarathoustra) interrogea le ciel du regard, car il entendait au-dessus de lui l'appel aigu d'un oiseau. Et voyez! un aigle planait dans l'air en larges cercles, et un serpent était suspendu à lui, non comme une proie, mais comme un ami : car il se tenait enroulé autour de son cou ». Dans cette mystérieuse accolade, nous pressentons déjà comment le cercle et l'anneau, d'une manière inexprimée, s'enlacent dans les virages de l'aigle et dans les boucles du serpent [1]. Ainsi brille cet anneau qui s'appelle *anulus aeternitatis* : anneau sigillaire et année de l'éternité. Le spectacle des deux animaux montre à quoi, tournant ou s'enroulant, ils se rattachent. Car ce n'est pas eux qui créent le cercle et l'anneau, mais ils s'y insèrent pour avoir ainsi leur être. Dans le spectacle des deux animaux nous apparaît ce qui intéresse Zarathoustra, alors qu'il interroge le ciel du regard. C'est pourquoi le texte continue :

« — Ce sont mes animaux! dit Zarathoustra et il se réjouit de tout cœur.

« La bête la plus fière qui soit sous le soleil et la bête la plus sage qui soit sous le soleil — toutes deux sont parties en reconnaissance.

1. Le cercle est la Grande Année, la période cosmique. L'anneau est la destinée individuelle, engagée et insérée dans la première.

« Ils veulent reconnaître si Zarathoustra vit encore. En vérité, est-ce que je vis encore? »

La question de Zarathoustra ne garde son poids que si nous entendons le mot vague de « vie » au sens de « volonté de puissance ». Zarathoustra demande : ma volonté répond-elle à cette volonté qui, comme volonté de puissance, régit tout ce qui est?

Les deux animaux veulent découvrir l'être de Zarathoustra. Il se demande à lui-même s'il est encore, c'est-à-dire déjà, celui qu'il est véritablement. Dans une note sur *Ainsi parlait Zarathoustra* (*Op.*, XIV, 279), on lit :

« Ai-je le loisir d'*attendre* mes animaux? Si ce sont *mes* animaux, ils sauront bien me trouver. » Silence de Zarathoustra. »

Aussi ses animaux — à l'endroit indiqué, dans le morceau *Le Convalescent* — lui disent-ils ce qui suit et que la phrase en italiques ne doit pas nous faire négliger. Ils disent :

« Car tes animaux savent bien, ô Zarathoustra, qui tu es et dois devenir : vois, *tu es celui qui enseigne le Retour éternel* —, tel est maintenant *ton* destin! »

Ainsi paraît au jour que Zarathoustra doit tout d'abord *devenir* celui qu'il est. Zarathoustra recule devant un pareil devenir. L'effroi est sensible d'un bout à l'autre de l'ouvrage qui le dépeint. Cet effroi marque le style, il explique la marche hésitante, et toujours à nouveau ralentie, de l'ouvrage entier. Cet effroi étouffe en Zarathoustra, au début même de son chemin, toute assurance et toute prétention. Qui n'a pas tout d'abord entendu cet effroi, qui ne l'entend pas constamment, dans tous ces discours qui souvent semblent prétentieux et dont les allures ne sont souvent que celles d'une ivresse, celui-là ne saura jamais qui est Zarathoustra.

S'il faut que Zarathoustra devienne d'abord celui qui enseigne le Retour éternel, il ne peut se mettre d'emblée à l'enseigner. C'est pourquoi nous lisons cette autre parole à l'entrée de son chemin : « *Je vous enseigne le Surhomme.* »

A vrai dire, quant au mot « Surhomme », il nous faut d'avance éloigner toutes les résonances fausses et troublantes qui accompagnent ce mot dans l'opinion commune. Par le vocable « Surhomme », Nietzsche ne désigne justement pas un homme semblable à ceux que nous connaissons et simplement de plus grandes dimensions. Il ne pense pas davantage à une espèce d'hommes qui rejetterait toute humanité, qui érigerait en loi le pur arbitraire et ferait sa règle d'une fureur de titans. Le Surhomme, à prendre ce mot tout à fait littéralement, est bien plutôt celui qui s'élève au-dessus de l'homme d'hier et d'aujourd'hui, mais uniquement pour amener cet homme, en tout premier lieu, jusqu'à son être, qui est toujours en souffrance, et pour l'y établir. Une note posthume (XIV, 271) concernant *Zarathoustra* dit :

« Zarathoustra ne veut rien *perdre* du passé de l'humanité, il veut tout jeter dans le creuset. »

Mais d'où vient le cri d'alarme vers le Surhomme? Pourquoi l'homme d'autrefois et d'aujourd'hui n'est-il plus suffisant? Parce que Nietzsche reconnaît l'instant historique où l'homme se prépare à accéder à la domination complète de la terre. Nietzsche est le premier penseur qui pose la question décisive en se plaçant au point de vue de cette histoire du monde qui apparaît pour la première fois, et qui pense cette question dans toute sa portée métaphysique. La question est la suivante : l'homme en tant qu'homme, dans son être tel qu'il s'est révélé jusqu'ici, est-il préparé à assumer la domination de la terre? Sinon, comment le transformer, pour qu'il puisse « se soumettre » la terre et ainsi accomplir la parole d'un Ancien Testament? L'homme d'aujourd'hui ne doit-il pas être conduit *au-delà* de lui-même pour être à la hauteur de cette mission? S'il en est bien ainsi, le « Surhomme »[1] correctement pensé ne peut être le produit d'une imagination dégénérée, sans frein et s'enfuyant dans le vide. Aussi peu est-il possible de découvrir « historiquement » sa nature par une analyse de l'époque moderne. Il ne faut donc pas chercher les traits essentiels du Surhomme dans ces personnages dont une volonté de puissance à courte vue et mal interprétée fait ses fonctionnaires principaux et qu'elle pousse aux sommets de ses différentes formes d'organisation. Il est un point, à vrai dire, que nous devrions noter tout de suite : cette pensée, qui est tournée vers la figure d'un maître enseignant le Sur-homme, nous concerne, elle concerne l'Europe, la terre entière, non seulement « aujourd'hui encore », mais surtout, et d'abord, demain. Il en est ainsi, que nous approuvions cette pensée ou que nous la combattions, qu'on y passe outre ou qu'on l'imite à grand renfort de fausses notes. Toute pensée essentielle traverse intacte la foule de ses partisans et de ses adversaires.

Il faut donc que nous apprenions d'abord à apprendre de celui qui enseigne, et ne fût-ce qu'à apprendre à questionner plus loin que lui. C'est ainsi seulement que nous découvrirons un jour qui est le Zarathoustra de Nietzsche, ou bien nous ne le découvrirons jamais.

Il reste sans doute à considérer si, en questionnant plus loin que ne va la pensée de Nietzsche, on peut la continuer ou s'il faut alors faire un pas en arrière.

Et il reste à considérer auparavant si cet « en arrière » représente un passé « historiquement » constatable et que l'on voudrait restaurer (p. ex.

1. « *Ueber-mensch* », dont l'*über* vient d'être interprété par *über sich selbst hinaus*, « par-dessus et au-delà de soi-même ».

le monde de Gœthe) ou si cet « en arrière » renvoie à un être en mode rassemblé [1] dont le commencement attend encore une pensée-souvenir *(Andenken)*, pour devenir un début [2] que l'heure la plus matinale fera apparaître.

Pour le moment, toutefois, bornons-nous à apprendre sur Zarathoustra peu de choses, et des choses provisoires. La méthode la plus appropriée est que nous tâchions d'accompagner les premiers pas de l' « enseigneur » qu'il est. Il enseigne en montrant. Il pré-voit l'être du Sur-homme et lui donne une forme visible. Zarathoustra est seulement celui qui enseigne et non le Sur-homme lui-même. Et Nietzsche à son tour n'est pas Zarathoustra, mais celui qui interroge, qui essaie d'atteindre, en pensant, l'être de Zarathoustra.

Le Surhomme passe au delà du mode d'être de l'homme jusqu'ici connu : ainsi est-il un passage, un pont. Afin de pouvoir suivre, en apprenant, le maître qui enseigne le Surhomme, nous devons — pour garder notre image — arriver jusqu'au pont. Nous pensons le passage d'une façon à peu près complète, si nous considérons trois points :

1° Le lieu d'où s'éloigne celui qui passe.

2° Le passage lui-même.

3° Le lieu où va celui qui passe.

Ce dernier lieu doit être bien regardé par nous, et surtout par celui qui passe, et auparavant par le maître qui doit l'indiquer. Si l'on ne voit pas d'avance où l'on va, le passage demeure sans direction et ce dont le passant doit se détacher reste

1. *In ein Gewesen.* — Il reste à considérer si cet « en arrière » renvoie à un « passé », à quelque chose qui simplement « a été » *(gewesen)*, ou bien à un être-en-mode-rassemblé *(Gewesen)* qui, lui, demeure en venue et peut à tout moment de-venir un début. Cf pp 6, 192, 220-221, 275 et les notes.

2. « Le début *(Beginn)* est le voilement inévitable du commencement *(Anfang)*... Le commencement se cache dans le début. » *(Was heisst Denken?*, p. 98).

indéterminé. Mais, d'un autre côté, ce vers quoi le passant est appelé ne se montre en pleine lumière que quand il y est arrivé. Pour le passant, et plus encore pour le maître qui doit montrer le passage, pour Zarathoustra lui-même, le point d'arrivée demeure toujours dans un lointain. Le lointain demeure. Pour autant qu'il demeure, il reste dans une proximité, à savoir dans celle qui conserve le lointain comme lointain, alors qu'elle y pense et qu'elle pense vers lui. La proximité du lointain, celle qui se souvient de lui, c'est, en notre langue, la nostalgie *(die Sehnsucht* [1]*)*. C'est à tort que nous rattachons *die Sucht* à *suchen* (chercher) et à « être poussé [2] ». Le vieux mot *Sucht* signifie maladie, mal, douleur. (Cf. *Gelbsucht*, « jaunisse », *Schwindsucht*, « consomption », « phtisie ».)

La nostalgie est la douleur que nous cause la proximité du lointain.

Là où va celui qui passe, là est le lieu de sa nostalgie. Celui qui passe, comme avant lui celui qui le dirige, le maître, est, nous l'avons appris, en route vers le retour à son être le plus propre. Il est le Convalescent. Dans la troisième partie d'*Ainsi parlait Zarathoustra*, le morceau *Le Convalescent* est immédiatement suivi d'un autre intitulé *La Grande Nostalgie* [3]. Avec ce morceau, qui est l'antépénultième de la IIIe partie, l'ouvrage entier *Ainsi parlait Zarathoustra* atteint son point culminant. Dans une note posthume (XIV, p. 285), Nietzsche observe :

« Un mal *divin* forme le contenu de *Zarathoustra*, IIIe partie. »

Dans le morceau *La Grande Nostalgie*, Zarathoustra s'entretient avec son âme. D'après la doc-

1. La *Sehnsucht* est la « souffrance du désir », alors que la *nostalgie* est la « souffrance du retour », le désir douloureux du retour.
2. *Sucht* étant souvent pris au sens de manie, passion, fureur.
3. *Du grand désir*, dans la traduction Albert.

trine de Platon, qui fait autorité pour la métaphysique occidentale, l'être de la pensée réside dans le dialogue de l'âme avec elle-même. C'est le λόγος, ὃν αὐτὴ πρὸς αὑτὴν ἡ ψυχὴ διεξέρχεται περὶ ὧν ἂν σκοπῇ : « le recueillement qui est un dire, et que l'âme elle-même parcourt en route vers elle-même, faisant le tour des choses qu'à tout moment elle voit » (*Théétète*, 189, *e*; cf. *Sophiste*, 263 *e*).

Dans le dialogue avec son âme Zarathoustra pense sa « pensée la plus abyssale » (*Le Convalescent*, *1*; cf. IIIe partie, *De la Vision et de l'Enigme*, *2*). Le morceau *La Grande Nostalgie* commence par ces paroles de Zarathoustra :

« Oh! mon âme, je t'ai appris à dire « Aujour-« d'hui » comme « Un jour » et « Autrefois » et à passer en dansant par-dessus tout Ici et Là et Là-bas. »

Les trois mots « Aujourd'hui », « Autrefois », « Un jour » ont la majuscule et sont entre guillemets. Ils désignent les traits fondamentaux du temps. La façon dont Zarathoustra les nomme fait comprendre ce que Zarathoustra lui-même doit désormais se dire au fond de son être. Qu'est-ce donc?. Qu' « Un jour » et « Autrefois », le futur et le passé, sont comme « Aujourd'hui ». « Aujourd'hui » à son tour est comme le passé et comme ce qui vient. Les trois phases du temps convergent, en tant que Même, vers le Même et se rejoignent dans un unique Présent, dans un Maintenant stable. Ce Maintenant de toujours, la métaphysique le nomme : l'éternité. Nietzsche, lui aussi, pense les trois phases du temps à partir de l'éternité comme Maintenant de toujours. Seulement, la permanence (*Stete*) ne réside pas pour lui dans une position fixe (*Stehen*), mais dans un Retour de l'Identique. Zarathoustra, quand il enseigne ce dire à son âme, est celui qui enseigne le Retour éternel de l'Identique. Ce Retour est la plénitude inépuisable de la vie joyeuse et douloureuse : ce vers quoi est tournée « la grande Nostalgie » de celui qui enseigne le Retour éternel de l'Identique.

C'est pourquoi, dans le même morceau, « la grande Nostalgie » est appelée aussi « la Nostalgie de la Sur-abondance ».

« La grande Nostalgie » vit surtout de ce où elle puise l'unique consolation *(Trost)*; c'est-à-dire la confiance. Au lieu du mot plus ancien *Trost* (parent de *trauen*, « avoir confiance », *zutrauen*, « se fier »), on se sert dans notre langue du mot *Hoffnung* (« espérance »). « La grande Nostalgie » qui anime Zarathoustra éveille en lui le sentiment de sa « plus grande Espérance » et elle l'en marque.

Mais qu'est-ce qui justifie Zarathoustra et le conduit vers sa plus grande Espérance?

Quel est le pont qui lui donne passage vers le Surhomme et lui permet, passant ainsi, de s'éloigner de l'homme d'aujourd'hui, de sorte qu'il puisse se détacher de lui?

L'architecture particulière d'*Ainsi parlait Zarathoustra*, œuvre qui doit montrer le passage de l'homme qui passe au delà, veut que la réponse à cette question soit donnée dans la partie préparatoire de l'ouvrage, qui est la seconde. Là, dans le morceau *Les Tarentules*, Nietzsche fait dire à Zarathoustra :

« Car, *que l'homme soit délivré de la vengeance*, c'est là pour moi le pont vers la plus haute espérance et un arc-en-ciel après de longues intempéries. »

Phrase combien singulière pour l'opinion courante, combien étrange rapportée à l'idée commode que l'on s'est faite de la philosophie de Nietzsche. Nietzsche ne passe-t-il pas pour le promoteur de la volonté de puissance, pour l'instigateur de la politique de force et de la guerre, pour celui qui a déchaîné la folie furieuse de la « bête blonde »?

Les mots « que l'homme soit délivré de la vengeance » sont même imprimés en italiques dans le texte. La pensée de Nietzsche est tournée vers la libération qui nous détache de l'esprit de vengeance. Sa pensée voudrait être au service d'un esprit qui, comme liberté gagnée sur la soif de vengeance, précède toute simple fraternisation, mais aussi tout « vouloir-seulement-punir », un esprit qui soit antérieur à tout effort de paix comme à toute conduite de guerre et étranger à cet autre esprit qui veut, sur des pactes, fonder et assurer la *pax*, la paix. Le champ de cette liberté conquise sur la vengeance est également extérieur au pacifisme, à la politique de force et à une neutralité qui calcule. Il est tout aussi extérieur à une faiblesse qui laisse glisser les choses, ou à une dérobade à l'heure du sacrifice, qu'il l'est à des interventions aveugles et à l'action à tout prix.

C'est à cet esprit d'une liberté conquise sur la vengeance que se rattache la prétendue libre-pensée de Nietzsche.

Que l'homme soit délivré de la vengeance —. Bien que nous ne considérions que de loin cet esprit de liberté, entendu comme le trait fondamental de la pensée de Nietzsche, l'image de Nietzsche acceptée jusqu'ici, et qui a toujours cours, doit s'effondrer.

« Car, *que l'homme soit délivré de la vengeance* : c'est là pour moi — dit Nietzsche — le pont vers la plus haute espérance. » Par là il dit en même temps, dans un langage qui cache ce à quoi il prépare, vers quoi sa « grande Nostalgie » est dirigée.

Mais qu'est-ce que Nietzsche entend ici par vengeance? En quoi consiste, d'après lui, la libération qui détache de la vengeance?

Nous nous contenterons d'apporter quelque lumière sur ces deux points. Peut-être cette lumière nous permettra-t-elle de voir plus clairement le pont qui, pour une telle pensée, doit conduire de l'homme que nous connaissons au Surhomme. Avec le lieu du passage apparaît le lieu où va le passant. Ainsi pourrons-nous comprendre plus tôt dans quelle mesure Zarathoustra, en tant qu'il est le porte-parole de la vie, de la souffrance, du cercle, est aussi le maître qui enseigne à la fois le Retour éternel *et* le Surhomme.

Mais pourquoi quelque chose d'aussi décisif dépend-il de notre détachement de la vengeance? Où loge l'esprit de vengeance, où exerce-t-il ses ravages? Nietzsche nous répond dans l'antépénultième morceau de la seconde partie d'*Ainsi parlait Zarathoustra.* Il est intitulé *De la Délivrance*[1]. On y lit :

« *L'esprit de vengeance :* mes amis, telle était jusqu'à présent la meilleure méditation *(Nachdenken)* de l'homme; et là où était une douleur devait toujours être une punition. »

Cette phrase relie d'emblée la vengeance à tout le travail de méditation accompli jusqu'ici par les hommes. La méditation dont parle Nietzsche ne désigne pas n'importe quelle réflexion *(Ueberlegen)*, mais cette pensée où repose et palpite *(schwingt)* la relation de l'homme à ce qui est, à l'étant. Dans la mesure où l'homme entretient une relation à l'étant, il se représente l'étant en considérant qu'il est, ce qu'il est et comment il est, comment il pourrait être et devrait être, en un mot : il se représente l'étant sous le rapport de son être *(Sein)*. Cette (re)présentation *(Vor-stellen)* est la pensée.

D'après la phrase de Nietzsche, cette représentation a été jusqu'ici déterminée par l'esprit de vengeance. Les hommes tiennent leur rapport, ainsi déterminé, à ce qui est, pour ce qu'il y a de meilleur.

De quelque façon que l'homme se représente l'étant comme tel, il se le représente dans la pers-

1. *De la rédemption*, dans la traduction Albert.

pective de l'être de l'étant. Rien que par cette perspective, il dépasse toujours l'étant et traverse jusqu'à l'être. « Au-delà » se dit en grec μετά. C'est pourquoi toute relation de l'homme à l'étant comme tel est en soi métaphysique. Quand Nietzsche entend la vengeance comme l'esprit qui donne au rapport de l'homme à l'étant sa tonalité et ses déterminations [1], alors il pense d'emblée la vengeance métaphysiquement.

La vengeance n'est pas ici un simple thème de morale, et s'en libérer n'est pas une tâche de l'éducation morale. Tout aussi peu vengeance et soif de vengeance demeurent-elles des objets de la psychologie [2]. Nietzsche voit métaphysiquement l'être et la portée de la vengeance. Mais, tout d'abord, que veut dire vengeance?

Si, avec la largeur de vue nécessaire, nous nous tenons d'abord au sens du mot, nous pouvons y trouver une indication. *Rache* (« vengeance »), *rächen* (« venger »), *wreken* [3] (même sens), *urgere* veulent dire : heurter, pousser, faire avancer devant soi, poursuivre, être sur la piste de [4]. En quel sens la vengeance est-elle sur la piste? Elle ne cherche pourtant pas seulement à attraper, à capter, à prendre possession. Elle ne cherche pas non plus à abattre simplement ce qu'elle suit à la trace. Cette chasse *(Nachstellen)* qu'est la vengeance s'oppose d'avance à ce sur quoi elle se venge. Elle s'y oppose de telle manière qu'elle le rabaisse, pour se placer elle-même, en face de ce qu'elle rabaisse, dans une position supérieure et ainsi restaurer sa propre

1. *...durchstimmt und bestimmt...*

2. Morale et psychologie ne peuvent rien pour sauver l'être de l'homme, si l'homme ne parvient pas d'abord à un autre rapport fondamental à l'être *(Was heisst Denken*, p. 34).

3. Forme néerlandaise et moyenne-anglaise (angl. mod. *to wreak*) et où apparaît le *w* initial tombé en haut-allemand.

4. Le sens ancien du mot germanique semble avoir été expulser, exiler. (Cf. εἵργειν, écarter, éloigner.) En gotique *wrikan* veut déjà dire poursuivre.

importance, tenue pour la seule qui compte. Car la soif de vengeance est excitée par le sentiment d'être vaincu et lésé. Au cours des années mêmes où il créait son œuvre *Ainsi parlait Zarathoustra*, Nietzsche a noté la remarque :

« Je conseillerais à tous les martyrs de se demander si ce n'est pas la soif de vengeance qui les a poussés à la dernière extrémité » (XII³, p. 298).

Qu'est-ce que la vengeance? Nous pouvons maintenant dire provisoirement : la vengeance est la poursuite qui s'oppose et qui rabaisse. Et c'est cette poursuite qui aurait soutenu et pénétré tout le travail de réflexion accompli jusqu'à présent, et les représentations qu'on s'est faites jusqu'ici de l'étant sous le rapport de son être? S'il faut attribuer à l'esprit de vengeance une telle portée métaphysique, celle-ci doit être visible dans la constitution propre de la métaphysique. Afin de réussir, dans une certaine mesure, à la voir, nous examinerons avec quelle empreinte essentielle l'être de l'étant apparait dans la métaphysique moderne. Cette empreinte essentielle de l'être a été décrite par Schelling, sous une forme classique, dans quelques phrases de ses *Recherches philosophiques sur l'essence de la liberté humaine et les sujets qui s'y rapportent* (1809). Nous y lisons :

« En dernière et suprême instance, il n'y a pas d'autre Être *(Seyn)* que le vouloir. Le vouloir est l'être primordial et c'est à lui seul (au vouloir) que conviennent tous ses prédicats (ceux de l'être primordial) : absence de fond, éternité, indépendance à l'égard du temps, affirmation de soi-même. Tout l'effort de la philosophie ne vise qu'à trouver cette expression suprême. » (F. W. J. Schelling, *Écrits philosophiques*, t. Ier, Landshut, 1809, p. 419.)

Les prédicats que, de toute antiquité, la pensée métaphysique attribue à l'être, Schelling les trouve, sous leur forme dernière et suprême, donc parfaite, dans le vouloir. Toutefois, dans la volonté de ce vouloir, il ne voit pas une faculté de l'âme humaine. Le mot « vouloir » nomme ici l'être de l'étant dans son ensemble. Cet être est volonté. Voilà qui nous paraît étrange, et qui l'est effectivement, aussi longtemps que les pensées qui soutiennent la métaphysique occidentale nous restent étrangères. Et elles le restent, aussi longtemps que nous ne pensons pas ces pensées, mais nous bornons toujours à les exposer. On peut, par exemple, constater « historiquement », avec précision, les assertions de Leibniz sur l'être de l'étant, sans penser quoi que ce soit de ce qu'il a pensé, lorsqu'il caractérisait l'être de l'étant, à partir de la monade, comme l'unité de la *perceptio* et de l'*appetitus*, de la représentation et la tendance, c'est-à-dire comme volonté. Ce que Leibniz pense arrive à s'exprimer, chez Kant et Fichte, comme cette volonté raisonnable sur laquelle méditeront Hegel et Schelling, chacun à sa manière. C'est aussi ce que Schopenhauer veut dire, quand il intitule son ouvrage principal *Le Monde* (non pas l'homme) *comme Volonté et Représentation*. Et c'est aussi ce que pense Nietzsche, lorsqu'il perçoit et désigne l'être primordial de l'étant comme volonté de puissance.

Que partout ici l'être de l'étant apparaisse, à tous égards, comme volonté, ce fait ne repose pas sur les opinions que certains philosophes se font de l'étant. Aucune érudition ne découvrira jamais ce que signifie cette apparition de l'être comme volonté; seule la pensée qui questionne peut atteindre une pareille signification, l'apprécier, en tant qu'elle est digne de question [1], comme ce qu'il faut penser et ainsi la conserver dans la pensée-souvenir [2] comme une chose qui a été pensée.

1. *In seiner Fragwürdigkeit.* Cf. plus haut, pp. 76 et 100 et leurs notes.
2. *Gedächtnis.* Cf. pp. 160-161 et n. 1 de la p. 161.

L'être de l'étant, pour la métaphysique moderne et par elle, apparaît expressément, spécialement, comme volonté. Or, l'homme est homme pour autant que, pensant, il entretient un rapport avec l'étant et est ainsi tenu dans l'être *(Sein)*. La pensée, pour sa part, doit répondre, dans son être *(Wesen)* propre, à ce avec quoi elle entretient un rapport, à l'être de l'étant comme volonté.

Maintenant, suivant la parole de Nietzsche, la pensée jusqu'ici connue est déterminée par l'esprit de vengeance. Comment donc Nietzsche pense-t-il l'être de la vengeance, une fois admis qu'il le pense métaphysiquement?

Dans la seconde partie d'*Ainsi parlait Zarathoustra*, dans le morceau déjà cité *De la Délivrance*, Nietzsche fait dire à Zarathoustra :

« Ceci, oui, seul ceci est la *vengeance* elle-même : le ressentiment de la volonté envers le temps et son « il y avait ». »

Que, définissant l'être de la vengeance, Nietzsche fasse ressortir ce qui en elle contrarie et s'oppose : voilà qui répond à cette poursuite par laquelle nous avons caractérisé la vengeance. Mais Nietzsche ne dit pas seulement : la vengeance est ressentiment, ce qui est vrai aussi de la haine. Nietzsche dit : la vengeance est le ressentiment de la volonté [1]. Or, la « volonté » nomme l'être de l'étant dans son ensemble, et non pas seulement le vouloir humain. Par cette caractérisation de la vengeance comme « le ressentiment de la volonté », sa poursuite et son opposition demeurent dès le début à l'intérieur de la relation à l'être de l'étant. Qu'il en soit bien ainsi devient clair, si nous observons à quoi s'en prend le ressentiment de la vengeance. La vengeance est « le ressentiment de la volonté envers le temps et son « il y avait » ».

1. *Des Willens Widerwille*, « la contre-volonté de la volonté ».

A la première lecture, à la seconde même, et encore à la troisième, de cette définition de la vengeance, on jugera surprenante, incompréhensible et finalement arbitraire la relation ainsi soulignée entre la vengeance et « le temps ». Et l'on ne peut en juger autrement, si l'on s'en tient là et que l'on omette de considérer ce que le mot « temps » veut dire ici.

Nietzsche dit : la vengeance est « le ressentiment de la volonté envers le temps... ». Il ne dit pas : envers quelque chose de temporel. Il ne dit pas non plus : envers un caractère particulier du temps. Il dit simplement : « le ressentiment envers le temps... ».

Il est vrai que d'autres mots suivent immédiatement : « envers le temps et son « il y avait » ». Mais cela veut dire : la vengeance est le ressentiment envers l' « il y avait » qui est propre au temps. On fera remarquer à juste titre qu'au temps appartiennent, non seulement l' « il y avait », mais d'une façon aussi essentielle l' « il y aura » et tout aussi bien l' « il y a maintenant »; car le temps n'est pas seulement qualifié par le passé, mais aussi par le futur et le présent. Si donc Nietzsche est tourné, de la façon la plus expresse, vers l' « il y avait » du temps, quand il caractérise l'être de la vengeance, il est manifeste qu'il ne pense aucunement « le » temps comme tel, mais le temps vu d'un certain côté. Qu'en est-il toutefois « du » temps? Son être stable, c'est qu'il va [1]. Il va *(geht)*, c'est-à-dire qu'il passe *(vergeht)*. Le temps qui vient ne vient jamais pour demeurer, mais pour s'en aller. Où cela? Dans son « passer ». Quand un homme est mort, nous disons qu'il a fait ses adieux aux choses temporelles. Le temporel passe pour être ce qui passe.

1. *Es steht so mit ihr, dass sie geht.*

Nietzsche définit la vengeance comme « le ressentiment de la volonté envers le temps et son « il y avait » ». Cette définition ainsi ajoutée ne fait pas ressortir un aspect isolé du temps, considéré unilatéralement en dehors des deux autres, mais elle caractérise le trait fondamental du temps dans son être total et propre de temps. Par le « et » dans l'expression « le temps et son « il y avait » », Nietzsche ne nous conduit pas vers la simple adjonction au temps d'un caractère particulier. Le mot « et » a même sens ici que : « et cela veut dire ». La vengeance est le ressentiment de la volonté envers le temps et cela veut dire : envers le « passer » et ce qui passe en lui. Le passager, pour la volonté, représente quelque chose contre quoi elle est sans force et à quoi son vouloir se heurte constamment. Le temps et son « il y avait » est la pierre d'achoppement que la volonté ne peut écarter [1]. Le temps comme « passer » est la chose adverse dont souffre la volonté. Comme volonté souffrante, elle devient elle-même souffrance du passer, souffrance qui veut alors son propre passer et veut ainsi que tout sans exception mérite de passer. Le ressentiment envers le temps rabaisse le passager. Les choses terrestres, la terre et tout ce qui s'y rattache constituent ce qui à proprement parler ne devrait pas être et qui au fond n'a pas non plus d'être vrai. Platon le nommait déjà le μὴ ὄν, le non-étant.

Suivant le texte de Schelling, qui ne fait qu'énoncer l'idée directrice de toute métaphysique, l' « indépendance à l'égard du temps », l' « éternité » sont des prédicats fondamentaux de l'être.

Mais le ressentiment le plus profond envers le temps ne consiste pas dans le simple rabaissement

1. « Le ressentiment n'est pas tourné contre le simple passer, mais contre le passer pour autant qu'il fait que le passe n'est plus que passé et qu'il se fixe dans la rigidité du définitif. » (*Was heisst Denken?*, p. 42.)

de ce qui est terrestre. La vengeance la plus profonde consiste pour Nietzsche dans cette méditation *(Nachdenken)* qui pose comme absolus des idéals supra-temporels tels que, mesuré à eux, le temporel ne peut que se rabaisser soi-même à n'être proprement qu'un non-étant.

Or, comment l'homme pourrait-il accéder à la domination de la terre, comment peut-il prendre sous sa garde la terre en tant que terre, si et aussi longtemps qu'il rabaisse ce qui est terrestre, en laissant l'esprit de vengeance déterminer sa méditation? S'il s'agit de sauver la terre en tant que terre, il faut d'abord que l'esprit de vengeance disparaisse. C'est pourquoi, se délivrer de la vengeance est pour Nietzsche le pont vers la plus haute espérance.

Mais en quoi consiste cette libération qui nous détache de notre ressentiment envers le « passer »? Consiste-t-elle en ceci, que nous nous libérions de la volonté en général? Au sens de Schopenhauer et du bouddhisme? Dans la mesure où l'être de l'étant, d'après la métaphysique moderne, est volonté, se libérer de la volonté reviendrait à se libérer de l'être et ainsi à tomber dans le vide du néant. Pour Nietzsche se libérer de la vengeance est sans doute se libérer de ce qu'il y a dans la volonté d'adverse, de contraire, de rabaissant, mais nullement se détacher de tout vouloir. La libération détache le ressentiment de son « non » et le rend libre pour un « oui ». Qu'affirme ce oui? Exactement ce que nie le ressentiment de l'esprit de vengeance : le temps, le passer.

Ce oui dit au temps est la volonté que le passer demeure et ne soit pas rabaissé à un état de nullité. Mais comment le passer peut-il demeurer? D'une seule manière : qu'il ne se borne pas, comme passer, à toujours s'en aller, mais que toujours il vienne. D'une seule manière : que, dans sa venue, le passer et ce qui passe reviennent comme l'Identique. Ce retour lui-même, toutefois, n'est un retour permanent que s'il est un Retour éternel. Le prédicat « éternité », d'après la doctrine de la métaphysique, appartient à l'être de l'étant.

Se libérer de la vengeance, c'est passer du ressentiment envers le temps à la volonté qui se représente l'étant dans le Retour éternel de l'Identique, et qui devient elle-même le porte-parole du cercle.

En d'autres termes, c'est seulement quand l'être de l'étant se présente à l'homme comme Retour éternel de l'Identique que l'homme peut passer sur le pont et, libéré de l'esprit de vengeance, être celui qui traverse, le Surhomme.

Zarathoustra est le maître qui enseigne le Surhomme. Mais s'il enseigne cette doctrine, c'est uniquement parce qu'il est celui qui enseigne le Retour éternel de l'Identique. Cette pensée du Retour éternel est, par son rang, la première, la pensée « la plus abyssale ». C'est pourquoi Zarathoustra l'enseigne la dernière, et alors même toujours avec hésitation.

Qui est le Zarathoustra de Nietzsche? Il est le maître dont la doctrine voudrait libérer de l'esprit de vengeance la méditation accomplie jusqu'à présent et l'amener à dire oui au Retour éternel de l'Identique.

Zarathoustra enseigne le Surhomme en tant qu'il enseigne le Retour éternel. Le refrain de cette doctrine, nous le connaissons par une notice posthume (XIV, p. 276) : « Refrain : *Seul l'amour doit juger...* (l'amour créateur qui s'*oublie* lui-même dans ses œuvres). »

Enseignant le Retour éternel et le Surhomme, Zarathoustra n'enseigne pas deux choses différentes. Ce qu'il enseigne est en soi cohérent, parce qu'une des deux doctrines invite l'autre à lui répondre. Cette correspondance, le lieu de son être, la façon dont elle se dérobe : c'est là ce que la figure de Zarathoustra cache en elle-même et pourtant laisse voir en même temps et ainsi, tout d'abord, rend digne d'être pensé.

Toutefois le maître sait que ce qu'il enseigne demeure une vision et une énigme. Il persévère dans ce savoir qui médite.

Nous autres, hommes d'aujourd'hui, de par la suprématie particulière des sciences modernes, nous trouvons pris dans une étrange erreur : nous croyons que le savoir peut être obtenu à partir de la science et que la pensée est justiciable de la science. Mais la chose unique qu'un penseur puisse jamais dire ne peut être, ni prouvée, ni refutée par voie logique ou par l'expérience. Elle n'est pas non plus l'objet d'une foi. On peut seulement, en questionnant et en pensant, l'amener à être vue. Ce qui est vu apparaît alors constamment comme Ce qui *mérite* qu'on interroge à son sujet[1].

Afin de saisir dans notre regard et d'y conserver le visage de cette énigme qui se montre sous la figure de Zarathoustra, considérons à nouveau le spectacle de ses animaux, tel qu'il lui apparaît au début de ses déplacements.

« ...puis il interrogea le ciel du regard, car il entendait au-dessus de lui l'appel aigu d'un oiseau. Et voyez! un aigle planait dans l'air en larges cercles, et un serpent était suspendu à lui, non comme une proie, mais comme un ami : car il se tenait enroulé autour de son cou.

« Ce sont mes animaux! dit Zarathoustra et il se réjouit de tout cœur. »

Et voici le passage du morceau *Le Convalescent, 1*, qu'intentionnellement nous n'avions cité qu'en partie :

« Moi, Zarathoustra, porte-parole de la vie,

1. Cf. plus haut, pp. 76, 100 et 132.

porte-parole de la souffrance, porte-parole du cercle, — je t'appelle, ô ma pensée la plus abyssale! »

C'est dans les mêmes termes que Zarathoustra nomme la pensée du Retour éternel de l'Identique dans le morceau de la IIe partie, *De la Vision et de l'Énigme, 2.* Là Zarathoustra s'efforce pour la première fois, dans son explication avec le nain, de penser l'énigme de ce qu'il voit comme l'objet de sa nostalgie. Pour lui le Retour éternel de l'Identique demeure sans doute une vision, mais aussi une énigme. Il ne se laisse ni démontrer ni réfuter par voie logique ou empirique. Au fond ceci vaut pour toute pensée essentielle et pour tout penseur : la pensée est chose vue, mais elle reste une énigme — méritant qu'on interroge à son sujet.

Qui est le Zarathoustra de Nietzsche? Nous pouvons maintenant répondre formellement : Zarathoustra est celui qui enseigne le Retour éternel de l'Identique et qui enseigne le Surhomme. Mais maintenant nous voyons, nous aussi peut-être voyons plus clairement, au-delà de la formule, que Zarathoustra n'est pas un maître qui enseigne deux choses différentes. Zarathoustra enseigne le Surhomme, parce qu'il enseigne le Retour éternel de l'Identique. Mais aussi inversement : Zarathoustra enseigne le Retour éternel de l'Identique parce qu'il enseigne le Surhomme. Les deux enseignements se tiennent et forment un cercle. Par son mouvement circulaire l'enseignement répond à ce qui est, au cercle qui, en tant que Retour éternel de l'Identique, constitue l'être de l'étant, c'est-à-dire ce qui dans le devenir est permanent.

L'enseignement et sa pensée parviennent dans ce mouvement circulaire, quand ils passent sur le pont qui s'appelle : libération de l'esprit de vengeance. Par là la pensée jusqu'ici connue doit être surmontée.

Une note de l'année 1885, c'est-à-dire du temps

qui a immédiatement suivi l'achèvement d'*Ainsi parlait Zarathoustra*, figure sous le n° 617 dans ces papiers posthumes glanés et réunis sous le titre *La Volonté de Puissance*. La note porte la suscription soulignée : « *Récapitulation* [1]. » Nietzsche condense ici en quelques phrases, avec une extraordinaire clairvoyance, l'essentiel de sa pensée. Zarathoustra est spécialement nommé dans une remarque incidente placée entre parenthèses. La « récapitulation » commence par cette phrase : « *Imprimer* au devenir le caractère de l'être — telle est *la plus haute volonté de puissance.* »

La plus haute volonté de puissance, c'est-à-dire ce qu'il y a de plus vivant dans toute vie, revient à se représenter le « passer » comme devenir permanent dans le Retour éternel de l'Identique et à le rendre ainsi stable et permanent. Cette représentation est une pensée qui, comme Nietzsche le remarque et le souligne, « imprime » à l'étant le caractère de son être *(Sein)*. Cette pensée prend sous sa garde, sous sa protection, le devenir, auquel un heurt continuel, la souffrance, est inhérent.

Est-ce que, par cette pensée, la méditation accomplie jusqu'ici est surmontée, est-ce que l'esprit de vengeance est surmonté? Ou bien, ce qui se cache dans cette empreinte qui prend tout devenir sous la garde du Retour éternel de l'Identique, n'est-ce pas pourtant et encore un ressentiment tourné *contre* le passer pur et simple, et avec lui un esprit de vengeance spiritualisé au plus haut point?

Dès que nous posons cette question, nous avons l'air de vouloir démontrer à Nietzsche que ce qu'il veut surmonter est justement ce qui lui est le plus propre, comme si nous chérissions l'espoir que par une telle démonstration la pensée de ce penseur se trouverait réfutée.

1. En français dans le texte.

Mais l'affairement qui veut réfuter n'arrive jamais jusqu'au chemin d'un penseur. Il fait partie de ces jeux de petits esprits qui sont nécessaires au divertissement du public. En outre depuis longtemps Nietzsche lui-même a répondu d'avance à notre question. Le livre qui précède immédiatement *Ainsi parlait Zarathoustra* est paru en 1882 sous le titre *Le Gai Savoir*. Dans son avant-dernier morceau, n° 341, la « pensée la plus abyssale » de Nietzsche est exposée pour la première fois sous le titre *Le Poids le plus lourd*. Le morceau n° 342, qui le suit, a été repris mot pour mot dans *Ainsi parlait Zarathoustra*, où il forme le début du prologue.

Dans les œuvres posthumes (*Op*., vol. XIV, p. 404 et *sq*.). se trouvent des projets d'avant-propos pour *Le Gai Savoir*. Nous y lisons :

« Un esprit fortifié par les guerres et les victoires, pour lequel la conquête, l'aventure, le danger, la douleur elle-même sont devenus des besoins; une accoutumance à l'air vif des hauteurs, aux marches d'hiver, à la glace et à la montagne dans tous les sens de ces mots; une sorte de méchanceté sublime et de témérité dernière de la vengeance, car il y a là de la *vengeance*, vengeance exercée sur la vie elle-même, quand un homme qui souffre beaucoup *prend la vie sous sa protection.* »

Que dire d'autre, sinon que l'enseignement de Zarathoustra ne nous libère pas de la vengeance? Nous le disons. Seulement nous ne le disons pas comme une réfutation prétendue de la philosophie de Nietzsche. Nous ne le disons même pas comme une objection à la pensée de Nietzsche. Mais nous le disons pour tourner notre regard sur le fait que la pensée de Nietzsche, elle aussi, se meut dans l'esprit de la méditation passée et présente et pour tâcher de voir jusqu'à quel point elle s'y meut. Nous n'examinerons pas si cet esprit de la pensée jusqu'ici connue est, d'une façon générale, atteint dans son être, dans ce qu'il a de déterminant, quand il est interprété comme esprit de vengeance. Dans tous les cas la pensée jusqu'ici connue est métaphysique et il est à présumer que la pensée de Nietzsche réalise son achèvement.

Par là apparaît dans la pensée de Nietzsche quelque chose que cette pensée elle-même ne peut plus penser. Qu'une pensée reste en arrière de ce qu'elle pense caractérise ce qu'elle a de créateur. Et là même où une pensée conduit la métaphysique à son achèvement, elle indique, à la façon d'un cas privilégié, quelque chose qu'elle ne pense pas et qui est à la fois clair et confus. Mais où sont les yeux pour le voir?

La pensée métaphysique repose sur la distinction de ce qui est véritablement et de ce qui, mesuré au premier, constitue ce qui n'est pas véritablement. Pour l'*être* (Wesen) de la métaphysique, cependant, le point décisif n'est pas que cette distinction prenne la forme de l'opposition du suprasensible et du sensible, mais bien qu'elle demeure, au sens d'une coupure, la chose première et fondamentale. Elle subsiste encore, alors même que la hiérarchie platonicienne du suprasensible et du sensible est renversée et que le sensible est objet d'une expérience plus essentielle et plus large, au sens que Nietzsche suggère par le nom de *Dionysos*. Car la surabondance à laquelle aspire « la grande Nostalgie » de Zarathoustra est la permanence inépuisable du devenir, ce comme quoi la volonté de puissance se veut elle-même dans le Retour éternel de l'Identique.

Ce qu'il y a de foncièrement métaphysique dans sa pensée, Nietzsche l'a fait entrer dans la forme extrême du ressentiment, à savoir dans les dernières lignes de son dernier ouvrage *Ecce homo Comment on devient ce que l'on est*. Nietzsche a écrit ce livre en octobre 1888. Il ne fut publié pour la première fois que vingt ans plus tard, en tirage limité, et c'est en 1911 qu'il prit place dans le tome XV de l'édition grand in-octavo. Les dernières lignes d'*Ecce homo* sont :

« — M'a-t-on compris? *Dionysos contre le Crucifié...* »

Qui est le Zarathoustra de Nietzsche? Il est le porte-parole de Dionysos. Ceci veut dire : Zarathoustra est le maître qui, dans sa doctrine du Surhomme et pour elle, enseigne le Retour éternel de l'Identique.

Cette phrase répond-elle à notre question? Non. Elle n'y répond pas non plus, alors même que nous nous conformons aux indications qui l'ont éclairée, pour suivre à notre tour le chemin de Zarathoustra, et bien que nous ne dépassions point son premier pas sur le pont. La phrase qui a l'apparence d'une réponse pourrait cependant nous faire dresser l'oreille et nous ramener, plus attentifs, au titre de cet essai.

Qui est le Zarathoustra de Nietzsche? Ce qui veut dire maintenant : Qui est ce maître qui enseigne? Qui est cette figure qui apparaît dans la métaphysique au stade de son achèvement? Nulle part ailleurs dans l'histoire de la métaphysique occidentale la figure essentielle du penseur qui la représente à un moment donné ne devient ainsi spécialement le thème d'une création poétique, disons d'une façon plus juste et plus littérale : d'une création de la pensée *(erdacht)*; nulle part ailleurs, si ce n'est au début de la pensée occidentale, chez Parménide, et là seulement en traits voilés.

Ce qui demeure essentiel dans la figure de Zarathoustra, c'est que le maître enseigne deux choses qui se tiennent l'une l'autre : le Retour éternel et le Surhomme. Zarathoustra lui-même est, d'une certaine façon, cette cohésion interne. De ce point de vue il demeure, lui aussi, une énigme dont nous avons encore à peine pris conscience.

Le « Retour éternel de l'Identique » est le nom donné à l'être de l'étant. Le « Surhomme » est le nom donné à l'être de l'homme qui correspond à cet être (de l'étant).

D'où vient que l'être *(Sein)* (de l'étant) et l'être-de-l'homme *(Menschenwesen)* soient inséparables? Comment se tiennent-ils, si l'être n'est pas une fabrication de l'homme et si l'homme n'est pas davantage un simple cas particulier à l'intérieur de l'étant?

Cette solidarité de l'être (de l'étant) et de l'être-de-l'homme, peut-on seulement en discuter, aussi longtemps que la pensée demeure attachée au concept de l'homme admis jusqu'ici? Suivant ce concept, l'homme est l'*animal rationale*, l'animal raisonnable. Est-ce hasard, est-ce pur ornement poétique, si les deux animaux, l'aigle et le serpent, se trouvent près de Zarathoustra, si c'est eux qui lui disent qui il doit devenir, pour être celui qu'il est? Pour celui qui pense, c'est l'union de la fierté et de la sagesse qui doit apparaître sous la figure des deux animaux. Mais il faut savoir ce que Nietzsche pense de l'une et de l'autre. Dans des notes datant de l'époque où fut écrit *Ainsi parlait Zarathoustra*, nous lisons :

« Il me paraît que la *sagesse* [1] et la *fierté* sont étroitement associées... Leur point commun est le regard froid et sûr qui dans les deux cas sait apprécier. » (*Op.*, XIV, p. 99.)

Un peu plus loin se trouve le passage :

« On dit tant de sottises sur la *fierté* — et le christianisme l'a même fait ressentir comme un *péché!* En fait : *qui exige et obtient de soi quelque chose de grand* doit se sentir très loin de ceux qui ne le font pas — cette *distance* est interprétée par les autres comme une « haute opinion de soi-même »;

1. *Bescheidenheit*, en son sens ancien qui s'accorde avec le contexte heideggérien.

mais celui-là ne la connaît (la distance) que comme travail incessant, guerre, victoire, de jour et de nuit : de tout cela les autres ne savent rien! » (*loc. cit.*, p. 101).

L'aigle : l'animal le plus fier; le serpent : l'animal le plus sage. Et tous deux pris dans le cercle où ils trouvent leur élan, dans l'anneau qui enserre leur être : cercle et anneau qui à leur tour sont engagés l'un dans l'autre.

L'énigme : qui est Zarathoustra en tant qu'il enseigne le Retour éternel *et* le Surhomme? — cette énigme nous devient visible dans le spectacle des deux animaux. Dans ce spectacle nous pouvons fixer et retenir, d'une façon plus immédiate et plus facile, ce que notre exposé a essayé de montrer comme digne de question : le rapport de l'être *(Sein)* à cet être vivant qu'est l' « homme ».

« Et voyez! un aigle planait dans l'air en larges cercles, et un serpent était suspendu à lui, non comme une proie, mais comme un ami : car il se tenait enroulé autour de son cou.

« Ce sont mes animaux! dit Zarathoustra et il se réjouit de tout cœur. »

NOTE SUR LE RETOUR ÉTERNEL DE L'IDENTIQUE

Nietzsche savait lui-même que sa « pensée la plus abyssale » demeurait une énigme. D'autant moins devons-nous supposer que nous pouvons résoudre l'énigme. La part d'obscurité que contient cette pensée dernière de la métaphysique occidentale ne doit pas nous conduire à l'esquiver en usant d'échappatoires.

Il n'existe au fond que deux échappatoires.

Ou bien l'on dit que cette pensée de Nietzsche est une sorte de « mystique » et ne peut être admise devant la pensée.

Ou bien l'on dit que cette pensée est vieille comme le monde. Elle se ramène à la représentation cyclique, connue depuis longtemps, de l'histoire du monde. Dans la philosophie occidentale, Héraclite est le premier chez lequel on la rencontre.

La seconde échappatoire, comme toute autre du même genre, ne dit rien du tout. Que nous sert en effet de constater qu'une pensée se trouve, par exemple, « déjà » chez Leibniz ou même « déjà » chez Platon? A quoi bon cette indication, si elle laisse dans une égale obscurité, et ce qu'a pensé Leibniz ou Platon, et la pensée qu'on a cru éclaircir par de telles références « historiques »?

En ce qui concerne cependant la première échappatoire, pour laquelle la pensée nietzschéenne du Retour éternel serait une fantasmagorie mystique, l'époque présente pourrait bien nous instruire du contraire : à supposer, il est vrai, qu'il soit du destin de la pensée de mettre en lumière l'*essence* de la technique moderne.

Qu'est-ce que l'essence du moderne « moteur », sinon *une* nouvelle forme du Retour éternel de l'Identique? Mais l'essence de cette machine n'est rien de machinal, encore moins de mécanique. Tout aussi peu est-il possible d'interpréter dans un sens mécanique la pensée nietzschéenne du Retour éternel de l'Identique.

Que Nietzsche ait interprété et perçu sa pensée la plus abyssale à partir du dionysiaque tend seulement à prouver qu'il a dû encore la penser métaphysiquement et qu'il ne pouvait la penser autrement. Mais ce fait ne s'oppose pas à ce que la pensée la plus abyssale cache en elle quelque chose d'impensé, qui est en même temps fermé à la pensée métaphysique. (Cf. le cours *Was heisst Denken?* (« Que veut dire penser? ») professé pendant le semestre d'hiver 1951-1952 et paru en volume en 1954 aux Éditions M. Niemeyer à Tübingen.)

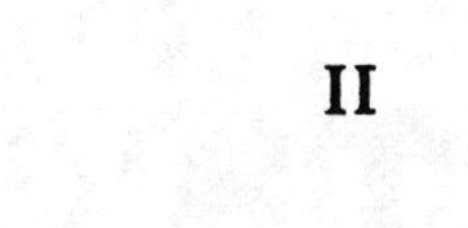

II

QUE VEUT DIRE « PENSER »? [1]

Nous parvenons au sens du mot « penser » quand nous pensons nous-mêmes. Pour qu'un pareil essai réussisse, nous devons être prêts à apprendre à penser.

Dès l'instant où nous acceptons d'apprendre, nous avouons par là que nous ne pouvons pas encore penser.

On regarde pourtant l'homme comme l'être qui peut penser. À juste titre, car l'homme est l'être vivant raisonnable; or, la raison, la *ratio*, se déploie dans la pensée. Être vivant raisonnable, l'homme doit pouvoir penser dès qu'il le veut. Mais peut-être l'homme veut-il penser et ne le peut-il point. En fin de compte, voulant penser, il veut trop et ainsi manque à pouvoir.

L'homme peut penser dans la mesure où il en a la possibilité. Seulement ce possible ne nous garantit pas encore que nous en soyons capables. Car « être capable » de quelque chose veut dire : admettre quelque chose auprès de nous selon son être et veiller instamment sur cette admission. Mais ce dont nous sommes capables *(vermögen)*, c'est toujours ce que nous désirons *(mögen)*, ce à

1. Le texte de cette conférence suit d'abord d'assez près celui du début de l'ouvrage *Was heisst Denken?* (1954), puis s'en écarte de plus en plus pour s'en séparer complètement dans son dernier tiers. Pour distinguer cet ouvrage de la présente conférence, nous citons le premier sous son titre allemand, la seconde sous le titre français.

quoi nous sommes adonnés en ceci que nous le laissons venir. Nous ne désirons, nous n'aimons véritablement que ce qui d'ores et déjà nous aime de lui-même, nous aime dans notre être, en tant qu'il s'incline vers celui-ci. Par cette inclination, notre être est réclamé. L'inclination est « parole adressée ». La parole s'adresse à nous, visant notre être, elle nous appelle, nous fait entrer dans l'être *(Wesen)* et nous y tient. Tenir *(halten)* signifie proprement « garder, veiller sur » *(hüten)*. Ce qui nous tient dans l'être, cependant, nous y tient seulement aussi longtemps que, de nous-mêmes, nous retenons ce qui nous tient. Nous le retenons, quand nous ne le laissons pas échapper de notre mémoire. La mémoire est le rassemblement de la pensée [1]. Que vise-t-il? Ce qui nous tient dans l'être, pour autant qu'il trouve en même temps près de nous considération. Dans quelle mesure ce qui nous tient doit-il être pris en considération? Pour autant qu'il est, dès l'origine, « la Chose à considérer » *(das zu-Bedenkende)*. Le considérer, c'est lui offrir notre souvenance [2]. Nous lui présentons notre pensée *(An-denken)*, parce que nous l'aimons comme la parole que notre être nous adresse.

Nous pouvons penser seulement lorsque nous aimons cé qui est, en soi, « la Chose à considérer ».

Afin de parvenir à cette pensée, il nous faut, pour notre part, apprendre à penser. Qu'est-ce qu'apprendre? L'homme apprend, en tant qu'il fait répondre ses actes et ses abstentions à ce qui chaque fois lui est dit d'essentiel. Nous apprenons à penser en tant que nous portons notre attention sur ce qu'il y a à considérer.

Ce qui appartient à l'être de l'ami et qui en

1. Explication du mot *Gedächtnis (Ge-dächt-nis)*. Cf. *N. du Tr.*, 2, et cf. p. 161.

2. *Andenken*, avec une allusion marquée au sens premier : pensée adressée à... A la fois souvenir et pensée.

dérive, notre langage l'appelle *das Freundliche* (« l'amical »). D'une manière semblable, ce qui est en soi la Chose à considérer, nous l'appelons maintenant *das Bedenkliche*, le « Point Critique ». Toute chose critique donne à penser. Mais elle n'accorde ce don que dans la mesure où elle est déjà, de par elle-même, la Chose à considérer. C'est pourquoi, ce qui donne toujours à penser, parce qu'il l'a fait « autrefois », ce qui, l'ayant fait, avant toute autre chose, le fera « encore les autres fois » [1], nous le nommerons désormais « le Point le Plus Critique » [2].

Qu'est-ce que le Point le Plus Critique? En quoi se montre-t-il, à notre époque qui donne elle-même à réfléchir [3]?

Le Point le Plus Critique se montre en ceci que nous ne pensons pas encore. Toujours pas encore, bien que l'état du monde donne toujours davantage à penser. Ce processus, à vrai dire, semble exiger plutôt que l'homme agisse, au lieu de discourir dans des conférences ou des congrès et de se mouvoir alors dans la simple représentation de ce qui devrait être et de la façon dont il faudrait le faire : c'est donc l'action, nullement la pensée, qui fait défaut.

Et cependant... peut-être, depuis des siècles, l'homme a-t-il déjà trop agi et pensé trop peu.

Mais comment affirmer aujourd'hui que nous ne pensons pas encore, alors que l'intérêt pour la philosophie est partout éveillé et toujours plus affairé,

1. Le sens originel, si masqué ou recouvert qu'il puisse être à certaines époques, est « de toujours », comme notre rapport à l'être. L'aube *(Frühe)*, ce qui était au départ, vient à nous du fond des temps, elle est toujours « en venue ». « Une fois » (*einst, einsther*, autrefois) vaut ici « un jour » (*einsthin*, un jour à venir) et s'oppose, comme un « toute-fois », au pur changement du temps ordinaire.

2. *Das Bedenklichste* (« ce qui donne le plus à penser »), que nous rendrons aussi quelquefois par « la Chose la plus Critique ».

3. *In unserer bedenklichen Zeit.*

au point qu'un chacun veut savoir ce qui se passe du côté de la philosophie?

Les philosophes sont *les* penseurs. On les appelle ainsi, parce que c'est principalement dans la philosophie que *la* pensée déroule son histoire. Personne ne niera l'intérêt que la philosophie suscite aujourd'hui. Mais y a-t-il encore aujourd'hui quelque chose à quoi l'homme ne s'intéresse pas, nous voulons dire : de la façon dont on comprend de nos jours le mot « intéresser »?

Inter-esse veut dire : être entre et parmi les choses, se tenir au milieu d'une chose et y rester sans faiblir. Mais l' « intérêt » d'aujourd'hui ne connaît que l' « intéressant ». Et « intéressant » veut dire : ce qui permet à l'objet en question de redevenir indifférent l'instant d'après et d'être remplacé par un autre qui nous concerne tout juste aussi peu que le premier. Aujourd'hui l'on estime souvent honorer beaucoup une chose en la jugeant « intéressante ». En vérité, un pareil jugement abaisse la chose intéressante au niveau des indifférentes et il la repousse parmi celles qui bientôt seront ennuyeuses.

Montrer de l'intérêt pour la philosophie ne témoigne nullement que l'on soit préparé à penser. Même le fait que, depuis de longues années, nous soyons ardents à étudier les traités et écrits des grands penseurs ne garantit pas que nous pensions ni que nous soyons seulement prêts à apprendre à penser. S'occuper de philosophie peut au contraire, de la façon la plus tenace, entretenir l'illusion que nous pensons, parce que, n'est-ce pas? nous « philosophons ».

Affirmer néanmoins que nous ne pensons pas encore, c'est là, semble-t-il, le fait d'une extrême prétention. Mais telle n'est pas notre affirmation. Celle-ci dit : à notre époque, qui donne à réfléchir, le Point le Plus Critique se montre en ceci que nous ne pensons pas encore. Notre affirmation indique que le Point le Plus Critique se montre. D'aucune manière elle ne s'arroge le droit de passer condamnation, en déclarant que partout règne seule l'absence de pensée. L'affirmation que nous ne pensons pas encore ne veut non plus stigmatiser aucun manquement. Le Point Critique est ce qui donne à penser. Il nous parle de son propre mouvement, afin que nous nous tournions vers lui dans un acte de pensée. Le Point Critique n'est aucunement constitué par nous. Jamais il n'est fondé seulement sur ceci que nous nous le représentions. Le Point Critique donne : il nous donne à penser. Il donne ce qu'il a avec lui. Il a ce qu'il est lui-même. Ce qui de soi donne le plus à penser, le Point le Plus Critique, doit se montrer en ceci que nous ne pensons pas encore. Que dit maintenant cette assertion? Elle dit que nous n'avons pas encore, à proprement parler, atteint la région de ce qui, de soi-même, voudrait être pris en considération avant toute autre chose et pour toute autre chose. Pourquoi ne sommes-nous pas encore parvenus jusque-là? Peut-être parce que nous autres hommes ne nous tournons pas encore suffisamment vers ce qui demeure la Chose à considérer? Que nous ne pensions pas encore serait, dans ce cas, une simple négligence de la part de l'homme. Il faudrait alors pouvoir y remédier d'une façon humaine, par des mesures appropriées applicables à l'homme.

Si nous ne pensons pas encore, cet état de choses, cependant, ne doit pas être relié au seul fait que l'homme ne se tourne pas encore assez vers ce qui, de soi-même, désire être considéré. Que nous ne pensions pas encore provient bien plutôt de ce que cette Chose qui doit être pensée se détourne de l'homme et même qu'elle se tient depuis longtemps détournée de lui.

L'on veut aussitôt savoir quand et de quelle

manière cette action de se détourner a eu lieu. Mais auparavant, avec encore plus de curiosité, l'on demande comment nous pouvons connaître quelque chose d'un pareil événement. Les questions de ce genre vont jaillir à l'envi, si nous allons jusqu'à affirmer, au sujet du Point le Plus Critique :

Ce qui, à proprement parler, nous donne à penser ne s'est pas détourné de l'homme à un moment donné, « historiquement » déterminable; mais « Ce qu'il faut penser »[1] se tient ainsi détourné depuis toujours. Seulement, se détourner de quelqu'un, c'est s'être d'abord tourné vers lui. Quand la Chose la Plus Critique se tient détournée, cette attitude est prise déjà, et seulement, à l'intérieur d'une attitude tournée vers..., c'est-à-dire d'une façon telle que la chose a déjà donné à penser. Si détourné qu'il soit, « Ce qu'il faut penser » s'est déjà dit à l'être de l'homme. C'est pourquoi l'homme de notre histoire a déjà et même toujours pensé en mode essentiel. Il a même pensé les choses les plus profondes. « Ce qu'il faut penser » reste confié à cette pensée, mais à vrai dire d'une manière étrange. Jusqu'ici la pensée n'a aucunement pris en considération qu'alors Ce qu'il faut penser se retire néanmoins ni en quel sens il faut entendre qu'il se retire.

Mais de quoi parlons-nous? Ce que nous disons est-il autre chose qu'une simple suite d'affirmations vides? Où sont les preuves? Ce que nous avançons a-t-il encore quoi que ce soit de commun avec la science? Il sera bon de persévérer aussi longtemps que possible dans une telle attitude de défense envers ce qui vient d'être dit. Car c'est ainsi seulement que nous garderons le recul nécessaire à un élan, grâce auquel l'un ou l'autre réussira peut-être le saut dans la pensée du Point le Plus Critique.

Il faut le reconnaître, ce qui précède et tout

1. *Das zu-Denkende.*

l'examen qui va suivre n'ont rien de commun avec la science : à savoir, là précisément où notre exposé pourrait prétendre à être une pensée. La raison de cette situation est que la science ne pense pas. Elle ne pense pas, parce que sa démarche et ses moyens auxiliaires sont tels qu'elle ne peut pas penser — nous voulons dire penser à la manière des penseurs. Que la science ne puisse pas *penser*, il ne faut voir là aucun défaut, mais bien un avantage. Seul cet avantage assure à la science un accès possible à des domaines d'objets répondant à ses modes de recherche; seul il lui permet de s'y établir. La science ne pense pas : cette proposition choque notre conception habituelle de la science. Laissons-lui son caractère choquant, alors même qu'une autre la suit, à savoir que, comme toute action ou abstention de l'homme, la science ne peut rien sans la pensée. Seulement, la relation de la science à la pensée n'est authentique et féconde que lorsque l'abîme qui sépare les sciences et la pensée est devenu visible et lorsqu'il apparaît qu'on ne peut jeter sur lui aucun pont. Il n'y a pas de pont qui conduise des sciences vers la pensée, il n'y a que le saut. Là où il nous porte, ce n'est pas seulement l'autre bord que nous trouvons, mais une région entièrement nouvelle. Ce qu'elle nous ouvre ne peut jamais être démontré, si démontrer veut dire : dériver des propositions concernant une question donnée, à partir de prémisses convenables, par des chaînes de raisonnements. Quand une chose ne se manifeste que pour autant qu'elle apparaît d'elle-même en même temps qu'elle reste dans l'ombre [1], vouloir encore prouver une telle chose et vouloir qu'elle soit prouvée, ce n'est aucunement juger suivant une règle supérieure et plus rigoureuse de connaissance : c'est

1. Ce qui apparaît ainsi en même temps qu'il se voile est le Phénomène au sens heideggérien du mot. L'ontologie est phénoménologie : ἀποφαίνεσθαι τὰ φαινόμενα.

seulement *faire un compte* en utilisant un certain système de mesure, et un système inapproprié. Car, à une chose qui se manifeste seulement de sorte qu'elle apparaît dans l'acte même par lequel elle se cache, nous ne répondons bien que si nous attirons l'attention sur elle et si nous nous imposons à nous-mêmes la règle de laisser ce qui se montre apparaître dans la non-occultation qui lui est propre. Montrer ainsi simplement est un trait fondamental de la pensée, elle est la voie vers ce qui, depuis toujours et pour toujours, *donne* à l'homme à penser. Tout peut être démontré, c'est-à-dire déduit de prémisses appropriées. Mais peu de choses seulement peuvent être montrées, c'est-à-dire libérées par un acte indicateur qui les invite à venir à nous; et encore se laissent-elles rarement montrer.

A notre époque critique, le Point le Plus Critique se montre en ceci que nous ne pensons pas encore. Nous ne pensons pas encore, parce que Ce qu'il faut penser se *dé*tourne de l'homme, et nullement pour l'unique raison que l'homme ne se tourne pas suffisamment *vers* Ce qu'il faut penser. Ce qu'il faut penser se détourne de l'homme : il se dérobe à lui, se retenant et se réservant. Mais le réservé *(das Vorenthaltene)* nous a toujours été déjà, et nous reste, présenté *(vorgehalten)*. Ce qui se dérobe en se réservant ne disparaît pas. Comment, néanmoins, pouvons-nous savoir si peu que ce soit de ce qui se retire ainsi? Comment pouvons-nous avoir seulement l'idée de le nommer? Ce qui se dérobe refuse sa venue. Cependant... se retirer n'est pas rien. Se retirer est ici se réserver et pour autant — advenir [1]. Ce qui se soustrait peut concerner l'homme d'une façon plus essentielle et le réclamer d'une

1. *Entzug ist hier Vorenthalt und ist als solcher — Ereignis.* — Le retrait est un « avènement » dans l'histoire de l'être. Cf. *N. du Tr.*, *4*, et cf. pp. 308, n. 2, et 309, fin.

manière plus intime que ne le fait aucune chose présente, qui l'atteint et l'affecte. Que le réel nous affecte est volontiers considéré comme ce qui en constitue la réalité. Mais le fait d'être affecté par le réel peut justement isoler l'homme de ce qui le concerne — de ce qui s'approche de lui, d'une façon sans doute énigmatique [1], cette approche lui échappant parce qu'elle se dérobe à lui. L'acte par lequel Ce qu'il faut penser se retire et se dérobe pourrait ainsi, comme avènement, nous être plus présent *(gegenwärtiger)* qu'aucune chose actuelle.

Sans doute ce qui se dérobe ainsi à nous s'éloigne-t-il de nous. Mais, ce faisant, il nous entraîne avec lui et nous attire à sa manière. Ce qui se dérobe semble être totalement absent. Mais cette apparence trompe. Ce qui se retire est présent *(west an)*, à savoir, de telle façon qu'il nous attire, que nous le remarquions aussitôt, ou plus tard, ou pas du tout. Ce qui nous attire nous a déjà accordé l'arrivée. Quand nous atteignons le mouvement du retrait, nous sommes déjà en mouvement vers ce qui nous attire en se retirant.

Mais si, attirés de cette manière, nous sommes déjà en mouvement vers... ce qui nous attire, alors notre être est déjà marqué, à savoir par cet « en mouvement vers... ». En tant que nous sommes ainsi marqués, nous-mêmes montrons ce qui se retire. D'une façon générale, si nous sommes nous-mêmes et si nous sommes ceux que nous sommes, c'est seulement en tant que nous montrons ce qui se dérobe. Cet acte indicateur est notre essence. Nous sommes, en tant que nous indiquons ce qui se dérobe. Montrant dans sa direction, l'homme *est*

1. *Rätselhaft.* L'être est énigmatique parce qu'il est inépuisable, parce qu'il garde toujours en réserve plus qu'il ne montre. D'où les formules : *Sein ist immer vorrätig. Rätselhaft weil vorrätig.* « Il y a toujours provision d'être. » « Énigmatique parce que toujours en provision. »

l'être qui montre. Plus précisément, l'homme n'est pas d'abord homme et ensuite — par surcroît et peut-être par occasion — un « montreur » : c'est tiré dans ce qui se retire, en mouvement vers lui et montrant par là même le retrait, que l'homme est homme en tout premier lieu. Son essence est d'être un tel montreur.

Nous appelons « signe » ce qui, de par sa constitution la plus intime, est quelque chose qui indique. En mouvement vers ce qui se dérobe et tiré en lui, l'homme *est* un signe.

Mais comme ce signe vise une chose qui se dérobe, il l'indique sans pouvoir l'interpréter immédiatement. Le signe reste ainsi vide du sens.

Dans un projet d'hymne, Hölderlin écrit :

Nous sommes un signe, vide du sens,
Insensibles et loin de la patrie,
Nous avons presque perdu la parole.

Les projets écrits pour l'hymne portent les titres *Le Serpent*, *La Nymphe*, *Le Signe* et aussi *Mnémosyne*. Traduit en allemand, ce mot grec se rend par *Gedächtnis* (mémoire). On dit en allemand *das Gedächtnis* [1], mais on dit aussi [2] *die Erkenntnis* (la connaissance), *die Befugnis* (l'autorisation, le droit) et à nouveau *das Begräbnis* (l'enterrement), *das Geschehnis* (l'événement). Kant, par exemple, dans son langage, écrit aussi bien *die Erkenntnis* (au féminin) que *das Erkenntnis* (au neutre) et souvent à peu de distance l'un de l'autre. Nous pouvons donc, sans faire violence à la langue, conserver le féminin du mot grec Μνημοσύνη et traduire ce mot par *die Gedächtnis* [3].

1. *Das* indique le genre neutre.
2. Autres substantifs en *nis*, les uns féminins (précédés de *die*), les autres neutres (précédés de *das*).
3. Alors que, dans l'usage accepté, comme l'auteur vient de le rappeler, ce mot est du neutre.

Chez Hölderlin, Μνημοσύνη est le nom d'une Titanide, fille du Ciel et de la Terre. Fiancée à Zeus, Mnémosyne devient, en neuf nuits, la mère des muses. Jeu et danse, chant et poésie sont portés dans le sein de Mnémosyne, la mémoire. Il est clair que ce mot désigne ici autre chose que la faculté supposée de la psychologie : le pouvoir de retenir le passé dans la représentation. Mémoire pense à ce qui est pensé [1]. Mais le nom de la mère des Muses ne signifie pas « mémoire » au sens d'un acte quelconque de pensée tourné vers n'importe quelle chose pensable. Mémoire [2] est ici le rassemblement de la pensée, qui reste recueillie sur ce à quoi l'on a déjà pensé au préalable, parce qu'il désire être toujours considéré avant toute chose. Mémoire est le rassemblement du souvenir pensant à ce qu'il faut considérer avant toute autre chose. Ce rassemblement abrite auprès de lui et cache en lui ce à quoi il faut toujours préalablement penser, à propos de tout ce qui est *(west)* et qui se déclare comme étant et ayant été. Mémoire, le souvenir recueilli tourné vers ce qu'il faut penser, est le sol d'où jaillit la poésie. L'essence de la poésie repose donc dans la pensée. C'est ce que nous dit le mythe, à savoir la parole *(Sage)*. Son dire *(Sagen)* est réputé le plus ancien, non seulement parce qu'il est le premier dans l'ordre du temps, mais parce que, de par son être, il demeure, des jours d'autrefois aux jours à venir, ce qui mérite le plus d'être pensé. Sans doute, aussi longtemps que nous représenterons la pensée d'après les seules informations que la logique nous donne sur elle, aussi longtemps que nous passerons outre au fait que toute logique s'est fixée déjà sur un mode particulier de la pensée, — nous ne pourrons jamais considérer avec attention

1. *Gedächtnis denkt an das Gedachte.*
2. *Gedächtnis.* Cf. *N. du Tr.*, 2, et plus haut, p. 152, n. 1.

que la poésie repose sur le souvenir pensant ni dans quelle mesure elle le fait.

Toute création poétique est née de la ferveur pensante du souvenir [1]. Dans le projet *Mnémosyne*, Hölderlin dit :

Nous sommes un signe, vide du sens...

Qui, « nous »? Nous, les hommes d'aujourd'hui, les hommes d'un aujourd'hui qui dure depuis longtemps et pour longtemps encore, dans une durée pour laquelle aucune chronologie « historique » n'apportera jamais de mesure. Dans le même hymne *Mnémosyne* nous lisons : *Long est le temps*, à savoir celui pendant lequel nous sommes un signe vide du sens. Ceci — que nous soyons un signe, et un signe vide du sens — ne donne-t-il pas suffisamsamment à penser? Peut-être ce que dit Hölderlin, dans ces paroles et dans les suivantes, se rapporte-t-il à ce par quoi le Point le Plus Critique se montre à nous, à ceci que nous ne pensons pas encore. Mais est-ce que le fait que nous ne pensons pas encore se fonde sur ce que nous sommes un signe vide du sens et sommes insensibles, ou bien est-ce que nous sommes un signe vide du sens et sommes insensibles pour autant que nous ne pensons pas encore? Si cette dernière alternative devait être acceptée, ce serait en tout premier lieu la pensée qui donnerait la douleur aux mortels, et ce serait elle qui fournirait une interprétation de ce signe que sont les mortels. Une telle pensée nous engagerait aussi, et d'abord, dans un dialogue avec l'œuvre du poète dont le verbe, comme aucun autre ne le fait, cherche son écho dans la pensée. Si nous osons reprendre le verbe poétique de Hölderlin pour le faire entrer dans le domaine de la pensée, nous devons sans

1. *Der Andacht des Andenkens.*

doute nous garder d'identifier inconsidérément ce que dit Hölderlin en mode poétique et ce que nous sommes sur le point de penser. Ce que dit le poète et ce que dit le penseur ne sont jamais identiques. Mais ils peuvent dire la même chose de manières différentes. Ceci ne réussit cependant que lorsque l'abîme entre poésie et pensée reste béant, net et bien tranché : ce qui arrive toutes les fois que la poésie est haute et la pensée profonde. Cela aussi, Hölderlin le savait. Nous emprunterons son savoir aux deux strophes intitulées :

Socrate et Alcibiade.

Pourquoi, très vénéré Socrate, tes hommages
Répétés à ce jeune homme? Ne connais-tu rien de [plus grand?
Pourquoi ton œil le regarde-t-il
Avec amour, comme s'il voyait des dieux?

La seconde strophe donne la réponse.

Qui a pensé dans la plus grande profondeur aime ce [qu'il y a de plus vivant,
Il comprend la haute jeunesse, celui qui a regardé [le monde,
Et les sages en fin de vie
Se penchent souvent vers la beauté.

Ce qui nous concerne est le vers :

Qui a pensé dans la plus grande profondeur aime ce [qu'il y a de plus vivant.

Mais, dans ce vers, nous négligeons trop facilement les mots qui proprement parlent et qui supportent le reste. Les mots qui parlent sont les verbes. Pour entendre la teneur verbale du vers, il nous faut accentuer celui-ci d'une façon autre, inhabituelle, étrange à l'oreille :

Qui a pensé *dans la plus grande profondeur* aime *ce*
[qu'il y a de plus vivant.

Les deux verbes contigus [1] *a pensé* et *aime* forment le cœur du vers. Ainsi l'amour se fonde en ceci, que nous avons pensé ce qu'il y a de plus profond. Pareil « avoir pensé » *(Gedachthaben)* est sans doute le fait de cette mémoire *(Gedächtnis)*, dans la pensée de laquelle repose même la poésie, et tout art avec elle. Mais que signifie alors « penser »? Si nous voulons savoir, par exemple, ce que veut dire nager, nous ne l'apprendrons jamais d'un traité sur l'art de nager. C'est le saut dans le fleuve qui nous le dira, car c'est seulement ainsi que nous apprendrons à connaître l'élément dans lequel la nage se meut. Quel est donc l'élément dans lequel la pensée se meut?

Supposons que notre affirmation, que nous ne pensons pas encore, soit vraie : elle dit alors en même temps que notre pensée ne se meut pas encore véritablement dans l'élément qui lui est propre, et cela pour la raison que « Ce qu'il faut penser » se dérobe à nous. Ce qui se réserve ainsi en face de nous et reste non pensé, nous ne pouvons de nous-mêmes le contraindre à venir vers nous, même dans le cas favorable où nous pressentirions [2] déjà clairement ce qui se réserve en face de nous.

Il ne nous reste plus qu'une chose à faire : attendre que Ce qu'il faut penser s'adresse et se dise à nous. Mais ici *attendre* ne veut nullement dire qu'entre temps nous différions encore de penser. « Attendre »

1. Contigus dans le texte allemand : *Wer das Tiefste* gedacht, liebt *das Lebendigste.*

2. *Dass wir... in das vordächten, was... :* « Où nous pré-penserions dans ce qui... »

veut dire ici : de tous côtés chercher du regard, à l'intérieur du déjà-pensé, le non-pensé qui s'y cache encore. Par une telle attente nous pensons déjà et sommes en marche vers Ce qu'il faut penser. Dans cette marche nous pourrons nous égarer. Elle n'en restera pas moins accordée à l'unique souci de répondre à ce qu'il y a à considérer.

A quoi cependant devons-nous reconnaître ce qui, depuis toujours et avant toute autre chose, donne à l'homme à penser? Comment le Point le Plus Critique peut-il se montrer à nous? Le Point le Plus Critique, disions-nous, à une époque critique comme la nôtre, se montre en ceci que nous ne pensons pas encore — pas encore d'une façon telle que nous répondions vraiment à cette Chose la plus critique. Jusqu'ici nous n'avons pas trouvé accès à l'être propre de la pensée, de sorte que nous y habitions. En ce sens, nous ne pensons pas encore en mode propre. Or, c'est là dire précisément que nous pensons déjà, mais qu'en dépit de toute logique, nous ne sommes pas encore vraiment familiers avec l'élément dans lequel la pensée pense en mode propre. C'est pourquoi nous ne savons même pas suffisamment dans quel élément la pensée s'est mue jusqu'à présent, pour autant qu'elle était une pensée. Le trait fondamental de la pensée jusqu'ici connue est le percevoir *(das Vernehmen)*. La faculté de percevoir s'appelle la raison *(Vernunft)*.

Que perçoit la raison? Dans quel élément se tient le percevoir, de sorte que par là même un acte de pensée s'accomplisse? Percevoir est la traduction du mot grec νοεῖν, qui signifie : remarquer quelque chose de présent et, le remarquant, le prendre devant soi *(vornehmen)* et l'ac-cepter *(annehmen)* comme chose présente. Cette perception qui prend devant est une pré-sentation *(Vorstellen)*, entendue dans ce sens simple, large et en même temps essentiel que nous laissons la chose présente être debout ou étendue devant nous, dans la position qui est la sienne.

Celui d'entre les premiers penseurs grecs qui a marqué d'une façon décisive l'être même de la pensée occidentale, ce penseur, néanmoins, lorsqu'il traite de la pensée, ne considère nullement d'une façon exclusive, et jamais en premier lieu, ce que nous voudrions appeler la pensée sans plus *(das blosse Denken)*. Au contraire, l'empreinte reçue par l'être de la pensée consiste précisément en ceci que cet être reste déterminé par ce que la pensée, comme percevoir, perçoit, à savoir l'étant dans son être.

Parménide dit (fragm. VIII, 34-36) :

ταὐτὸν δ'ἐστὶ νοεῖν τε καὶ οὕνεκεν ἔστι νόημα.
οὐ γὰρ ἄνευ τοῦ ἐόντος, ἐν ὧι πεφατισμένον ἐστιν,
εὑρήσεις τὸ νοεῖν.

« Mais une même chose est le percevoir et aussi ce pourquoi la perception est.

Car, sans l'être de l'étant, dans lequel il (le percevoir) réside en tant que chose dite, tu ne trouveras pas le percevoir. »

De ces paroles de Parménide il ressort clairement que la pensée, en tant que percevoir, reçoit son être *(Wesen)* de l'être *(Sein)* de l'étant. Mais que signifie ici l'être de l'étant, et que signifie-t-il pour les Grecs et ensuite, jusqu'à maintenant, pour toute la pensée occidentale? La réponse à cette question qui, par trop simple, n'a encore jamais été posée, est que l'être de l'étant veut dire présence du présent [1]. La réponse est un saut dans l'obscurité.

Ce que la pensée, en tant qu'elle est percevoir, perçoit, c'est le *présent* dans sa *présence* [2]. En celle-ci

1. *Anwesen des Anwesenden, Präsenz des Präsenten.*

2. Les mots français en italique dans cet alinéa sont ceux mêmes que l'auteur emploie, sous une forme légèrement germanisée : *prä-*

la pensée trouve la mesure de son propre être, de son « percevoir ». La pensée est ainsi cette *présentation* du *présent*, qui nous livre *(zu-stellt)* la chose présente dans sa présence et qui la place ainsi devant nous *(vor uns stellt)*, afin que nous nous tenions devant elle et que, à l'intérieur d'elle-même, nous puissions soutenir [1] cette tenue [2]. En tant qu'elle est cette *présentation*, la pensée apporte *(zu-stellt)* la chose présente en l'intégrant dans la relation qu'elle a à nous, elle la rapporte à nous [3]. La *présentation* est donc *re-présentation*. Le mot *repraesentatio* est le terme qui correspond à *Vorstellen* et qui plus tard devient courant.

Le trait fondamental de la pensée a été jusqu'ici la représentation. Suivant l'ancienne doctrine de la pensée, cette représentation s'accomplit dans le λόγος, mot qui signifie alors énonciation, jugement. La doctrine de la pensée, du λόγος, s'appelle donc « logique ». Kant reprend, d'une manière simple, la conception traditionnelle de la pensée comme représentation, lorsqu'il caractérise l'acte fondamental de la pensée, le jugement, comme étant la représentation d'une représentation de l'objet (*Cr. de la R. pure*, A 68, B 93). Si nous jugeons, par exemple, que « ce chemin est pierreux », alors la représentation de l'objet, c'est-à-dire du chemin, est elle-même représentée dans le jugement, à savoir comme pierreuse.

Le trait fondamental de la pensée est la représentation. C'est dans la représentation que se déploie le percevoir. La représentation elle-même est re-présentation. Mais pourquoi la pensée consiste-t-elle dans le percevoir? Pourquoi le percevoir se déploie-

sent, Präsenz, Präsentation, Re-Präsentation. Le latin *repraesentatio* est souligné par Heidegger.

1. *Ausstehen*, supporter, endurer.
2. Explication du terme *vorstellen* (« présenter » ou « représenter »).
3. Explication du terme *repraesentatio*.

t-il dans la représentation? Pourquoi le percevoir est-il re-présentation?

La philosophie procède, comme s'il n'y avait ici, d'aucun côté, aucune question à poser.

Que cependant la pensée ait consisté jusqu'ici dans le percevoir, et le percevoir dans la re-présentation, cet état de choses a une origine lointaine. Origine qui se cache dans une émergence *(Ereignis)* à peine visible : dès le début de l'histoire de l'Occident, et pour tout son cours, l'être de l'étant apparaît comme présence. Cette apparition de l'être comme présence du présent est elle-même *le* commencement de l'histoire occidentale, si toutefois nous ne nous représentons pas l'histoire seulement au fil des événements, mais si nous la pensons d'abord suivant ce qui est envoyé [1] d'avance à travers l'histoire pour y régir toute la série des événements.

Être *(Sein)* veut dire présence *(Anwesen)*. Mais ce trait fondamental de l'être, et qui est vite prononcé, la présence, devient mystérieux à l'instant même où nous nous éveillons et où nous essayons de voir à quoi ce que nous appelons présence renvoie notre pensée [2].

Est présent ce qui persiste, ce qui déploie son être dans la non-occultation, apparaissant en elle et y demeurant. La présence ne se produit *(ereignet sich)* que là où déjà règne la non-occultation. Mais, pour autant que la chose présente apparaît et dure dans la non-occultation, elle est pré-sente *(gegenwärtig)*.

C'est pourquoi le présent [3], et non seulement la non-occultation, appartient à la présence *(Anwe-*

1. *Geschickt*, envoyé par le destin *(Geschick)*.
2. La présence renvoie à la temporalité, par l'intermédiaire du *Wesen*, de cet « être » qui est « durer ».
3. *Gegenwart*, (le « tourné-vers »), à la fois présence et (temps) présent.

sen). Ce présent, qui domine dans la présence, est un caractère du temps. Mais son être *(Wesen)* ne se laissera jamais saisir par le concept traditionnel de temps.

La non-occultation, qui domine dans l'être *(Sein)* apparu comme présence, demeure cependant impensée, comme est impensé l'être *(Wesen)*, qui y domine aussi, du présent et du temps. Il est à présumer que la non-occultation et le présent, en tant qu'être du temps, sont solidaires. Pour autant que nous percevons l'étant dans son être ou, en langage moderne, que nous nous représentons les objets dans leur objectivité, nous pensons déjà. Et de cette manière, nous pensons déjà depuis longtemps. Toutefois nous ne pensons pas encore en mode propre, aussi longtemps que nous ne considérons pas en quoi l'être de l'étant repose, lorsqu'il apparaît comme présence *(Anwesenheit)*.

Nous ne pensons pas l'origine essentielle de l'être de l'étant. Ce qu'il faut proprement penser demeure réservé. Il n'est pas encore devenu pour nous digne d'être pensé. C'est pourquoi notre pensée n'est pas encore vraiment parvenue dans son élément. Nous ne pensons pas encore en mode propre. C'est pourquoi nous *demandons :* que veut dire « penser »?

BATIR HABITER PENSER

Dans ce qui suit nous essayons de penser touchant l'« habiter » et le « bâtir ». Une telle pensée concernant le bâtir n'a pas la prétention de découvrir des idées de constructions, encore moins de prescrire des règles à la construction. Cet essai de pensée ne présente aucunement le bâtir du point de vue de l'architecture et de la technique, mais il le poursuit pour le ramener au domaine auquel appartient tout ce qui *est*.

Nous demandons :

1° Qu'est-ce que l'habitation[1]?

2° Comment le bâtir fait-il partie de l'habitation?

I

Nous ne parvenons, semble-t-il, à l'habitation que par le « bâtir[2] ». Celui-ci, le bâtir, a celle-là, l'habitation pour but. Toutes les constructions, cependant, ne sont pas aussi des habitations. Un pont, le hall d'un aéroport, un stade ou une centrale électrique sont des constructions, non des habitations; une gare ou une autostrade, un barrage, la

1. Dans tout le cours de ce morceau, comme dans « ...*l'homme habite en poète...* », « habitation », au singulier, qui presque toujours rend *das Wohnen*, « l'habiter », désigne le fait et la façon d'habiter, non le logement, le local habité. Les très rares exceptions ressortiront du contexte.

2. « Bâtir » tient lieu de l'allemand *bauen*, qui ne veut pas dire seulement « bâtir », mais aussi « cultiver » et qui a signifié « habiter ». C'est donc toujours le mot allemand qu'il faudra voir derrière le terme français.

halle d'un marché sont dans le même cas. Pourtant ces constructions rentrent dans le domaine de notre habitation : domaine qui dépasse ces constructions et qui ne se limite pas non plus au logement. L'homme du tracteur devant ses remorques se sent chez lui sur l'autostrade, mais il n'y loge pas; l'ouvrière se sent chez elle dans la filature, pourtant elle n'y a pas son habitation; l'ingénieur qui dirige la centrale électrique s'y trouve chez lui, mais il n'y habite pas. Ces bâtiments donnent une demeure à l'homme. Il les habite et pourtant il n'y habite pas, si habiter veut dire seulement que nous occupons un logis. A vrai dire, dans la crise présente du logement, il est déjà rassurant et réjouissant d'en occuper un; des bâtiments à usage d'habitation fournissent sans doute des logements, aujourd'hui les demeures peuvent même être bien comprises, faciliter la vie pratique, être d'un prix accessible, ouvertes à l'air, à la lumière et au soleil : mais ont-elles en elles-mêmes de quoi nous garantir qu'une *habitation* a lieu? Quant aux constructions qui ne sont pas des logements, elles demeurent toutefois déterminées à partir de l'habitation, pour autant qu'elles servent à l'habitation des hommes. Habiter serait ainsi, dans tous les cas, la fin qui préside à toute construction. Habiter et bâtir sont l'un à l'autre dans la relation de la fin et du moyen. Seulement, aussi longtemps que notre pensée ne va pas plus loin, nous comprenons habiter et bâtir comme deux activités séparées, ce qui exprime sans doute quelque chose d'exact; mais en même temps, par le schéma fin-moyen, nous nous fermons l'accès des rapports essentiels. Bâtir, voulons-nous dire, n'est pas seulement un moyen de l'habitation, une voie qui y conduit, bâtir est déjà, de lui-même, habiter. Qui nous en assure? Qui, d'une façon générale, nous donne une mesure, avec laquelle nous puissions mesurer d'un bout à l'autre l'être de l'habiter et du bâtir? La parole qui concerne l'être d'une chose vient à nous à partir du langage, si toutefois nous faisons attention à l'être propre de celui-ci. Sans doute en attendant, à la fois effrénés et habiles, paroles, écrits, propos radiodiffusés mènent une danse folle autour de la terre. L'homme se comporte comme s'*il* était le créateur et le maître du langage, alors que c'est *celui-ci* qui le régente. Peut-être est-ce avant toute autre chose le renversement opéré par l'homme de *ce* rapport de souveraineté qui pousse son être vers ce qui lui est étranger. Il est bon que nous veillions à la tenue de notre langage, mais nous n'en tirons rien, aussi longtemps qu'alors même le langage n'est encore pour nous qu'un moyen d'expression. Parmi toutes les paroles qui nous parlent et que nous autres hommes pouvons de nous-mêmes *contribuer à* faire parler, le langage est la plus haute et celle qui partout est la première [1].

Que veut dire maintenant bâtir? Le mot du vieux-haut-allemand pour bâtir, *buan*, signifie habiter. Ce qui veut dire : demeurer, séjourner. Nous avons perdu la signification propre du verbe *bauen* (bâtir) à savoir habiter. Elle a laissé une trace, qui n'est pas immédiatement visible, dans le mot *Nachbar* (voisin). Le voisin est le *Nachgebur*, le *Nachgebauer* [2], celui qui habite à proximité. Les verbes *buri*, *büren*, *beuren*, *beuron* veulent tous dire habiter ou désignent le lieu d'habitation. Maintenant, à vrai dire, le vieux mot *buan* ne nous apprend pas seulement que *bauen* [3] est proprement habiter, mais en même temps il nous laisse entendre comment nous devons penser cette habitation qu'il désigne. D'ordinaire, quand il est question d'habiter, nous nous repré-

1. « Toujours et partout l'être parle à travers tout langage. » (*Holzwege*, p. 338.) Cf. ici pp. 227-228.
2. Où *nach* est une forme ancienne de *nah*, près, proche.
3. Forme moderne de *buan*.

sentons un comportement que l'homme adopte à côté de beaucoup d'autres. Nous travaillons ici et nous habitons là. Nous n'habitons pas seulement, ce serait presque de l'oisiveté, nous sommes engagés dans une profession, nous faisons des affaires, nous voyageons et, une fois en route, nous habitons tantôt ici, tantôt là. A l'origine *bauen* veut dire habiter. Là où le mot *bauen* parle encore son langage d'origine, il dit en même temps *jusqu'où* s'étend l'être de l'« habitation ». *Bauen, buan, bhu, beo* sont en effet le même mot que notre *bin* (suis) dans les tournures *ich bin, du bist* (je suis, tu es) et que la forme de l'impératif *bis*, « sois » [1]. Que veut dire alors *ich bin* (je suis)? Le vieux mot *bauen*, auquel se rattache *bin*, nous répond : « je suis », « tu es », veulent dire : j'habite, tu habites. La façon dont tu es et dont je suis, la manière dont nous autres hommes *sommes* sur terre est le *buan*, l'habitation. Être homme veut dire : être sur terre comme mortel, c'est-à-dire : habiter. Maintenant, le vieux mot *bauen*, qui nous dit que l'homme *est* pour autant qu'il *habite*, ce mot *bauen*, toutefois, signifie *aussi* : enclore et soigner, notamment cultiver un champ, cultiver la vigne. En ce dernier sens, *bauen* est seulement veiller, à savoir sur la croissance, qui elle-même mûrit ses fruits. Au sens d'« enclore et soigner », *bauen* n'est pas fabriquer. Au contraire, la construction *(Bau)* de navires ou de temples produit elle-même, d'une certaine manière, son œuvre. Ici *bauen* est édifier, non cultiver. Les deux modes du *bauen* — *bauen* au sens de cultiver, en latin *colere, cultura*, et *bauen* au sens d'édifier des bâtiments, *aedificare* — sont

1. Tous ces mots sont des dérivés de la racine indo-européenne *bhû* ou *bheu-*, « être », « croître ». *Bhû* (« être », « devenir ») est sanscrit, *beo* (« suis », « sois ») est vieil-anglais. *Bis*, en allemand, est une forme ancienne. — La même union des sens d' « être » et d' « habiter » se rencontre dans le verbe *wesen*. Cf. *N. du Tr., 1.*

tous deux compris dans le *bauen* proprement dit, dans l'habitation. Mais *bauen*, habiter, c'est-à-dire être sur terre, est maintenant, pour l'expérience quotidienne de l'homme, quelque chose qui dès le début, comme la langue le dit si heureusement, est « habituel ». Aussi passe-t-il à l'arrière plan, derrière les modes variés dans lesquels s'accomplit l'habitation, derrière les activités des soins donnés et de la construction. Ces activités, par la suite, revendiquent pour elles seules le terme de *bauen* et avec lui la chose même qu'il désigne. Le sens propre de *bauen*, habiter, tombe en oubli.

Cet événement semble d'abord n'être qu'un fait d'histoire sémantique, de ces faits qui ne concernent rien de plus que des mots. Mais, en vérité, quelque chose de décisif s'y cache : nous voulons dire qu'on n'appréhende plus l'habitation comme étant l'être *(Sein)* de l'homme; encore moins l'habitation est-elle jamais pensée comme le trait fondamental de la condition humaine.

Que la langue nous reprenne pour ainsi dire le sens propre du mot *bauen*, habiter, témoigne néanmoins du caractère originel de pareils sens; car ce que disent à proprement parler les paroles [1] essentielles de la langue tombe facilement en oubli au profit des significations de premier plan. C'est à peine si l'homme a encore considéré le côté mystérieux de ce processus. Le langage dérobe à l'homme son simple et haut parler. Mais son appel initial n'en est pas devenu muet pour cela, il se tait seulement. L'homme à vrai dire n'accorde à ce silence aucune attention.

Si cependant nous écoutons ce que dit la langue dans le mot *bauen*, ce que nous entendons est triple :

1° *Bauen* est proprement habiter.

1. *Die Worte*, les mots à valeur de destin, cf. p. 60, al. 1.

2° Habiter est la manière dont les mortels sont sur terre.

3° *Bauen*, au sens d'habiter, se déploie dans un *bauen* qui donne ses soins, à savoir à la croissance — et dans un *bauen* qui édifie des bâtiments.

Si nous considérons ces trois points, nous percevons une indication et nous observons ce qui suit : nous ne pouvons même pas *demander* d'une façon suffisante ce qu'est dans son être la construction d'édifices, encore moins pouvons-nous en décider en connaissance de cause, aussi longtemps que nous ne pensons pas à ceci, que *bauen*, en soi, est toujours habiter. Nous n'habitons pas parce que nous avons « bâti », mais nous bâtissons et avons bâti pour autant que nous habitons, c'est-à-dire que nous sommes *les habitants* et sommes *comme tels*. En quoi consiste donc l'être de l'habitation? Écoutons à nouveau le message de la langue : le vieux-saxon *wuon*, le gotique *wunian* [1] signifient demeurer, séjourner, juste comme l'ancien mot *bauen*. Mais le gothique *wunian* dit plus clairement quelle expérience nous avons de ce « demeurer ». *Wunian* signifie être content, mis en paix, demeurer en paix. Le mot paix *(Friede)* veut dire ce qui est libre *(das Freie, das Frye)* et libre *(fry)* signifie préservé des dommages et des menaces, préservé de..., c'est-à-dire épargné. *Freien* veut dire proprement épargner, ménager. Ce ménagement lui-même ne consiste pas seulement en ceci que nous ne faisons rien à celui ou à cela qui est épargné. Le véritable ménagement est quelque chose de *positif*, il a lieu quand nous laissons dès le début quelque chose dans son être, quand nous ramenons quelque chose à son être et l'y mettons en sûreté, quand nous l'entourons d'une protection — pour parler d'une

1. Formes en *wu-*, plus originelles que les formes infléchies en *wo-* du haut-allemand (allemand moderne *wohnen*).

façon qui s'accorde avec le mot *freien* [1]. Habiter, être mis en sûreté, veut dire : rester enclos *(eingefriedet)* dans ce qui nous est parent *(in das Frye)* [2], c'est-à-dire dans ce qui est libre *(in das Freie)* et qui ménage toute chose dans son être. *Le trait fondamental de l'habitation est ce ménagement.* Il pénètre l'habitation dans toute son étendue. Cette étendue nous apparaît, dès lors que nous pensons à ceci, que la condition humaine réside dans l'habitation, au sens du séjour sur terre des mortels.

Mais « sur terre » déjà veut dire « sous le ciel ». L'un et l'autre signifient *en outre* « demeurer devant les divins [3] » et impliquent « appartenant à la communauté des hommes ». Les Quatre : la terre et le ciel, les divins et les mortels, forment un tout à partir d'une Unité *originelle* [4].

La terre est celle qui porte et qui sert, elle fleurit et fructifie, étendue comme roche et comme eau, s'ouvrant comme plante et comme animal. Lorsque nous disons « la terre », nous pensons déjà les trois autres avec elle, pourtant nous ne considérons pas la simplicité [5] des Quatre.

Le ciel est la course arquée du soleil, le cheminement de la lune sous ses divers aspects, la translation brillante des étoiles, les saisons de l'année et son tournant, la lumière et le déclin du jour, l'obscu-

1. *Einfrieden*, enclore, que nous rendons par « entourer d'une protection », est dérivé de *Friede* (protection, sécurité, paix) et a même racine que *frei* (« préservé ») et *freien* (« épargner »).

2. Le sens le plus ancien de *frî* est parent, membre du clan, donc libre, l'esclave n'étant pas membre du clan. Dans tous les mots caractéristiques de la phrase résonnent les sens de liberté, sécurité, paix, parenté et même amour.

3. Les divins *(die Göttlichen)* sont, comme on le verra, les messagers divins.

4. Sur les Quatre, voir aussi plus loin, p. 205-206 et 211-215.

5. *Die Einfalt.* Cf. p. 89, n. 1. Dans *Le Chemin de Campagne (Der Feldweg)*, « le Simple » *(das Einfache)* apparaît comme le centre invisible autour duquel la vie de l'homme déroule ses phases. Une traduction de ce morceau, par Jacques Gérard, est parue dans la N.N.R.F. du 1er janvier 1954, sous le titre *Le Sentier.* Voir aussi plus loin, p. 205, n. 2, et p. 221, n. 2.

rité et la clarté de la nuit, l'aménité et la rudesse de l'atmosphère, la fuite des nuages et la profondeur azurée de l'éther. Si nous disons « le ciel », nous pensons déjà les trois autres avec lui, pourtant nous ne considérons pas la simplicité des Quatre.

Les divins sont ceux qui nous font signe, les messagers de la Divinité. De par la puissance sacrée de celle-ci, le dieu apparaît dans sa présence ou bien se voile et se retire. Si nous nommons les divins, nous pensons déjà les trois autres avec eux, pourtant nous ne considérons pas la simplicité des Quatre.

Les mortels sont les hommes. On les appelle mortels parce qu'ils peuvent mourir. Mourir veut dire : être capable de la mort *en tant que* la mort [1]. Seul l'homme meurt [2], il meurt continuellement, aussi longtemps qu'il séjourne sur terre, sous le ciel, devant les divins. Si nous nommons les mortels, nous pensons déjà les trois autres avec eux, pourtant nous ne considérons pas la simplicité des Quatre.

Cette simplicité qui est la leur, nous l'appelons *le Quadriparti* [3]. Les mortels *sont* dans le Quadriparti lorsqu'ils *habitent*. Or, le trait fondamental de l'habitation est le ménagement *(das Schonen)*. Les mortels habitent de telle sorte qu'ils ménagent le Quadriparti, le laissant revenir à son être. Le ménagement qui habite est ainsi quadruple.

Les mortels habitent alors qu'ils sauvent la terre — pour prendre le mot « sauver » dans son sens ancien que Lessing a encore connu. Sauver *(retten)* n'est pas seulement arracher à un danger, c'est proprement libérer une chose, la laisser revenir à

1. Être capable de mourir *(vermögen zu sterben)*, c'est assumer la mort comme mort *(Der Satz vom Grund*, p. 209.)

2. Les autres vivants périssent *(verenden)*. Cf. *Sein und Zeit* § 47, trad. Corbin, p. 124. Voir aussi plus loin, pp. 212 et 235.

3. Das Geviert. Cf. *N. du Tr.*, 2.

son être propre [1]. Sauver la terre est plus qu'en tirer profit, à plus forte raison que l'épuiser. Qui sauve la terre ne s'en rend pas maître, il ne fait pas d'elle sa sujette : de là à l'exploitation totale, il n'y aurait plus qu'un pas.

Les mortels habitent alors qu'ils accueillent le ciel comme ciel. Au soleil et à la lune ils laissent leurs cours, aux astres leur route, aux saisons de l'année leurs bénédictions et leurs rigueurs, ils ne font pas de la nuit le jour ni du jour une course sans répit.

Les mortels habitent alors qu'ils attendent les divins comme tels. Espérant, ils leur offrent l'inattendu [2]. Ils attendent les signes de leur arrivée et ne méconnaissent pas les marques de leur absence. Ils ne se font pas à eux-mêmes leurs dieux et ne pratiquent pas le culte des idoles. Privés de salut, ils attendent encore le salut qui s'est dérobé à eux.

Les mortels habitent alors qu'ils conduisent leur être propre — pouvoir la mort comme mort — alors qu'ils le conduisent dans la préservation et l'usage de ce pouvoir [3], afin qu'une bonne mort soit. Conduire les mortels dans l'être de la mort ne veut aucunement dire : faire un but de la mort entendue comme néant vide, et ne vise pas non plus à assombrir l'habitation par l'effet d'un regard aveuglément fixé sur la fin.

Dans la libération de la terre, dans l'accueil du ciel, dans l'attente des divins, dans la conduite des mortels l'habitation se révèle *(ereignet sich)* comme le ménagement quadruple du Quadriparti. Ménager veut dire : avoir sous sa garde *(hüten)* l'être du

1. Cf. plus haut, p. 38.

2. *Das Unverhoffte.* — Ce qu'offrent les mortels « n'est pas seulement l'inattendu, mais aussi ce qui pourrait une fois, brusquement, subitement, frapper de surprise et rendre interdit *(verhoffen lassen)*, mais qui ne le fait pas encore et se contient » (Heid.).

3. *In den Brauch dieses Vermögens.* Au sujet de *Brauch*, cf. *N. du Tr., 5.*

Quadriparti. Ce que l'on a sous sa garde doit être mis à l'abri. Mais où l'habitation, lorsqu'elle ménage le Quadriparti, préserve-t-elle l'être de celui-ci? Comment les mortels accomplissent-ils l'habitation au sens d'un tel ménagement? Les mortels ne le pourraient jamais, si l'habitation n'était qu'un séjour sur terre, sous le ciel, devant les divins, avec les mortels. Habiter, au contraire, c'est toujours séjourner déjà parmi les choses. L'habitation comme ménagement préserve le Quadriparti dans ce auprès de quoi les mortels séjournent : dans les choses.

Le séjour parmi les choses, toutefois, ne vient pas s'adjoindre simplement, comme un cinquième terme, aux quatre modes de ménagement dont nous parlons. Le séjour parmi les choses, au contraire, est la seule manière dont le quadruple séjour dans le Quadriparti s'accomplisse chaque fois en mode d'Unité. L'habitation ménage le Quadriparti, en conduisant son être dans les choses. Seulement les choses elles-mêmes *ne* mettent à l'abri le Quadriparti *que* si elles-mêmes *en tant que* choses sont laissées dans leur être. Comment les y laisse-t-on? De cette manière, que les mortels protègent et soignent les choses qui croissent et qu'ils édifient spécialement celles qui ne croissent pas. Soigner et construire, tel est le « bâtir » *(bauen)* au sens étroit. L'habitation, pour autant qu'elle préserve le Quadriparti en le faisant entrer dans les choses, est *un bauen* au sens d'une telle préservation. Ainsi sommes-nous conduits vers notre seconde question :

II

Comment le *bauen* fait-il partie de l'habitation?

La réponse à cette question nous explique ce qu'est à proprement parler le *bauen*, pensé à partir de l'être de l'habitation. Bornons-nous au *bauen* au sens d' « édifier des choses » et demandons : qu'est-ce qu'une chose construite? Un exemple — un pont — aidera à notre effort de pensée.

« Léger et puissant », le pont s'élance au-dessus du fleuve. Il ne relie pas seulement deux rives déjà existantes. C'est le passage du pont qui seul fait ressortir les rives comme rives. C'est le pont qui les oppose spécialement l'une à l'autre. C'est par le pont que la seconde rive se détache en face de la première. Les rives ne suivent pas le fleuve comme des lisières indifférentes de la terre ferme. Avec les rives, le pont amène au fleuve l'une et l'autre étendue de leurs arrière-pays. Il unit le fleuve, les rives et le pays dans un mutuel voisinage. Le pont *rassemble* autour du fleuve la terre comme région. Il conduit ainsi le fleuve par les champs. Les piliers, qui se dressent immobiles dans le fleuve, soutiennent l'élan des arches, qui laissent aux eaux leur passage. Que celles-ci suivent leur cours gaiement et tranquillement, ou que les flots du ciel, lors de l'orage ou de la fonte des neiges, se précipitent en masses rapides sous les arches, le pont est prêt à accueillir les humeurs du ciel et leur être changeant. Là même où le pont couvre le fleuve, il tient son courant tourné vers le ciel, en ce qu'il le reçoit pour quelques instants sous son porche, puis l'en délivre à nouveau.

Le pont laisse au fleuve son cours et en même temps il accorde aux mortels un chemin, afin qu'à pied ou en voiture, ils aillent de pays en pays. Les ponts conduisent de façons variées. Le pont de la ville relie le quartier du château à la place de la cathédrale, le pont sur le fleuve devant le chef-lieu achemine voitures et attelages vers les villages des alentours. Au-dessus du petit cours d'eau, le vieux pont de pierre sans apparence donne passage au char de la moisson, des champs vers le village, et porte la charretée de bois du chemin rural à la grand-route. Le pont de l'autostrade est pris dans le réseau des communications lointaines, de celles qui calculent et qui doivent être aussi rapides que possible. Toujours et d'une façon chaque fois différente, le pont ici ou là conduit les chemins hésitants ou pressés, pour que les hommes aillent sur d'autres rives et finalement, comme mortels, parviennent de l'autre côté. De ses arches élevées ou basses, le pont saute le fleuve ou la ravine : afin que les mortels — qu'ils gardent en mémoire ou qu'ils oublient l'élan du pont — afin qu'eux-mêmes, toujours en route déjà vers le dernier pont, s'efforcent au fond de surmonter ce qui en eux est soumis à l'habitude ou n'est pas sain [1] pour s'approcher de l'intégrité [2] du Divin. Le pont *rassemble*, car il est l'élan qui donne un passage vers la présence des divins : que cette présence soit spécialement prise en considération *(bedacht)* et visiblement remerciée *(bedankt)* comme dans la figure du saint protecteur du pont, ou qu'elle demeure méconnaissable, ou qu'elle soit même repoussée et écartée.

Le pont, à *sa* manière, *rassemble* auprès de lui la terre et le ciel, les divins et les mortels.

Suivant un vieux mot de notre langue, rassemblement se dit *thing* [3]. Le pont — entendu *comme* ce rassemblement du Quadriparti que nous venons de caractériser — est une chose *(ein Ding)*. On pense, à vrai dire, que le pont, d'abord et à proprement parler, est *simplement* un pont. Après coup et à l'occasion, il peut encore exprimer beaucoup de choses. En tant qu'il est une telle expression,

1. *Ihr Gewöhnliches und Unheiles.* L'habituel est ici le « quotidien », le champ d'activité de l' « On ».

2. *Das Heile*, « le Sain », le « Non-Blessé ».

3. Ce terme germanique, comme on le sait, a désigné d'abord l'assemblée publique ou judiciaire, puis par extension l'affaire judiciaire, la cause, le contrat, la condition ou la situation réglée par contrat ou par décision de justice, et finalement la chose. En allemand, *thing* est devenu *Ding*.

il devient un symbole, par exemple pour tout ce que nous venons de dire. Seulement le pont, lorsqu'il est un vrai pont, n'est jamais d'abord un simple pont et ensuite un symbole. Il est tout aussi peu un simple symbole en premier lieu, en ce sens qu'il exprimerait quelque chose qui en toute rigueur ne lui appartiendrait pas. Pensé en toute rigueur, le pont ne se montre jamais comme une expression. Le pont est une chose et *seulement cela.* « Seulement »? En tant qu'il est cette chose, il rassemble le Quadriparti.

Sans aucun doute, de toute antiquité, notre pensée est habituée à estimer *trop pauvrement* l'être de la chose. Il en est résulté, au cours de la pensée occidentale, que l'on représente la chose comme un X inconnu, porteur de qualités perceptibles. De ce point de vue, il est bien sûr que tout *ce qui appartient déjà à l'être rassemblant de cette chose* nous apparaît comme une addition introduite après coup par une interprétation. Pourtant le pont ne serait jamais un simple pont, s'il n'était pas une chose.

Le pont est à vrai dire une chose d'une espèce *particulière*; car il rassemble le Quadriparti de *telle* façon qu'il lui accorde une *place* [1]. Car seul ce qui est *lui-même* un *lieu (Ort)* peut accorder une place [2]. Le lieu n'existe pas avant le pont. Sans doute, avant que le pont soit là, y a-t-il le long du fleuve beaucoup d'endroits qui peuvent être occupés par

1. *Dass sie ihm eine Stätte verstattet.* A partir d'ici, associations fréquentes de *Stätte* (place, lieu) et de *verstatten* (permettre, accorder), — de *Raum* (espace, place) et de *einräumen* (concéder, accorder). Littéralement *verstatten* est « munir d'une place », donc faire de la place à, donner du champ, d'où le sens dérivé de « laisser une chose se faire », permettre. Dans ce qui suit, les deux sens, propre et figuré, sont souvent inséparables l'un de l'autre.

2. *Kann eine Stätte einräumen*, avec le second sens de « mettre en espace » une place, lui assigner son emplacement. *Einräumen* veut dire mettre en un lieu, assigner un lieu à, et aussi emménager, et accorder. Tels sont les sens courants, auxquels Heidegger ajoute celui, non moins possible, d'introduire par constitution ou aménagement d'espace.

une chose ou une autre. Finalement l'un d'entre eux devient un lieu et cela *grâce au pont.* Ainsi ce n'est pas le pont qui d'abord prend place en un lieu pour s'y tenir, mais c'est seulement à partir du pont lui-même que naît un lieu. Le pont est une chose, il rassemble le Quadriparti, mais il le rassemble de telle façon qu'il lui donne un emplacement. A partir de cet emplacement se déterminent les places et les chemins par lesquels un espace est aménagé.

Les choses qui d'une telle manière sont des lieux accordent seules, chaque fois, des espaces. Ce que désigne le mot *Raum* [1], son ancienne signification va nous le dire. On appelle *Raum, Rum* [2] une place rendue libre pour un établissement de colons ou un camp. Une espace *(Raum)* est quelque chose qui est « ménagé [3] », rendu libre, à savoir à l'intérieur d'une limite, en grec πέρας. La limite n'est pas ce où quelque chose cesse, mais bien, comme les Grecs l'avaient observé, ce à partir de quoi quelque chose *commence à être (sein Wesen beginnt).* C'est pourquoi le concept est appelé ὁρισμός, c'est-à-dire limite. L'espace est essentiellement ce qui a été « ménagé », ce que l'on a fait entrer dans sa limite. Ce qui a été « ménagé » est chaque fois doté d'une place *(gestattet)* et de cette manière inséré [4], c'est-à-dire rassemblé par un lieu, à savoir par une chose du genre du pont. *Il s'ensuit que les espaces reçoivent leur être des lieux et non de « l' » espace* [5].

1. Espace, place. A l'origine un emplacement défriché (cf. latin *e-ruere*).
2. *Rum*, forme ancienne du moderne *Raum.*
3. *Eingeräumt*, introduit après un aménagement qui a rendu libre une place (*räumen* veut dire évacuer, débarrasser). — Lorsque nous rendons *einräumen* ou *verstatten* par *ménager*, nous plaçons toujours le mot français entre guillemets pour le distinguer du *ménager* (au sens d'épargner) par lequel nous traduisons *schonen* (cf. plus haut, pp. 175-179). — Un espace est « ménagé » en tant qu'il est aménagé, car il n'est pas un trou dans l'être, mais un mode de son paraître.
4. *Gefügt*, emboîté, assemblé.
5. Un espace est déterminé par un lieu. « Le lieu rassemble. Le

Les choses qui en tant que lieux « ménagent » une place, nous les appelons maintenant par anticipation des bâtiments *(Bauten)*. Ils s'appellent ainsi parce qu'ils sont pro-duits par le *bauen* qui édifie. De quel genre doit être toutefois cette production, à savoir le bâtir, c'est ce qui ne nous apparaîtra pas avant que nous ayons considéré l'être des choses qui d'elles-mêmes requièrent pour leur production *(Herstellen)* le « bâtir » en tant que pro-duire *(Hervorbringen)*. Ces choses sont des lieux qui accordent une place au Quadriparti, laquelle place aménage *(einraumt)* chaque fois un espace. Dans l'être de ces choses en tant que lieux réside le rapport du lieu et de l'espace, réside aussi la relation du lieu à l'homme qui s'arrête en lui. C'est pourquoi nous essaierons maintenant d'éclaicir l'être de ces choses que nous nommons des bâtiments. Nous l'essaierons en considérant rapidement ce qui suit.

D'abord, quel est le rapport du lieu et de l'espace? ensuite, quelle est la relation [1] de l'homme et de l'espace?

Le pont est un lieu. En tant qu'une telle chose, il met en place *(verstattet)* un espace, dans lequel sont admis la terre et le ciel, les divins et les mortels. L'espace installé par le pont renferme une variété de places, plus ou moins proches ou éloignées du pont. Maintenant, ces places peuvent être notées comme de simples emplacements, entre lesquels subsiste une distance mesurable; une distance, en grec un στάδιον, est toujours mise en place dans un espace *(eingeräumt)*, à savoir par de simples emplacements. Ce qui est ainsi mis en place dans

rassemblement conduit le rassemblé à son être et l'y abrite. » *(Zur Seinsfrage*, p. 8.*)* « Le lieu est ce qui rassemble en soi l'être d'une chose. » *(Der Satz vom Grund*, p. 106.*)*

1. *Das Verhältnis*, qui, mis en contraste avec *die Beziehung* (« le rapport »), évoque une idée de comportement *(Verhalten)*.

un espace par les emplacements est un espace d'une nature particulière. Comme distance, comme *stadion*, il est ce que le même mot *stadion* nous dit en latin : un *spatium*, un intervalle. Ainsi la proximité et l'éloignement, entre les choses et l'homme peuvent-ils devenir de simples distances, les écartements d'un intervalle. Dans un espace qui n'est représenté que comme *spatium*, le pont nous apparaît maintenant comme un simple « quelque chose » se trouvant à un endroit, lequel endroit peut à tout moment être occupé par n'importe quoi d'autre ou être remplacé par un simple marquage. Ce n'est pas tout : de l'espace entendu comme intervalle, on peut dégager les simples extensions suivant la hauteur, la largeur et la profondeur. Ce qu'on en a ainsi tiré, en latin *abstractum*, nous le représentons comme la pure diversité des trois dimensions. Pourtant, ce qui aménage dans l'espace *(einräumt)* cette diversité n'est plus déterminé par des distances, ce n'est plus un *spatium*, mais seulement une *extensio* — une étendue. Mais cet espace comme *extensio*, nous pouvons le réduire encore une fois par abstraction, à savoir à des relations analytiques à forme algébrique. Ce que celles-ci aménagent est la possibilité de construire, de façon purement mathématique, des diversités à un nombre quelconque de dimensions. Ce qui est ainsi aménagé sous forme mathématique, on peut le nommer « l' » espace. Mais « l' » espace en ce sens ne contient ni espaces ni places. Nous ne trouverons jamais en lui des lieux, c'est-à-dire des choses du genre du pont. Inversement au contraire, dans les espaces aménagés par des lieux, on découvre toujours l'espace comme intervalle et en celui-ci, à son tour, l'espace comme pure étendue. *Spatium* et *extensio* rendent chaque fois possible de mesurer les choses et les espaces qu'elles aménagent, suivant les distances, les trajets, les directions, et de calculer ces mesures. Mais on ne peut en aucun cas, pour l'unique raison que les nombres-mesures et leurs dimensions sont *universellement* applicables à tout ce qui est étendu, affirmer que ces nombres-mesures et leurs dimensions sont aussi le *fondement* de l'être des espaces et des lieux mesurables à l'aide des mathématiques. Comment la physique contemporaine elle-même a été cependant obligée par les faits eux-mêmes de représenter le milieu spatial de l'espace cosmique comme l'unité d'un champ, déterminée par le corps comme un centre dynamique, ce point ne peut être examiné ici. Les espaces que nous parcourons journellement sont « ménagés » par des lieux, dont l'être est fondé sur des choses du genre des bâtiments. Si nous prenons en considération ces rapports entre le lieu et les espaces, entre les espaces et l'espace, nous obtenons un point de départ pour réfléchir à la relation qui unit l'homme et l'espace.

Nous parlons de l'homme et de l'espace, ce qui sonne comme si l'homme se trouvait d'un côté et l'espace de l'autre. Mais l'espace n'est pas pour l'homme un vis-à-vis. Il n'est ni un objet extérieur ni une expérience intérieure. Il n'y a pas les hommes, et en plus *de l'espace*; car, si je dis « un homme » et que par ce mot je pense un être qui ait manière humaine, c'est-à-dire qui habite, alors, en disant « un homme », je désigne déjà le séjour dans le Quadriparti auprès des choses. Alors même que notre comportement nous met en rapport avec des choses qui ne sont pas sous notre main, nous séjournons auprès des choses elles-mêmes. Nous ne nous représentons pas, comme on l'enseigne, les choses lointaines d'une façon purement intérieure, de sorte que, tenant lieu de ces choses, ce seraient seulement des représentations d'elles qui défileraient au-dedans de nous et dans notre tête. Si nous tous en ce moment nous pensons d'ici même [1] au vieux pont de Heidelberg, le mouvement de notre pensée jusqu'à ce lieu n'est pas une expérience qui serait simplement intérieure aux personnes ici présentes. Bien au contraire, lorsque nous pensons *au* pont en question, il appartient à l'être de cette pensée qu'*en elle-même* elle *se tienne dans tout* l'éloignement qui nous sépare de ce lieu. D'ici nous sommes auprès du pont là-bas, et non pas, par exemple, auprès du contenu d'une représentation logée dans notre conscience. Nous pouvons même, sans bouger d'ici, être beaucoup plus proches de ce pont et de ce à quoi il « ménage » un espace qu'une personne qui l'utilise journellement comme un moyen quelconque de passer la rivière. Les espaces et « l' » espace avec eux ont toujours déjà reçu leur place dans le séjour des mortels. Des espaces s'ouvrent par cela qu'ils sont admis dans l'habitation de l'homme. « Les mortels *sont* », cela veut dire : *habitant*, ils se tiennent d'un bout à l'autre des espaces [2], du fait qu'ils séjournent parmi les choses et les lieux. Et c'est seulement parce que les mortels, conformément à leur être, se tiennent d'un bout à l'autre des espaces qu'ils peuvent les parcourir. Mais en allant ainsi, nous ne cessons pas de nous y tenir [3]. Bien au contraire, nous nous déplaçons toujours à travers les espaces de telle façon que nous nous y tenons déjà dans toute leur extension, en séjournant constamment auprès des lieux et des choses proches ou éloignés. Si je me dirige vers la sortie de cette salle, j'y suis déjà et je ne pourrais aucunement y aller si je n'étais ainsi fait que j'y suis déjà. Il n'arrive jamais que je sois seulement ici, en tant que corps enfermé en lui-même, au contraire je suis

1. De Darmstadt.
2. Wohnend *durchstehen sie Räume.*
3. Opposition entre *gehen* et *stehen.*

là, c'est-à-dire me tenant déjà dans tout l'espace; et c'est seulement ainsi que je puis le parcourir.

Même alors que les mortels « rentrent en eux-mêmes », ils ne cessent pas d'appartenir au Quadriparti. Quand nous faisons — comme on dit — retour sur nous-mêmes, nous revenons vers nous à partir des choses *sans* jamais *abandonner* notre séjour parmi elles. La perte même du contact avec les choses, qui est observée dans les états de dépression, ne serait aucunement possible si un état de ce genre ne demeurait pas, lui aussi, ce qu'il est en tant qu'état humain, à savoir un séjour *auprès* des choses. C'est seulement lorsque ce séjour caractérise déjà la condition humaine que les choses auprès desquelles nous sommes peuvent cependant *ne rien* nous dire, *ne plus* nous toucher.

Le rapport de l'homme à des lieux et, par des lieux, à des espaces réside dans l'habitation. La relation de l'homme et de l'espace n'est rien d'autre que l'habitation pensée dans son être.

Quand nous réfléchissons, ainsi que nous venons de l'essayer, au rapport entre lieu et espace, mais aussi à la relation de l'homme et de l'espace, une lumière tombe sur l'être des choses qui sont des lieux et que nous appelons des bâtiments.

Le pont est une chose de ce genre. Le lieu fait entrer dans une place la simplicité [1] de la terre et du ciel, des divins et des mortels, en même temps qu'il aménage *(einrichtet)* cette place en espaces. Le lieu donne une place au Quadriparti en un double sens. Il l'*admet* et il l'*installe*. Toutes deux, la mise en place comme admission et la mise en place comme installation, sont solidaires l'une de l'autre. En tant qu'il est la double mise en place, le

1. *Einfalt*. Cf. pp. 89 et 176 et leurs notes.

lieu est une garde *(Hut)*[1] du Quadriparti ou, comme le dit le même mot, une demeure[2] pour lui. Les choses qui sont du genre de pareils lieux donnent une demeure[3] au séjour des hommes. Les choses de cette sorte sont des demeures *(Behausungen)*, mais non pas nécessairement des logements au sens étroit.

Pro-duire de telles choses, c'est bâtir. L'être de ce bâtir réside en ceci qu'il répond au genre de ces choses. Elles sont des lieux qui mettent en place des espaces. Ainsi, puisque bâtir est édifier des lieux, c'est également fonder et assembler des espaces. Puisque bâtir est pro-duire des lieux, lors de l'assemblage de leurs espaces, l'espace comme *spatium* et comme *extensio* entre nécessairement, lui aussi, dans l'assemblage qui des bâtiments fait des choses[4]. Seulement le bâtir ne donne jamais forme à « l' » espace. Ni immédiatement ni médiatement. Néanmoins le bâtir, puisqu'il pro-duit des choses comme lieux, est plus proche de l'être des espaces et de l'origine de « l' » espace que toute la géométrie et toutes les mathématiques. Bâtir est édifier des lieux, qui « ménagent » une place au Quadriparti. De la simplicité, dans laquelle la terre et le ciel, les divins et les mortels se tiennent les uns les autres, le bâtir *reçoit* la *direction* dont il a besoin pour édifier des lieux. Il *prend* au Quadriparti les mesures pour toute mesure diamétrale et pour toute mensuration des espaces qui sont chaque fois aménagés par les lieux alors fondés. Les bâtiments préservent le Quadriparti. Ils sont des choses qui, à leur manière, ménagent[5] le Quadriparti. Ménager le Quadriparti : sauver la terre, accueillir le ciel, attendre les divins,

1. « Garde » au sens verbal : le lieu veille sur le Quadriparti, il le préserve.
2. « Une maison. » Le texte porte : *ein Huis, ein Haus.* — *Huis* est néerlandais.
3. *Behausen*, procurent une maison *(Haus)*, un gîte, hébergent.
4. *In das dinghafte Gefüge der Bauten.* Cf. plus haut, p. 183, n. 4.
5. *Schonen*, épargnent, traitent avec égards.

conduire les mortels, ce quadruple ménagement est l'être simple de l'habitation. Ainsi les vrais bâtiments impriment-ils leur marque sur l'habitation, la ramenant à son être et donnent-ils une demeure à cet être.

Le bâtir, ainsi entendu, est un « faire habiter » privilégié. S'il l'*est* bien en fait, alors bâtir, c'est *avoir* déjà répondu à l'appel du Quadriparti. Tout plan que l'on établit demeure fondé sur cette réponse et lui-même, de son côté, ouvre aux projets particuliers, pour leurs grandes lignes, les districts appropriés.

Dès que, considérant l'être du bâtir qui édifie, nous essayons de le penser à partir du « faire habiter », alors nous apparaît plus clairement en quoi consiste la pro-duction propre au bâtir, c'est-à-dire ce comme quoi il s'accomplit. Nous comprenons habituellement la pro-duction comme une activité dont les opérations sont suivies d'un résultat : la construction achevée. On peut se représenter ainsi la pro-duction *(Hervorbringen)* : on saisit alors quelque chose d'exact, mais on n'atteint jamais l'être du pro-duire, lequel est amener et placer devant *(ein Herbringen..., das vorbringt)* [1]. Le bâtir en effet amène le Quadriparti dans une chose, le pont, et il place la chose *devant* (nous) comme lieu, il la place au sein de ce qui est déjà présent et qui maintenant, justement *par* ce lieu, est aménagé en espace.

Pro-duire se dit en grec τίκτω. La racine *tec* de ce verbe se retrouve dans le mot τέχνη, (la) technique. Ce mot ne signifie pour les Grecs ni art ni métier, mais bien : faire apparaître quelque chose comme ceci ou comme cela, de telle ou telle façon, au milieu des choses présentes. Les Grecs pensent la τέχνη, la pro-duction, à partir du « faire apparaître ». La

1. Même remarque pp. 17 et 55.

τέχνη qui doit être pensée ainsi se cache de toute antiquité dans l'élément « tectonique » de l'architecture. Encore récemment, et d'une manière plus résolue, elle se cache dans ce qu'il y a de « technique » dans la technique des moteurs. Mais l'être de la pro-duction qui bâtit ne saurait être pensé, ni à partir de l'architecture, ni à partir de la construction technique, ni à partir d'une simple association de l'une et de l'autre. La pro-duction qui bâtit *ne* serait *même pas* caractérisée d'une façon appropriée, si nous voulions la penser *seulement* au sens de la τέχνη grecque originelle, comme un « faire apparaître » qui amène [1] une chose pro-duite, comme chose présente, parmi les choses déjà présentes.

Bâtir est, dans son être, faire habiter. Réaliser l'être du bâtir, c'est édifier des lieux par l'assemblement de leurs espaces. *C'est seulement quand nous pouvons habiter que nous pouvons bâtir.* Pensons un instant à une demeure paysanne de la Forêt-Noire, qu'un « habiter » paysan bâtissait encore il y a deux cents ans. Ici, ce qui a dressé la maison, c'est la persistance sur place d'un (certain) pouvoir : celui de faire venir dans les choses la terre et le ciel, les divins et les mortels en leur simplicité. C'est ce pouvoir qui a placé la maison sur le versant de la montagne, à l'abri du vent et face au midi, entre les prairies et près de la source. Il lui a donné le toit de bardeaux à grande avancée, qui porte les charges de neige à l'inclinaison convenable et qui, descendant très bas, protège les pièces contre les tempêtes des longues nuits d'hiver. Il n'a pas oublié le « coin du Seigneur Dieu » derrière la table commune, il a « ménagé » dans les chambres les endroits sanctifiés, qui sont ceux de la naissance

1. *Anbringt*, où l'on retrouve le radical verbal *(bring)* de « chose pro-duite » *(ein Hervorgebrachtes)* et le préfixe *(an)* de « chose présente » *(ein Anwesendes)*.

et de l'« arbre du mort » — ainsi là-bas se nomme le cercueil — et ainsi, pour les différents âges de la vie, il a préfiguré sous un même toit l'empreinte de leur passage à travers le temps. Un métier, lui-même né de l' « habiter » et qui se sert encore de ses outils et échafaudages comme de choses, a bâti la demeure.

C'est seulement quand nous pouvons habiter que nous pouvons construire. Si nous nous référons à la maison paysanne de la Forêt-Noire, nous ne voulons aucunement dire qu'il nous faille, et que l'on puisse, revenir à la construction de ces maisons, mais l'exemple montre d'une façon concrète, à propos d'un « habiter » qui *a été* [1], comment *il* savait construire.

Mais habiter est *le trait fondamental* de l'être *(Sein)* en conformité duquel les mortels sont. Peut-être, en essayant ainsi de réfléchir à l'habiter et au bâtir, mettons-nous un peu mieux en lumière que le bâtir fait partie de l'habiter et comment il reçoit de lui son être *(Wesen)*. Le gain serait déjà suffisant, si habiter et bâtir prenaient place parmi les choses *qui méritent qu'on interroge* (à leur sujet) et demeuraient ainsi de celles *qui méritent qu'on y pense.*

Que pourtant la pensée elle-même fasse partie de l'habitation, dans le même sens que le bâtir et seulement d'une autre manière : le chemin de pensée que nous essayons ici pourrait en témoigner.

« Bâtir » et penser, chacun à sa manière, sont toujours pour l'habitation inévitables et incontournables [2]. Mais en outre, tous deux sont inaccessibles à l'habitation, aussi longtemps qu'ils vaquent séparément à leurs affaires, au lieu que chacun écoute

1. *Gewesenen.* — « Par *das Gewesene*, nous entendons le rassemblement de ce qui précisément ne passe pas, mais est, c'est-à-dire dure, en même temps qu'il accorde de nouvelles vues à la pensée qui se souvient. » (*Der Satz vom Grund*, p. 107.) Cf. pp. 6, 124, 220-221, 275 et les notes.

2. Cf. plus haut pp. 70 et suiv.

l'autre. Ils peuvent s'écouter l'un l'autre, lorsque tous deux, bâtir et penser, font partie de l'habitation, qu'ils demeurent dans leurs limites et savent que l'un comme l'autre sortent de l'atelier d'une longue expérience et d'une incessante pratique.

Nous essayons de réfléchir à l'être de l'habitation. L'étape suivante sur notre chemin serait la question : qu'en est-il de l'habitation à notre époque qui donne à réfléchir? Partout on parle, et avec raison, de la crise du logement. On n'en parle pas seulement, on met la main à la tâche. On tente de remédier à la crise en créant de nouveaux logements, en encourageant la construction d'habitations, en organisant l'ensemble de la construction. Si dur et si pénible que soit le manque d'habitations, si sérieux qu'il soit comme entrave et comme menace, la *véritable crise de l'habitation* ne consiste pas dans le manque de logements. La vraie crise de l'habitation, d'ailleurs, remonte dans le passé plus haut que les guerres mondiales et que les destructions, plus haut que l'accroissement de la population terrestre et que la situation de l'ouvrier d'industrie. La véritable crise de l'habitation réside en ceci que les mortels en sont toujours à chercher l'être de l'habitation et qu'*il leur faut d'abord apprendre à habiter*. Et que dire alors, si le déracinement *(Heimatlosigkeit)* de l'homme consistait en ceci que, d'aucune manière, il ne considère encore la *véritable* crise de l'habitation *comme étant la* crise *(Not)*? Dès que l'homme, toutefois, *considère* le déracinement, celui-ci déjà n'est plus une misère *(Elend)*. Justement considéré et bien retenu, il est le seul *appel* qui invite les mortels à habiter.

Mais comment les mortels pourraient-ils répondre à cet appel autrement qu'en essayant pour *leur* part de conduire, d'eux-mêmes, l'habitation à la plénitude de son être? Ils le font, lorsqu'ils bâtissent à partir de l'habitation et pensent pour l'habitation.

LA CHOSE

Dans le temps et dans l'espace toutes les distances se rétractent. Là où l'homme n'arrivait jadis qu'après des semaines et des mois de voyage, il va par air en une nuit. Ce dont l'homme autrefois n'était informé qu'après des années, ou dont il n'entendait jamais parler, il l'apprend aujourd'hui en un instant, heure par heure, par la radio. La germination et la croissance des végétaux, qui demeuraient cachées pendant tout le cours des saisons, nous sont maintenant présentées par le film en l'espace d'une minute. Le film nous met sous les yeux les centres lointains des civilisations les plus anciennes, comme s'ils se trouvaient aujourd'hui dans le mouvement même de nos rues. En outre il certifie ce qu'il nous fait voir en nous montrant en même temps, en plein travail, l'appareil de prise de vues et les hommes qui le servent. Mais ce qui supprime de la façon la plus radicale toute possibilité d'éloignement, c'est la télévision, qui bientôt va parcourir dans tous les sens, pour y exercer son influence souveraine, toute la machinerie et toute la bousculade des relations humaines.

L'homme dans le temps le plus court arrive au bout des trajets les plus longs. Il fait passer derrière lui les plus grandes distances et place ainsi devant lui toute chose à la distance la plus petite.

Seulement cette suppression hâtive de toutes les distances n'apporte aucune proximité : car la proximité ne consiste pas dans le peu de distance. Ce qui, grâce à l'image du cinéma, grâce au son de la T. S. F., est en distance le moins éloigné de nous, peut nous demeurer lointain. Ce qui en distance est immensément loin peut nous être proche. Petite distance n'est pas encore proximité. Grande distance n'est pas encore éloignement.

Qu'est-ce que la proximité, si elle demeure absente malgré la réduction des plus grandes distances aux plus petits intervalles? Qu'est-ce que la proximité, si même elle est écartée par cet effort infatigable pour supprimer les distances? Qu'est-ce que la proximité, si en même temps qu'elle nous échappe, l'éloignement demeure absent?

Que se passe-t-il alors que, par la suppression des grandes distances, tout nous est également proche, également lointain? Quelle est cette uniformité, dans laquelle les choses ne sont ni près ni loin, où tout est pour ainsi dire sans distance?

Dans le flot de l'uniformité sans distance, tout est emporté et confondu. Eh quoi? ce rapprochement dans le sans-distance n'est-il pas encore plus inquiétant qu'un éclatement de toutes choses?

L'homme ne peut détacher sa pensée des suites que pourrait avoir l'explosion de la bombe atomique. L'homme ne voit pas ce qui, depuis déjà longtemps, est arrivé : ce qui s'est produit comme ce qui projette hors de soi la bombe atomique et son explosion. mais dont ce n'est encore là que la dernière éjection. Pour ne rien dire de cette unique bombe à hydrogène dont la détonation initiale, pensée dans ses possibilités les plus éloignées, pourrait suffire à éteindre toute vie sur terre. Qu'attend encore cette angoisse désemparée, alors que l'effroyable a déjà eu lieu?

Ce qui terrifie est ce qui fait sortir tout ce qui est de son être antérieur. Quelle est cette chose qui nous met hors de nous? Elle se montre et se cache dans la manière *dont* tout est présent : à savoir en ceci que, malgré toutes les victoires sur la distance, la proximité de ce qui est demeure absente.

Qu'en est-il de la proximité? Comment appréhender son être? On ne peut, semble-t-il, découvrir la proximité d'une façon immédiate. Nous y arriverons plutôt en nous laissant conduire par ce qui est dans la proximité. Est en elle ce que nous avons coutume d'appeler des choses. Mais qu'est-ce qu'une chose? L'homme, jusqu'à présent, a considéré la chose comme chose aussi peu que la proximité. La cruche est une chose. Qu'est-ce que la cruche? Nous disons un vase : ce qui contient en soi une autre chose. Le contenant, dans la cruche, est le fond et la paroi. Ce tenant peut lui-même être tenu par l'anse. Comme vase, la cruche est quelque chose qui se tient en soi. Se tenir en soi caractérise la cruche comme quelque chose d'autonome. En tant que la « position autonome » *(Selbststand)* de quelque chose d'autonome, la cruche se distingue d'un objet *(Gegenstand)*. Une chose autonome peut devenir un objet, si nous la plaçons devant nous, soit dans une perception immédiate, soit dans un souvenir qui la rend présente. Ce qui fait de la chose une chose [1] ne réside cependant pas en ceci que la chose est un objet représenté; et cette « choséité » ne saurait non plus être aucunement déterminée à partir de l'objectivité de l'objet.

La cruche demeure un vase, que nous nous la représentions ou non. Comme vase la cruche se tient en elle-même. Mais qu'est-ce que cela veut dire, que le contenant se tienne en lui-même? Le fait pour le vase de se tenir en soi, est-ce là ce qui déjà qualifie la cruche comme chose? La cruche cependant se tient comme vase seulement pour autant qu'on l'a amenée à se tenir. C'est bien ce qui a eu lieu, et c'est ce qui a lieu par une con-stitution

1. *Das Dinghafte des Dinges.*

(Stellen), à savoir par la production *(Herstellen)* [1]. Le potier fabrique la cruche avec de la terre choisie et préparée spécialement à cet effet. La cruche consiste en cette terre. Grâce à ce en quoi elle consiste, elle peut aussi tenir debout sur le sol, soit directement, soit indirectement, par l'intermédiaire d'une table ou d'un banc. Ce qui reçoit sa consistance d'une telle production est ce qui se tient en soi. Si nous regardons la cruche comme un récipient produit, nous la saisissons bien alors, semble-t-il, comme une chose et nullement comme un simple objet.

Ou bien, maintenant encore, regardons-nous toujours la cruche comme un objet? Sans doute. A vrai dire, nous ne la regardons plus simplement comme un objet de la seule représentation *(Vorstellen)*, mais en revanche elle est un objet qu'une production *(Herstellen)* nous apporte, qu'elle met en face de nous et nous oppose. Se tenir en soi semble caractériser la cruche comme chose. En vérité, pourtant, nous pensons le « se-tenir-en-soi » à partir de la production. Le « se-tenir-en-soi » est ce que vise la production. Mais le « se-tenir-en-soi », même ainsi, est toujours pensé à partir de l'objectivité, bien que l'op-position de la chose produite ne se fonde plus dans la simple représentation. Pourtant de l'objectivité de l'objet *(Gegenstand)* et de la « position autonome » *(Selbststand)* aucun chemin ne conduit jusqu'à la « choséité » de la chose [2].

Qu'est-ce qui appartient à la chose comme telle [3]? Qu'est-ce que la chose en soi? Nous ne parviendrons pas à la chose en soi avant que notre pensée ait d'abord atteint la chose en tant que chose.

1. Par cet *Her-stellen* (pro-duction) qui fait apparaître (cf. p. 28).
2. « Choséité » : *das Dinghafte.*
3. « Ce qui appartient à la chose comme telle » : *das Dingliche*, le « chosique ».

La cruche est une chose en tant que vase. Ce contenant, à vrai dire, a besoin d'une production. Mais, que la cruche ait été produite par le potier, ce n'est pas là ce qui appartient à la cruche en tant qu'elle est comme cruche. La cruche n'est pas un vase parce qu'elle a été produite, mais il lui a fallu être produite parce qu'elle est ce vase.

La production fait sans doute entrer la cruche dans ce qui lui est propre. Seulement cela qui est propre à la manière d'être de la cruche n'est jamais fabriqué par la production. Une fois détachée de la fabrication, la cruche qui se tient pour elle-même doit s'y tenir rassemblée[1]. Lors du processus de production, la cruche, il est vrai, doit montrer d'avance au producteur son aspect. Mais ce qui se montre ainsi, l'aspect (l'εἶδος, l'ἰδέα), caractérise la cruche seulement dans la perspective où le vase en tant que chose à produire se tient en face du producteur.

Ce qu'*est* toutefois le vase ayant pareil aspect, ce qu'il est en tant qu'il est cette cruche, ce qu'*est* la cruche en tant qu'elle est cette chose : une cruche, et comment elle *est*, on ne saurait le connaître par expérience, encore bien moins le penser adéquatement, en considérant l'aspect, l'ἰδέα. C'est pourquoi Platon, qui se représente la présence des choses présentes à partir de l'aspect, a pensé l'être de la chose aussi peu que l'ont fait Aristote et tous les penseurs qui sont venus après lui. Platon a bien plutôt, dans une vue qui a été déterminante pour les époques ultérieures, perçu toute chose présente comme l'objet d'une pro-duction *(Herstellen)*. Au lieu d'objet *(Gegenstand)*, disons plus exactement « pro-venant » *(Herstand)*. Dans l'être plein du « pro-venant » domine un double « pro-venir » *(Her-Stehen)* : d'un côté, le provenir au sens de

1. Elle doit se tenir et se con-tenir *(sich fassen)* dans ce qui lui est propre, non plus dans les mains (et la pensée) du potier.

« tirer son origine de... » que la chose se produise elle-même ou qu'elle soit fabriquée; d'un autre côté, le pro-venir au sens de la venue de la chose produite, qui s'arrête et se tient dans la non-occultation des choses déjà présentes.

Aucune représentation de la chose présente au sens du « pro-venant » et de l'objet n'aboutit cependant à la chose en tant que chose. Ce qui fait de la cruche une chose consiste en ceci qu'elle est en tant que vase. Nous percevons la qualité de « contenant » du vase lorsque nous remplissons la cruche. Pour ce qui est de contenir, le fond et les flancs de la cruche s'en chargent manifestement. Mais doucement! Lorsque nous remplissons la cruche de vin, versons-nous le vin dans la paroi et dans le fond? Tout au plus versons-nous le vin entre les flancs et sur le fond. Les flancs et le fond de la cruche sont bien ce qui, dans le vase, ne laisse pas passer. Seulement ce qui ne laisse pas passer n'est pas encore ce qui contient. Remplissons la cruche, le liquide tombe alors dans la cruche vide. Le vide est dans le récipient ce qui contient. Le vide, ce qui dans la cruche n'est rien, voilà ce qu'est la cruche en tant qu'elle est un vase, un contenant.

Seulement la cruche n'en consiste pas moins en un fond et des flancs. La cruche tient debout *(steht)* par ce en quoi elle consiste *(besteht)*. Que serait une cruche qui ne tiendrait pas debout? Pour le moins une cruche manquée : donc encore une cruche, c'est-à-dire qu'elle contiendrait, mais une cruche qui pourtant tomberait constamment et laisserait échapper le contenu. Mais seul un vase peut laisser échapper.

Les flancs et le fond — ce en quoi consiste la cruche et par quoi elle tient debout — ne sont pas ce qui contient à proprement parler. Mais si le contenant réside dans le vide de la cruche, alors le potier, qui, sur son tour façonne les flancs et le fond, ne fabrique pas à proprement parler la cruche. Il donne seulement forme à l'argile. Que dis-je? Il donne forme au vide. C'est pour le vide, c'est en lui et à partir de lui qu'il façonne l'argile pour en faire une chose qui a forme. Le potier saisit d'abord et saisit toujours l'insaisissable du vide, il le produit comme un contenant et lui donne la forme d'un vase. Le vide de la cruche détermine tous les gestes de la production. Ce qui fait du vase une chose ne réside aucunement dans la matière qui le constitue, mais dans le vide qui contient.

Seulement, la cruche est-elle vraiment vide?

La physique nous assure que la cruche est pleine d'air et de tout ce qui constitue le mélange « air ». Nous nous sommes laissé égarer par une façon de voir à demi poétique, lorsque nous en avons appelé au vide de la cruche pour déterminer ce qui en elle contient.

Mais dès que nous acceptons d'examiner la cruche réelle, d'une façon scientifique, sous le rapport de sa réalité, c'est un autre état de choses qui nous apparaît. Quand nous versons le vin dans la cruche, l'air qui remplit la cruche en est simplement chassé et remplacé par un liquide. Remplir la cruche, du point de vue de la science, c'est échanger un contenu contre un autre.

Ces indications de la science sont exactes. Par elles la science représente quelque chose de réel et d'après quoi elle règle objectivement ses démarches. Mais... cette réalité est-elle la cruche? Non. La science n'atteint jamais que ce que *son* mode propre de représentation a admis d'avance comme objet possible pour lui.

On dit que le savoir de la science est contraignant. Sans aucun doute. Mais en quoi consiste ce qu'elle a de contraignant? En l'espèce, dans l'obligation de laisser de côté la cruche pleine de vin et de mettre à sa place une cavité où s'épanche un liquide. La science annule cette chose qu'est la cruche, pour autant qu'elle n'admet pas les choses comme le réel qui est déterminant.

Contraignant dans son domaine qui est celui des objets, le savoir de la science a déjà détruit les choses en tant que choses, longtemps avant l'explosion de la bombe atomique. Cette explosion n'est que la plus grossière des manifestations grossières confirmant la destruction déjà ancienne de la chose : confirmant que la chose en tant que chose demeure nulle. La « choséité » *(Dingheit)* de la chose demeure en retrait, oubliée. L'être de la chose n'apparaît jamais, c'est-à-dire qu'il n'en est jamais question. C'est cela que nous voulons dire, lorsque nous parlons de la destruction de la chose en tant que chose. Si cette destruction est si peu rassurante, c'est parce qu'elle s'abrite derrière un double mirage : d'un côté l'opinion que la science, devançant toute autre expérience, atteint le réel dans sa réalité; de l'autre, l'illusion que, sans nuire à l'étude exploratrice du réel par la science, les choses pourraient être néanmoins des choses, ce qui présuppose que toujours, d'une façon générale, elles étaient déjà des choses déployant leur être. Or, si les choses s'étaient déjà montrées *comme* choses dans leur choséité, la choséité des choses serait devenue manifeste. C'est son appel qui aurait saisi la pensée. Mais en vérité la chose comme chose demeure écartée, nulle et en ce sens détruite. Ce qui a eu lieu et a encore lieu, et d'une façon si radicale que, non seulement les choses ne sont plus admises comme choses, mais que, d'une façon générale, jamais encore elles n'ont pu apparaître comme choses à la pensée.

Sur quoi repose le non-apparaître de la chose comme chose? Est-ce que l'homme a simplement négligé de se représenter la chose comme chose? L'homme ne peut négliger que ce qui lui a déjà été assigné. L'homme, de quelque manière que ce soit, ne peut se représenter que des choses qui se soient d'abord, d'elles-mêmes, éclairées et qui se soient montrées à lui dans la lumière qu'elles ont ainsi apportée.

Qu'est-ce donc que la chose comme chose, pour que jamais encore son être n'ait pu apparaître? La chose n'est-elle jamais arrivée assez près, de sorte que l'homme n'ait pas encore appris suffisamment à faire attention à la chose en tant que chose? Qu'est-ce que la proximité? Nous l'avons déjà demandé. Pour l'apprendre nous avons interrogé la cruche dans sa proximité.

En quoi consiste ce qui qualifie la cruche comme cruche [1]? Nous l'avons subitement perdu de vue, au moment même où une apparence cherchait à s'imposer : celle d'après laquelle la science pourrait nous éclairer sur la réalité de la cruche réelle. Nous nous sommes représenté ce qui dans le vase reçoit effectivement, ce qui contient, le vide, comme une cavité remplie d'air. C'est là le vide pensé comme réel, à la manière du physicien; mais ce n'est pas là le vide de la cruche. Au vide de la cruche nous n'avons pas permis d'être *son* vide. Nous n'avons pas considéré ce qui dans le vase est le contenant. Nous n'avons pas fait attention à la manière dont le « contenir » lui-même déploie son être. Aussi ce que la cruche contient ne pouvait-il faire autrement que de nous échapper. Pour la représentation scientifique, le vin devenait un simple liquide, et celui-ci un état général, partout possible, d'aggrégation des corps. Nous avons omis de réfléchir à ce que la cruche contient et à la façon dont elle contient.

Comment le vide de la cruche contient-il? Il contient en prenant ce qui est versé. Il contient

1. *Das Krughafte des Kruges.*

en retenant ce qu'il reçoit. Le vide contient de deux façons : en prenant et en retenant. Aussi le mot *fassen* (contenir) a-t-il deux sens [1]. Prendre ce qui est versé et le retenir en soi sont toujours solidaires l'un de l'autre. Mais leur unité est régie par le « déverser » (de la cruche) *(Ausgiessen)* auquel la cruche comme cruche est conformée. Le double « contenir » du vide repose sur le « déverser ». C'est comme « déverser » que le contenir est proprement ce qu'il est. Déverser de la cruche, c'est offrir [2]. Le contenir du vase déploie son être dans le verser de ce qu'on offre à boire. Contenir a besoin du vide comme de ce qui contient. L'être du vide qui contient est rassemblé dans le verser. Mais verser *(schenken)* est plus riche (de sens) que remplir simplement des verres *(ausschenken)*. Le verser, en lequel la cruche est une cruche, se rassemble dans le double contenir, à savoir dans le « déverser ». Nous appelons « massif » *(Gebirge)* le rassemblement des montagnes. Nous appelons « versement » *(Geschenk)* [3] le rassemblement du double contenir dans le « déverser », rassemblement qui, en tant qu'il réunit, est seul à constituer l'être plein du verser : le versement. Ce qui fait de la cruche une cruche déploie son être dans le versement de ce qu'on offre [4]. La cruche vide, elle aussi, tient son être du versement, et bien qu'elle ne permette aucun versement hors d'elle. Mais ce « non-permettre » est propre à la cruche et à elle seule. Une faux, au contraire, ou un marteau sont incapables de « ne pas permettre » un tel versement.

1. Saisir et contenir, ici rendus par « prendre » et « retenir ».
2. *Schenken*, à la fois verser à boire et donner, offrir.
3. *Geschenk*, avec l'arrière-sens d' « offre », « don », qui va transparaître toujours davantage. Ce qu'on offre, c'est ce qu'on a su recevoir et conserver. L'offrande est un hommage reconnaissant. La finitude d'une chose fait d'elle un être qui reçoit (voir *Kant et le problème de la métaphysique*) et qui s'accomplit en sachant offrir.
4. *Im Geschenk des Gusses*. Sur le sens de *Guss*, voir ci-après p. 204.

Le versement de ce qu'on offre peut donner quelque chose à boire : il donne à boire de l'eau, il donne à boire du vin.

Dans l'eau versée la source s'attarde. Dans la source les roches demeurent présentes, et en celles-ci le lourd sommeil de la terre, qui reçoit du ciel la pluie et la rosée. Les noces du ciel et de la terre sont présentes dans l'eau de la source. Elles sont présentes dans le vin, à nous donné par le fruit de la vigne, en lequel la substance nourricière de la terre et la force solaire du ciel sont confiées l'une à l'autre. Dans un versement d'eau, dans un versement de vin, le ciel et la terre sont chaque fois présents. Or le versement de ce qu'on offre est ce qui fait de la cruche une cruche. Dans l'être de la cruche la terre et le ciel demeurent présents.

Ce qu'on verse, ce qu'on offre est la boisson destinée aux mortels. Elle apaise leur soif. Elle anime leurs loisirs. Elle égaie leurs réunions. Mais parfois aussi, ce que verse la cruche est offert en consécration. Si le versement est offert en consécration, il n'apaise aucune soif. Il élève la fête en la rendant sereine. Alors ce qui est versé et offert n'est pas débité dans un cabaret et n'est même pas une boisson pour les mortels. La libation est le breuvage offert aux dieux immortels. Ce versement de la libation comme breuvage est le versement véritable. Dans le verser du breuvage consacré, la cruche versante déploie son être comme le versement qui offre. Le breuvage consacré est ce que le mot *Guss* (versement, liquide versé) désigne proprement : l'offrande et le sacrifice. *Guss*, *giessen* (verser) répondent au grec χέειν, à l'indo-européen *ghu*. Le sens est : sacrifier. Là où le versement est accompli en mode essentiel, où il est suffisamment pensé et authentiquement dit, *giessen* veut dire faire offrande, sacrifier et par conséquent faire don. Là est l'unique raison pour laquelle verser, dès que son être s'étiole, peut devenir le simple fait de remplir ou de déverser, jusqu'à sa décomposition finale dans le vulgaire débit de boissons. « Verser » n'est pas simplement transvaser ou déverser.

Les mortels à leur manière demeurent présents dans le versement qui offre une boisson. Dans le versement qui offre un breuvage, les divins à leur manière demeurent présents, ils reçoivent en retour, comme versement de la libation, le don qu'ils avaient fait du versement. De façon différente, les mortels et les divins sont présents dans le versement de ce qui est offert. Dans le versement du liquide offert la terre et le ciel sont présents. Dans le versement du liquide offert, la terre et le ciel, les divins et les mortels sont *ensemble* présents. Unis à partir d'eux-mêmes, les Quatre se tiennent. Prévenant toute chose présente, ils sont pris dans la simplicité d'un unique Quadriparti [1].

Dans le versement du liquide offert, la simplicité des Quatre demeure présente.

Le versement du liquide offert est versement, pour autant qu'il retient [2] la terre et le ciel, les divins et les mortels. Mais maintenant « retenir » ne signifie plus la simple persistance d'une chose présente devant nous. Retenir, c'est faire paraître [3]. C'est conduire les Quatre dans la clarté de leur être propre. A partir de la simplicité de cet être, ils sont tournés en confiance les uns vers les autres. Unis dans cet égard mutuel, ils sont en lumière. Le versement du liquide offert retient la simplicité

1. Sur les Quatre et le Quadriparti, cf. pp. 176-179 et 211-215.

2. *Verweilt*, « fait demeurer ». Non seulement le Quadriparti est présent, mais le versement du liquide offert fait qu'il demeure présent. Le versement conserve. C'est au moment même où elle verse que la cruche retient et garde. Elle garde, puisqu'elle conduit à sa destination ce qu'elle a reçu. Elle accomplit ainsi son être. « Le renoncement ne prend pas. Le renoncement donne. Il donne la force inépuisable du Simple. » (*Le Chemin de Campagne*, fin; cf. p. 176, n. 5, et p. 221, n. 2.)

3. *Verweilen ereignet.*

du Quadriparti des Quatre. Or, la cruche comme cruche accomplit son être dans le versement. Celui-ci rassemble ce qui appartient au verser : le double contenir, le contenant, le vide et le versement comme don. Ce qui est rassemblé dans le versement s'assemble lui-même en ceci qu'il retient et fait apparaître le Quadriparti. Simple en mode multiple, ce rassemblement est l'être même de la cruche. Pour désigner le rassemblement, notre langue possède un vieux mot : *thing* [1]. L'être de la cruche est le pur rassemblement qui verse et offre, et qui rassemble, dans un « demeurer présent » [2], le Quadriparti uni dans sa simplicité. La cruche déploie son être comme chose [3]. La cruche est la cruche en tant qu'elle est une chose. Mais comment la chose déploie-t-elle son être? La chose a le comportement du *thing* [4]. Se comporter comme le *thing*, c'est rassembler. Cet acte manifeste le Quadriparti, dont il rassemble chaque fois le « demeurer présent » : faisant entrer ce dernier dans ce qui est lié à une durée [5] : dans cette chose-ci, dans cette chose-là.

Nous donnons le nom de « chose » *(Ding)* à l'être de la cruche, ainsi connu par expérience et ainsi pensé. Nous pensons maintenant ce nom à partir de l'être pensé de la chose, à partir du comportement-du-*thing* *(Dingen)* entendu comme

1. Cf. plus haut p. 181, n. 3.
2. *In eine Weile.* Cf. plus bas, n. 5.
3. *Ding*, donc comme rassemblement, puisque *Ding* et *thing* ne sont qu'un seul mot.
4. *Das Ding dingt.*
5. *Es sammelt, das Geviert ereignend, dessen Weile in ein je Weiliges.* Le Quadriparti demeure *(weilt)* dans le versement du liquide offert, lequel versement est l'être même de la cruche. La cruche est une chose qui dure un temps *(eine Weile)*, qui est ainsi prise *(gefügt)* entre les deux limites de sa durée (voir *Holzwege*, pp. 327-329). Le rassemblement dans les choses du « demeurer présent » *(Weile)* du Quadriparti est en ce sens un assemblage, un emboîtement *(eine Fuge)*, et en même temps il est un décret *(eine Fügung)* du destin : à la fois une « com-position » et une « disposition ».

retenue, rassemblement et manifestation du Quadriparti. Mais alors et en même temps nous rappelons le souvenir du mot *thing* du vieux-haut-allemand. Pareille indication tirée de l'histoire de la langue conduit facilement à se méprendre sur la manière dont nous pensons maintenant l'être de la chose. Il pourrait sembler que l'être de la chose, tel que nous le pensons maintenant, ait été pour ainsi dire démêlé de la signification, saisie au petit bonheur, du vieux-haut-allemand *thing*. Le soupçon se fait jour que notre effort pour arriver à une expérience de l'être de la chose pourrait être fondé sur l'arbitraire d'un jeu étymologique. L'opinion se confirme, elle se répand déjà partout, qu'au lieu de considérer les rapports essentiels, nous ouvrons simplement le dictionnaire.

Mais c'est le contraire de ce qu'on craint qui est ici le cas. Il est vrai que le vieux-haut-allemand *thing* désigne l'assemblée réunie pour délibérer d'une affaire en question, d'un litige. Les vieux mots allemands *thing* et *dinc* [1] deviennent ainsi des appellations pour « affaire »; ils signifient tout ce qui d'une manière quelconque touche les hommes, les concerne, tout ce qui par conséquent est en question. Les Romains appellent *res* ce qui est en question. Ἔιρω (d'où ῥητός, ῥήτρα, ῥῆμα) veut dire en grec : parler de quelque chose, en délibérer; *res publica* ne veut pas dire « l'état », mais ce qui dans un peuple concerne clairement un chacun, ce qui le « préoccupe » et est donc discuté publiquement.

C'est seulement parce que *res* signifie « ce qui concerne » que l'on peut parler de *res adversae*, de *res secundae* : entendant, là ce qui concerne l'homme d'une façon qui lui est contraire, ici ce qui le conduit d'une manière heureuse. Les dictionnaires tra-

1. Forme médiévale de *Ding*, moins ancienne que *thing*.

duisent sans doute d'une façon exacte *res adversae* par adversité et *res secundae* par bonheur; mais les dictionnaires nous apprennent peu de chose sur ce que les mots disent, lorsqu'ils sont pensés en même temps que prononcés. C'est pourquoi, ici comme dans les autres cas, la vérité n'est pas que notre pensée vive de l'étymologie; mais que la règle constante de l'étymologie doit être de considérer d'abord les rapports essentiels de ce que les mots, en tant que paroles, désignent d'une manière encore enveloppée.

Le mot romain *res* signifie ce qui concerne l'homme : l'affaire, le litige, le cas. Dans le même sens les Romains emploient aussi le mot *causa*, qui, à proprement parler et en premier lieu, ne veut aucunement dire « cause [1] » : *causa* signifie « le cas », donc aussi ce qui pour une chose constitue le cas où elle arrive, où elle échoit. C'est seulement parce que *causa*, qui est presque synonyme de *res*, veut dire le cas que le mot *causa* peut arriver plus tard à désigner la cause, au sens de ce qui cause un effet. Le *thing* ou *dinc* du vieil-allemand, avec sa signification d'assemblée — à savoir pour la délibération d'une affaire — est donc mieux approprié qu'aucun autre terme pour traduire fidèlement le mot romain *res*, « ce qui concerne ». D'autre part, de cet autre mot de la langue romaine qui en elle correspond au mot *res*, du mot *causa* au sens de « cas » et d' « affaire », sont venus le roman *la cosa* et le français *la chose*. Nous disons : *das Ding*. En anglais *thing* a conservé toute la puissance d'expression du mot romain *res* : *he knows his things*, il s'entend à mener ses affaires, ce qui le concerne; *he knows how to handle things*, il sait comment s'y prendre avec les choses, c'est-à-dire avec ce dont il s'agit suivant le cas; *that's a*

1. *Ursache*, « chose originelle », d'où jaillit l'effet.

great thing, c'est une grande chose (une chose belle, puissante, magnifique), c'est-à-dire quelque chose qui arrive de soi-même et qui concerne l'homme.

Seulement le point décisif n'est aucunement l'histoire sémantique, ici esquissée, des mots *res*, *Ding*, *causa*, *cosa* et *chose*, *thing*, mais quelque chose de tout autre et qui jusqu'ici n'a encore fait l'objet d'aucune considération. Le mot romain *res* désigne ce qui concerne l'homme de quelque manière. Concerner, telle est la « réalité » de la *res*. La *realitas* de la *res*, dans l'expérience qu'en ont eue les Romains, est le concernement *(Angang)*. Seulement : cette expérience, les Romains ne l'ont jamais pensée spécialement dans son être. Au contraire, par suite de l'acceptation de la philosophie tardive des Grecs, la *realitas* romaine de la *res* est représentée au sens de l'ὄν grec : ὄν, en latin *ens*, signifie la chose présente au sens du pro-venant[1]. La *res* devient l'*ens*, la chose présente au sens de ce qui est amené et représenté. La réalité propre de cette *res* dont les Romains ont eu originellement l'expérience, le concernement, demeure voilé en tant qu'être de la chose présente. Inversement par la suite, en particulier pendant le moyen âge, le nom *res* sert à désigner tout *ens qua ens*, c'est-à-dire tout ce qui est présent de quelque façon, alors même qu'il apparaît-et-se-tient *(hersteht)* seulement dans la représentation et qu'il n'est présent que comme *ens rationis*. Le mot *dinc*, qui correspond à *res*, a la même histoire que lui : car *dinc* veut dire tout ce qui est de quelque manière. Aussi Maître Eckhart emploie-t-il le mot *dinc* aussi bien pour Dieu que pour l'âme. Dieu est pour lui *das hoechste und oberste dinc*, *(*« la chose la plus haute et la chose suprême »*)*. L'âme est *ein gross dinc* (« une grande chose »). Par là ce maître de la pensée ne veut

1. *Herstand*. Cf. plus haut pp. 198-199.

aucunement dire que Dieu et l'âme soient semblables à des rochers : des objets matériels. *Dinc* est ici une dénomination prudente et réservée pour ce qui, d'une manière générale, est. C'est ainsi que Maître Eckhart dit en s'appuyant sur un passage de Denys l'Aréopagite : *diu minne ist der natur, daz si den menschen wandelt in die dinc, die er minnet* (l'amour est de telle nature qu'il transforme l'homme en les choses qu'il aime »).

Puisque le mot chose, dans le langage de la métaphysique occidentale, désigne ce qui, d'une façon générale, est quelque chose de quelque manière, la signification du mot chose varie suivant l'interprétation de ce qui est, c'est-à-dire de l'étant. Comme Maître Eckhart, Kant parle des choses et entend par ce mot ce qui est. Mais, pour Kant, ce qui est devient objet de la représentation, laquelle se déroule dans la conscience que le moi humain prend de lui-même. La chose en soi signifie pour Kant : l'objet en soi. Le caractère de l'« en-soi » veut dire pour Kant que l'objet en soi est objet sans la relation à un acte humain de représentation, c'est-à-dire sans l'« ob- » qui est la toute première condition du fait qu'il est pour cet acte de représentation. La « chose en soi », pensée d'une façon strictement kantienne, signifie un objet qui n'en est pas un pour nous, parce qu'il faut qu'il se tienne sans un « ob- » possible : pour l'acte humain de représentation qui s'oppose à lui.

Toutefois, ni la signification générale, usée depuis longtemps, du terme « chose » employé en philosophie, ni la signification du mot *thing* en vieux-haut-allemand ne nous viennent en aide le moins du monde dans la nécessité où nous sommes d'appréhender et de penser suffisamment l'origine essentielle de ce que nous disons en ce moment sur l'être de la cruche. En revanche, il est bien exact qu'*un* élément de signification pris à l'ancien sens du mot *thing*, à savoir « rassembler », nous dit quelque chose qui vise l'être de la cruche tel que nous l'avons pensé.

La cruche n'est pas une chose au sens de la *res* entendue à la romaine, ni en celui de l'*ens* représenté à la manière médiévale, encore moins au sens de l'objet représenté à la façon moderne. La cruche est une chose pour autant qu'elle rassemble *(dingt)*. Et du reste c'est seulement à partir du rassemblement *(Dingen)* opéré par la chose que la présence d'une chose présente telle que la cruche se manifeste et se détermine.

Aujourd'hui toute chose présente est également proche et également lointaine. Le sans-distance règne. Toutes les réductions ou suppressions d'éloignements n'apportent aucune proximité. Qu'est-ce que la proximité? Pour découvrir l'être de la proximité, nous avons considéré la cruche dans la proximité. Nous cherchions l'être de la proximité et nous avons trouvé l'être de la cruche comme chose. Mais dans cette découverte nous percevons en même temps l'être de la proximité. La chose rassemble. Rassemblant, elle retient la terre et le ciel, les divins et les mortels. Retenant, elle rend les Quatre proches les uns des autres dans leurs lointains. Rendre ainsi proche, c'est rapprocher. Rapprocher est l'être de la proximité. La proximité rapproche ce qui est loin, à savoir en tant que lointain. La proximité conserve l'éloignement. Conservant l'éloignement, la proximité accomplit son être en rapprochant ce qui est loin. Rapprochant ainsi, la proximité se cache elle-même et demeure, à sa manière, au plus près.

La chose n'est pas « dans » la proximité comme si cette dernière était un réceptacle. La proximité règne dans le rapprochement, en tant qu'elle est le rassemblement dû à la chose [1].

1. *Das Dingen des Dinges.*

Rassemblant, la chose retient les Quatre qui sont unis, la terre et le ciel, les divins et les mortels; elle les retient dans la simplicité de leur Quadriparti, uni de par lui-même.

La terre est celle qui porte et demeure, celle qui fructifie et nourrit — entourant de sa protection l'eau et la roche, la plante et l'animal.

Si nous disons la terre, nous pensons déjà les trois autres avec elle, à partir de la simplicité des Quatre.

Le ciel est la course du soleil, le progrès de la lune, l'éclat des astres, les saisons de l'année, la lumière et la tombée du jour, l'obscurité et la clarté de la nuit, l'aménité et les rigueurs de l'atmosphère, la fuite des nuages et la profondeur azurée de l'éther.

Si nous disons le ciel, nous pensons déjà les trois autres avec lui, à partir de la simplicité des Quatre.

Les divins sont ceux qui nous font signe, les messagers de la Divinité. De par la puissance cachée de celle-ci, le dieu apparaît dans son être, qui le soustrait à toute comparaison avec les choses présentes.

Si nous nommons les divins, nous pensons les trois autres avec eux, à partir de la simplicité des Quatre.

Les mortels sont les hommes. On les appelle mortels, parce qu'ils peuvent mourir. Mourir signifie : être capable de la mort en tant que la mort [1]. Seul l'homme meurt. L'animal périt. La mort comme mort, il ne l'a ni devant lui ni derrière lui. La mort est l'Arche du Rien, à savoir de ce qui, à tous égards, n'est jamais un simple étant, mais qui néanmoins est, au point de constituer le secret de l'être lui-même. La mort, en tant qu'Arche du Rien, abrite en elle l'être même de l'être *(das Wesende*

1. Cf. p. 177, n. 2 et p. 235.

des Seins). En tant qu'Arche du Rien, la mort est l'abri de l'être [1]. Aux mortels nous donnons le nom de mortels — non pas parce que leur vie terrestre prend fin, mais parce qu'ils peuvent la mort en tant que la mort. C'est en tant que mortels que les mortels sont ceux qu'ils sont, trouvant leur être *(wesend)* dans l'abri de l'être. Ils sont le rapport, qui s'accomplit, à l'être en tant qu'être [2].

La métaphysique, au contraire, se représente l'homme comme *animal*, comme être vivant. Même quand la *ratio* pénètre et gouverne l'*animalitas*, la condition humaine demeure déterminée à partir de la vie et de ses expériences. Les êtres vivants raisonnables doivent d'abord *devenir* des mortels.

Si nous disons les mortels, nous pensons les trois autres avec eux, à partir de la simplicité des Quatre.

La terre et le ciel, les divins et les mortels se tiennent, unis d'eux-mêmes les uns aux autres, à partir de la simplicité du Quadriparti uni. Chacun des Quatre reflète à sa manière l'être des autres. Chacun se reflète alors à sa manière dans son propre être, revenant à cet être au sein de la simplicité des Quatre. Cette réflexion n'est pas la présentation d'une image. Éclairant chacun des Quatre, la réflexion manifeste leur être propre et le conduit, au sein de la simplicité, vers la transpropriation des uns aux autres. Reflétant en cette manière, manifestant et éclairant, chacun des Quatre se donne à chacun des autres. La réflexion qui manifeste libère chacun des Quatre et le rend à ce qu'il possède en propre; mais ceux qui sont désormais libres, elle les lie dans la simplicité de cette appartenance mutuelle qui forme leur être.

La réflexion qui libère en liant est le jeu qui confie chacun des Quatre aux autres, à partir de la transpropriation qui les tient dans son pli. Aucun

1. *Das Gebirg des Seins*. Cf. p. 6, n. 2 et p. 310.
2. *Das wesende Verhältnis zum Sein als Sein.*

des Quatre n'étreint avec force ce qu'il a en particulier et à part des autres. Chacun des Quatre, au contraire, à l'intérieur de leur transpropriation, est exproprié vers quelque chose qui lui est propre. Cette transpropriation expropriante est le jeu de miroir du Quadriparti. C'est à partir d'elle que la simplicité des Quatre est unie par la confiance [1].

Ce jeu qui fait paraître, le jeu de miroir de la simplicité de la terre et du ciel, des divins et des mortels, nous le nommons « le monde ». Le monde est en tant qu'il joue ce jeu [2]. Ceci veut dire : le jeu du monde [3] ne peut être, ni expliqué par quelque chose d'autre, ni appréhendé dans son fond à partir de quelque chose d'autre. Cette impossibilité ne tient pas à l'incapacité de notre pensée humaine pour une telle explication ou fondation. Au contraire ce qu'on ne peut, dans le jeu du monde, expliquer ni fonder réside en ceci que causes, fondements et choses de ce genre demeurent inadéquats au jeu du monde. Aussitôt qu'ici la connaissance humaine réclame une explication, loin de s'élever au-dessus de l'être du monde, elle tombe au-dessous de lui. La volonté humaine d'expliquer ne pénètre aucunement dans le Simple de la simplicité du jeu du monde. Les Quatre, unis entre eux, sont étouffés dans leur être, dès qu'on les représente comme des morceaux épars de réalité, qu'il faut fonder les uns sur les autres et expliquer les uns par les autres.

L'unité du Quadriparti est la Quadrature *(die Vierung)*. Mais la Quadrature ne s'opère nullement de telle sorte qu'elle enveloppe les Quatre et que, les enveloppant, elle vienne seulement s'ajouter à eux après coup. Tout aussi peu la Quadrature est-elle achevée, lorsque les Quatre, une fois là et

1. *Getraut.*
2. *Die Welt ist, indem sie weltet.*
3. *Das Welten von Welt.*

présents, se tiennent simplement les uns près des autres.

La Quadrature est *(west)*, en tant qu'elle est le jeu de miroir qui fait paraître, le jeu de ceux qui sont confiés les uns aux autres dans la simplicité. L'être de la Quadrature est le jeu du monde. Le jeu de miroir du monde est la ronde du faire-paraître *(der Reigen des Ereignens)*. C'est pourquoi la ronde ne commence pas par entourer les Quatre comme un anneau. La ronde est l'Anneau *(Ring)* qui s'enroule sur lui-même, alors qu'il joue le jeu des reflets. Faisant paraître, il éclaire les Quatre à la lumière de leur simplicité. Faisant resplendir, l'Anneau partout et ouvertement transproprie les Quatre et les ramène à l'énigme de leur être. L'être rassemblé du jeu du monde, du jeu de miroir qui s'enroule ainsi, est le Tour encerclant *(das Gering)*. Dans le Tour encerclant de l'Anneau qui joue et reflète, les Quatre s'enlacent à leur être, qui est un et pourtant propre à chacun d'eux. Ainsi flexibles, se pliant au jeu de miroir, ils assemblent le monde.

Flexible, malléable, souple, docile, facile, se disent dans notre vieil allemand *ring* et *gering*. Le jeu de miroir du monde en train de se faire — ce jeu qui est le Tour encerclant de l'Anneau — libère, par son encerclement les Quatre unis, les conduisant vers ce qu'ils ont en propre de docile, vers ce qu'il y a de souple en leur être. A partir du jeu de miroir du Tour encerclant du Souple, le rassemblement propre à la chose se produit [1].

La chose retient le Quadriparti. La chose rassemble le monde. Chaque chose retient le Quadriparti dans un rassemblant, lié à une certaine durée, où la simplicité du monde demeure et attend [2].

1. *Aus dem Spiegel-Spiel des Gerings des Ringen ereignet sich das Dingen des Dinges.*

2. « Chaque chose conduit, comme chose, le Quadriparti dans un (quelque chose) qui est lié à une durée *(in ein Je-Weiliges)* et où la

Quand nous laissons la chose être en rassemblant, à partir du monde qui joue le jeu de miroir, nous pensons à la chose comme chose. Pensant à elle de cette manière, nous nous laissons approcher par l'être de la chose : par son être qui joue le jeu du monde. Pensant ainsi, nous sommes appelés par la chose en tant que chose. Nous sommes, au sens rigoureux du mot, ceux qui sont pourvus de choses *(die Be-dingten)*. Nous avons laissé derrière nous la prétention de tout ce qui est dépourvu de choses *(alles Unbedingten)* [1].

Si nous pensons la chose comme chose, nous ménageons l'être de la chose (le laissant) entrer dans le domaine à partir duquel elle est. Rassembler *(Dingen)*, c'est rapprocher le monde. Rapprocher est l'être même de la proximité. Pour autant que nous ménageons la chose en tant que chose, nous habitons dans la proximité. Le rapprochement qu'opère la proximité est la Dimension proprement dite, la dimension unique du jeu de miroir du monde.

Les distances ont été supprimées, mais la proximité est restée absente : l'absence de proximité a conduit le sans-distance à la domination. Dans l'absence de proximité, la chose demeure détruite comme chose au sens qui a été dit. Mais quand et comment les choses sont-elles comme choses? Ainsi questionnons-nous en pleine domination du sans-distance.

Quand et comment les choses viennent-elles comme choses? Elles ne viennent pas *par* les artifices des hommes. Mais elles ne viennent pas non plus *sans* la vigilance des mortels. La première démarche vers cette vigilance est celle qui nous ramène de la pensée qui représente seulement,

simplicité du monde demeure, c'est-à-dire dure et attend. » (Heid.)

3. Avec une allusion marquée au sens courant des deux mots : *bedingt*, conditionné, relatif, et *unbedingt*, inconditionné, absolu

c'est-à-dire de la pensée expliquante, à la pensée qui se souvient.

A vrai dire, cette démarche de retour, qui nous ramène d'une pensée vers l'autre, n'est pas un simple changement d'attitude. Elle ne peut jamais être rien de semblable, ne serait-ce que parce que toutes les attitudes, y compris les modes de leurs changements, demeurent engagées dans le domaine de la pensée qui représente. Sans contredit, la démarche de retour quitte la région de la simple prise de position. Elle va résider dans une correspondance qui, dans l'être et le mouvement du monde *(im Weltwesen)*, répond à la parole que cet être lui adresse. Quant à faire venir jusqu'à nous la chose comme chose, un simple changement d'attitude n'y peut aider, de même qu'on ne peut purement et simplement convertir en choses tout ce qui aujourd'hui se tient comme objet dans le sans-distance. Jamais non plus les choses ne viennent comme choses par cela que nous nous tenons simplement à l'écart des objets et que nous rappelons le souvenir de vieux objets d'antan, qui peut-être étaient en voie de devenir des choses et même d'être présents comme choses.

Ce qui devient une chose se produit à partir du Tour encerclant du jeu de miroir du monde, en lui et par lui. C'est seulement quand — brusquement, semble-t-il — le monde comme monde joue-le-jeu-du-monde [1] que resplendit l'Anneau dont, par son enroulement, le Tour encerclant de la terre et du ciel, des divins et des mortels se libère, pour rentrer dans la petitesse docile de sa simplicité.

En accord avec cette petitesse et cette docilité, l'action rassemblante de la chose est elle-même souple et la chose est chaque fois modique, sans apparence [2] et docile à son être. Modique est la

1. *Welt als Welt weltet.*
2. Voir note suivante, fin.

chose : la cruche et le banc, la passerelle et la charrue. Mais, à leur manière, l'arbre et l'étang, le ruisseau et la montagne, sont aussi des choses. Le héron et le cerf, le cheval et le taureau, chacun d'eux rassemblant à sa façon, sont des choses. Rassemblant chacune à sa manière, ce sont des choses que le miroir et la boucle, le livre et le tableau, la couronne et la croix.

Modiques et minimes, les choses le sont aussi en nombre, mesurées au pullulement des objets, tous et partout de valeur in-différente, mesurées à la démesure des masses qui signalent la présence de l'homme comme être vivant.

Ce sont les hommes comme mortels qui tout d'abord obtiennent le monde comme monde en y habitant. Ce qui petitement naît du monde et par lui, cela seul devient un jour une chose [1].

1. *Nur was aus Welt gering, wird einmal Ding.* — « Cela seulement qui sans apparence naît de l'Anneau du monde devient un jour une chose *(Nur was aus dem Ring der Welt unscheinbar entspringt wird einmal Ding)*, où « de » *(aus)* a le double sens d' « à partir de » *(von...her)* et de « par » *(durch)*, où « sans apparence » *(unscheinbar)* désigne ce qui, étant simple, n'attire pas l'attention et qui pourtant n'est pas pure illusion » (Heid.).

POST-SCRIPTUM

Lettre à un jeune étudiant.

Cher Monsieur Buchner,

Je vous remercie de votre lettre. Les questions posées sont essentielles et l'argumentation correcte. Il reste à considérer, cependant, si elles suffisent à atteindre le point décisif.

Vous demandez : d'où la pensée de l'être — pour le dire en abrégé — reçoit-elle sa direction?

Ici, sans doute, vous ne prenez pas l' « être » comme un objet ni la pensée comme la simple activité d'un sujet. La pensée qui est à la base de la conférence *(La Chose)* n'est pas la simple représentation d'une chose devant nous. L' « être » n'est aucunement identique à la réalité ou à un réel que l'on vient de constater. Il n'est pas davantage opposé au ne-plus-être ou au ne-pas-être-encore : ces deux derniers font eux-mêmes partie de l'être de l'être [1]. C'est ce que la métaphysique avait déjà pressenti et vers quoi elle avait même commencé à se diriger dans sa doctrine — à peine comprise, il est vrai — des modalités : suivant celle-ci, la possibilité appartient à l'être, au même titre que la réalité et la nécessité.

Dans la pensée de l'être, on ne se contente jamais de (re)-pré-senter une chose réelle et de donner

1. *Zum Wesen des Seins.*

cette chose représentée comme *le* vrai. Penser l' « être » veut dire : répondre à l'appel de son être [1]. La réponse naît de l'appel et se libère vers lui. Répondre, c'est s'effacer devant l'appel et pénétrer ainsi dans son langage. Mais ce qui a été et qui s'est dévoilé de bonne heure (Ἀλήθεια, Λόγος, Φύσις) fait partie de l'appel de l'être, de même qu'en fait partie l'arrivée voilée de ce qui s'annonce dans le renversement possible de l'oubli de l'être (ce qui conduirait à la garde de son être) [2]. La réponse doit avoir égard à tout cela en même temps, dans un long recueillement et un contrôle constant de ce qu'elle entend, si elle veut percevoir un appel de l'être. Mais c'est justement alors qu'elle peut mal entendre. Dans une telle pensée la possibilité de l'erreur est à son plus haut point. Cette pensée ne peut jamais se justifier, comme le fait le savoir mathématique. Mais elle est tout aussi peu arbitraire, étant liée à la destinée essentielle de l'être, et pourtant elle-même, en tant qu'énonciation, ne lie jamais, au contraire elle est simple incitation possible à suivre le chemin de la réponse, c'est-à-dire à s'avancer, dans l'entier recueillement de la circonspection, vers l'être qui a *déjà* parlé.

Que Dieu et le divin nous manquent, c'est là une absence. Seulement l'absence n'est pas rien, elle est la présence — qu'il faut précisément s'approprier d'abord — de la plénitude cachée de ce qui a été et qui, ainsi rassemblé, est [3] : du divin chez les Grecs, chez les prophètes juifs, dans la prédication de Jésus. Ce « ne... plus » est en lui-même un « ne... pas encore », celui de la venue voilée de son être inépuisable. La garde de l'être — puisque

1. *Seines Wesens*, de l'être de l'être.
2. *In die Wahrnis seines Wesens*, de l'être de l'être.
3. *Des Gewesenen und so versammelt Wesenden*, où *versammelt* interprète le *Ge-* de *Gewesenen*. Cf. pp. 6, 124, 192, 221, 275, et leurs notes.

l'être n'est jamais simple réel — ne peut aucunement être comparée au rôle d'un poste de garde qui défend contre les voleurs les trésors conservés dans un bâtiment. La garde de l'être n'est pas fascinée par les choses existantes. Jamais en celles-ci, prises pour elles-mêmes, un appel de l'être ne sera entendu. La garde est la vigilance qui veille à la Dispensation, qui a été et qui est en venue, de l'être [1]; et cette vigilance naît elle-même d'une longue prudence, qui se renouvelle sans cesse et qui, attentive à la manière dont l'être nous parle, y trouve une direction. Dans le destin de l'être, il n'y a jamais de simple succession : d'abord l'Arraisonnement *(Gestell)*, puis le monde et la chose; mais il y a toujours simultanéité de l'ancien et du tardif qui sans cesse passent l'un devant l'autre. Dans la *Phénoménologie de l'Esprit* de Hegel l'' Ἀλήθεια est présente, quoique transformée.

La pensée de l'être, en tant que réponse, est une chose très sujette à erreur et en outre très pauvre. Peut-être, cependant, la pensée est-elle un chemin inévitable, qui ne prétend pas être une voie de salut et qui n'apporte pas une nouvelle sagesse. Le chemin est tout au plus un chemin de campagne [2], un chemin à travers champs, qui non seulement parle de renoncement, mais a déjà renoncé, à savoir aux prétentions d'une doctrine faisant autorité et d'une œuvre culturelle valable, ou encore à celles d'un haut fait de l'esprit. Tout dépend ici d'une démarche très risquée retournant en arrière, vers cette pensée qui considère et qui est attentive au renversement — se dessinant d'avance dans le destin de l'être — de l'oubli de l'être. La démarche

1. *Wächterschaft ist Wachsamkeit für das gewesend-kommende Geschick des Seins*, où *gewesend* marque que la dispensation n'a pas seulement « été » *(gewesen)*, mais qu'elle est et dure toujours en mode rassemblé *(ge-wesend)*. Cf. p. 6, n. 1.

2. Allusion à l'admirable morceau de sept pages *Der Feldweg* (« Le Chemin de Campagne »). Cf. les notes des pp. 176 et 205.

qui retourne et qui nous dégage de la pensée-représentation de la métaphysique ne rejette pas cette pensée, mais elle ouvre les lointains à l'appel de la véri-té *(Wahr-heit)* de l'être, en laquelle la réponse est et progresse.

Il s'est présenté souvent, et justement avec des personnes de mon entourage, que l'on écoute volontiers, attentivement, l'exposé de l'être de la cruche, mais que l'on devienne sourd dès qu'il est question d'objectivité, de la pro-venance et origine [1] de l'état de chose fabriquée, dès qu'il est question de l'Arraisonnement *(Gestell)*. Et pourtant tout cela appartient nécessairement aussi à la pensée de la chose, pensée qui pense à l'arrivée possible du monde et qui, pensant ainsi, aide peut-être, au point le plus infime et dans l'inapparent, à ce qu'une telle venue parvienne jusque dans le domaine ouvert de la condition humaine.

Je fais des expériences étranges avec ma conférence, celle-ci notamment que l'on demande à ma pensée d'où elle reçoit sa direction, comme si cette question ne devait se poser que pour elle. En revanche, personne ne s'avise de demander : Où Platon a-t-il appris à penser l'être comme ἰδέα, Kant à penser l'être comme le transcendantal de l'objectivité, comme position [2]?

Mais peut-être qu'un jour on trouvera justement la réponse à ces questions dans les essais de pensée qui, comme les miens, donnent l'impression d'un arbitraire désordonné.

Je ne puis vous fournir — ce que vous ne demandez pas non plus — une carte de légitimation, grâce à laquelle ce que je dis pourrait à chaque instant justifier facilement de son accord avec « la réalité ».

Ici le chemin de la réponse qui écoute et qui examine est tout. Un chemin est toujours exposé à

1. *Herstand und Herkunft.* Cf. pp. 220-221.
2. *Als Position (Gesetztheit).*

devenir un chemin qui égare. Pour suivre de tels chemins, il faut être exercé à la marche. On ne s'exerce pas sans un métier. Demeurez dans la bonne détresse sur le chemin et, fidèle au chemin bien qu'en errance [1], apprenez le métier de la pensée.

Amicalement à vous.

1. *Un-ent-wegt, jedoch beirrt.* Sur l'errance, voir plus haut, p. 107, n. 4.

« ... L'HOMME HABITE EN POÈTE... »

Cette parole est empruntée à un poème tardif de Hölderlin, dont la transmission a été toute particulière. Il débute par : « Dans un azur délicieux brille le clocher au toit de métal... » (Édit. de Stuttgart, 2, 1, pp. 372 et *sq.;* Édit. Hellingrath, VI, pp. 24 et *sq.*). Afin de bien entendre cette parole : « ...l'homme habite en poète... », il nous faut la restituer au poème avec précaution. C'est pourquoi nous considérerons cette parole. Nous éclaircirons les doutes qu'elle éveille tout d'abord. Autrement nous manqueraient la liberté et la préparation qu'il nous faut, si nous voulons répondre à la parole en ceci que nous la suivons.

« ...l'homme habite en poète [1]... ». On peut à la rigueur se représenter que des poètes habitent parfois en poètes. Mais comment « l'homme » — ce qui veut dire : tout homme et d'une façon permanente — pourrait-il habiter en poète? Toute habitation [2] n'est-elle pas à jamais incompatible avec la manière des poètes? Notre habitation est pressée et contrainte par la crise du logement. En fût-il même autrement, notre façon d'habiter est aujourd'hui bousculée par le travail, rendue instable par la course aux avantages et au succès, prise dans les sortilèges des plaisirs et des délassements organisés. S'il arrive pourtant que notre habitation laisse

1. « *...dichterisch wohnt der Mensch...* » : « ...poétiquement habite l'homme... ».

2. Cf. p. 170, n. 1.

encore une place, et un peu de temps, à la poésie, alors ce qui a lieu dans le cas le plus favorable, c'est qu'on s'occupe de belles-lettres, que les poèmes soient imprimés ou radio-diffusés. La poésie est alors niée comme nostalgie stérile, papillonnement dans l'irréel, et rejetée comme fuite dans un rêve sentimental. Ou bien elle est comptée comme littérature. La valeur de la littérature est appréciée à la mesure de l' « actualité » du moment. L'actualité, de son côté, est faite et dirigée par les organes qui forment l'opinion publique civilisée. Le mouvement littéraire est un de leurs agents, et, par « agents », il faut entendre ceux qui poussent les autres et sont eux-mêmes poussés. Ainsi la poésie ne peut apparaître autrement que comme littérature. Là même où elle est considérée comme moyen de culture et d'une façon scientifique, elle est un objet de l'histoire littéraire. La poésie de l'Occident a cours sous la dénomination générale de « littérature européenne ».

Maintenant, s'il est entendu d'avance que la poésie n'a qu'une forme d'existence, qui est liée à la vie littéraire, comment l'habitation de l'homme pourrait-elle être alors fondée sur la poésie? Cette parole, du reste, que l'homme habite en poète, est seulement la parole d'un poète, et d'un poète qui, dit-on, n'a pas su venir à bout de la vie. La manière des poètes, c'est de ne pas voir la réalité. Ils rêvent au lieu d'agir. Ce qu'ils font est simplement imaginé. Pour les imaginations, il suffit de les faire. L'action de faire se dit en grec ποίησις. Et l'habitation de l'homme doit être poésie et poétique? Mais seul peut l'admettre celui qui vit loin de la réalité et ne veut pas voir les conditions sociales et historiques auxquelles la vie des hommes est aujourd'hui soumise, ce que les sociologues appellent le « collectif ».

Mais avant de déclarer incompatibles, d'une

façon aussi simple, l'habitation et la poésie, il pourrait être utile de considérer avec calme la parole du poète. Elle parle de l'habitation de l'homme. Elle ne décrit pas les conditions présentes de l'habitation. Surtout, elle n'affirme pas qu'habiter veuille dire avoir un logement. Elle ne dit pas davantage que la poésie ne soit rien de plus qu'un jeu irréel de l'imagination poétique. Qui donc, parmi ceux qui réfléchissent, oserait alors déclarer sans ambages, du haut d'une supériorité assez douteuse, que l'habitation et la poésie sont inconciliables? Elles se supportent peut-être l'une l'autre. Bien plus : peut-être même l'une porte-t-elle l'autre, de telle sorte que l'une, l'habitation, repose dans l'autre, la poésie. Si nous le supposons, alors assurément nous sommes tenus de penser dans leur être même habitation et poésie. Si nous ne nous raidissons pas contre cette obligation, nous pensons, à partir de l'habitation, ce qu'on appelle d'ordinaire l'existence *(Existenz)* de l'homme. A vrai dire, nous délaissons ainsi la représentation courante de l'habitation. Cette représentation ne voit dans l'habitation qu'un comportement de l'homme parmi beaucoup d'autres. Nous travaillons à la ville, mais habitons en banlieue. Nous sommes en voyage et habitons tantôt ici, tantôt là. Une habitation ainsi entendue n'est jamais que la possession d'un logement.

Quand Hölderlin parle d'habiter, il a en vue le trait fondamental de la condition humaine. Et pour la poésie, il la considère à partir du rapport à l'habitation, ainsi entendue dans son être.

Cela ne veut certainement pas dire que la poésie ne soit qu'une décoration et un surcroît de l'habitation. Le caractère poétique de l'habitation ne veut pas dire non plus qu'en toute habitation, d'une façon ou d'une autre, ce caractère se rencontre La parole : « ...l'homme habite en poète... » dit au contraire : c'est la poésie qui, en tout premier lieu, fait de l'habitation une habitation. La poésie est le véritable « faire habiter ». Seulement par quel moyen parvenons-nous à une habitation? Par le « bâtir » *(bauen)*[1]. En tant que faire habiter, la poésie est un « bâtir » *(bauen)*.

Nous nous trouvons ainsi en face d'une double exigence : d'abord penser ce qu'on appelle l'existence de l'homme en partant de l'habitation; ensuite penser l'être de la poésie comme un « faire habiter », comme un « bâtir » *(Bauen)*, peut-être comme *le* « bâtir » par excellence. Si nous cherchons dans cette direction l'être de la poésie, nous parviendrons à l'être de l'habitation.

Seulement de quel côté, nous autres hommes, trouvons-nous des ouvertures sur l'être de l'habitation et de la poésie? Où, d'une façon générale, l'homme prend-il cette prétention d'arriver jusqu'à l'être d'une chose? L'homme peut la prendre seulement là où il la reçoit. Il la reçoit de la parole que le langage lui adresse. A vrai dire, il la reçoit seulement quand il dirige déjà son attention sur l'être propre du langage et aussi longtemps qu'il le fait. Cependant, à la fois effrénés et habiles, paroles, écrits, propos radiodiffusés, mènent une danse folle autour de la terre. L'homme se comporte comme s'il était le créateur et le maître du langage, alors que c'est celui-ci au contraire qui est et demeure son souverain. Quand ce rapport de souveraineté se renverse, d'étranges machinations viennent à l'esprit de l'homme. Le langage devient un moyen d'expression. En tant qu'expression, le langage peut tomber au niveau d'un simple moyen de pression. Il est bon que même dans une pareille utilisation du langage, on soigne encore son parler; mais ce soin, à lui seul, ne nous aidera jamais à

1. Voir plus haut p. 170, n. 2, et pp. 172 à 175.

remédier au renversement du vrai rapport de souveraineté entre le langage et l'homme. Car, au sens propre des termes, c'est le langage qui parle. L'homme parle seulement pour autant qu'il répond au langage en écoutant ce qu'il lui dit. Parmi tous les appels que nous autres hommes pouvons contribuer à faire parler, celui du langage est le plus élevé et il est partout le premier [1]. Le langage nous fait signe et c'est lui qui, le premier et le dernier, conduit ainsi vers nous l'être d'une chose. Ceci toutefois ne veut jamais dire que, dans n'importe quelle signification de mot prise au petit bonheur, le langage nous livre l'être transparent de la chose, et cela d'une façon directe et définitive, comme on livre un objet prêt à l'usage. Mais la correspondance, dans laquelle l'homme écoute vraiment l'appel du langage, est ce dire qui parle dans l'élément de la poésie. Plus l'œuvre d'un poète est poétique, et plus son dire est libre : plus ouvert à l'imprévu, plus prêt à l'accepter. Plus purement aussi il livre ce qu'il dit au jugement de l'attention toujours plus assidue à l'écouter, plus grande enfin est la distance entre ce qu'il dit et la simple assertion, dont on discute seulement pour savoir si elle est exacte ou inexacte.

...l'homme habite en poète...

dit le poète. Nous entendrons plus clairement la parole de Hölderlin si nous la replaçons dans le poème où elle a été prise. Nous n'écouterons tout d'abord que les deux vers dont, avec des ciseaux cruels, nous avons détaché la parole. Ce sont les vers suivants :

Plein de mérites, mais en poète,
L'homme habite sur cette terre.

1. Voir le passage correspondant, p. 172.

C'est dans la qualification « en poète » *(dichterisch)* que résonne le ton fondamental des vers. Le contexte fait ressortir cette qualification, et cela de deux côtés : par ce qui la précède et par ce qui la suit.

Ce qui précède sont les mots : « Plein de mérites, mais... » Ils sonnent presque comme si ce qui les suit : « en poète » restreignait l'habitation pleine de mérites de l'homme. Seulement c'est l'inverse qu'il faut comprendre. La limitation est exprimée par les mots « plein de mérites », auxquels nous devons ajouter par la pensée un « sans doute ». Sans doute l'habitation de l'homme est-elle à bien des égards méritoire. Car l'homme donne ses soins aux choses qui croissent, et qui sont des choses de la terre, il protège ce qui grandit pour lui. Soigner et protéger *(colere, cultura)* forment un des modes de l'habitation *(Bauen)*. L'homme, toutefois, ne cultive pas seulement ce qui de soi-même développe une croissance, mais il bâtit aussi au sens d'*aedificare*, en construisant ce qui ne peut pas naître et subsister par une croissance. Ce qui est bâti, les bâtiments, en ce sens du mot « bâtir » *(bauen)*, ce ne sont pas seulement les édifices, mais toutes les œuvres dues à la main et aux accomplissements de l'homme. Pourtant les mérites de ce multiple « bâtir » ne remplissent jamais entièrement l'être de l'habitation. Au contraire, ils ferment à l'habitation l'accès même de son être, dès lors qu'ils sont simplement recherchés et acquis pour eux-mêmes. Ce sont alors les mérites qui, justement par leur abondance, restreignent partout l'habitation dans les limites de la culture et de la construction. Ces dernières cherchent à satisfaire aux besoins de l'habitation. Cultiver, au sens des soins que le paysan donne à la croissance, construire, c'est-à-dire édifier des bâtiments, des usines, et fabriquer des outils, sont déjà des conséquences essentielles de l'habitation, mais ils ne sont pas sa base, encore moins l'acte qui la fonde. Celui-ci doit s'accomplir dans un autre mode du « bâtir » *(Bauen)*. Ce « cultiver-et-construire » *(Bauen)*, qui est pratiqué d'une manière courante et souvent exclusive et qui est ainsi la seule façon d'habiter connue, apporte sans doute à l'habitation une abondance de mérites. Mais l'homme peut habiter seulement quand c'est d'une autre façon qu'il a déjà « bâti », qu'il « bâtit » et projette constamment de « bâtir ».

« Plein de mérites (sans doute), mais en poète, l'homme habite... » Viennent ensuite dans le texte les mots : « sur cette terre .» On est tenté de juger cette addition superflue; car habiter désigne déjà le séjour de l'homme sur la terre, sur « cette » terre, à laquelle tout mortel se sait confié et livré.

Seulement, quand Hölderlin dit hardiment que l'habitation des mortels est poétique, cette parole, à peine prononcée, éveille l'impression que l'habitation « poétique » arrache précisément les hommes à la terre. La poésie *(das Dichterische)*, lorsqu'on l'identifie au genre « poétique » *(das Poetische)*, n'appartient-elle pas au royaume de la fantaisie? L'habitation en mode poétique survole le réel dans le ciel de la fantaisie. Le poète (Hölderlin) va au-devant de pareilles appréhensions en disant expressément qu'habiter en poète est habiter « sur cette terre ». Non seulement Hölderlin met la « poésie » à l'abri d'une erreur d'interprétation facile à commettre, mais, en ajoutant les mots « sur cette terre », il nous dirige proprement vers l'être de la poésie. Celle-ci ne survole pas la terre, elle ne la dépasse pas pour la quitter et planer au-dessus d'elle. C'est la poésie qui tout d'abord conduit l'homme sur terre, à la terre, et qui le conduit ainsi dans l'habitation.

Plein de mérites, mais en poète,
L'homme habite sur cette terre.

Savons-nous maintenant comment l'homme habite en poète? Nous ne le savons pas encore. Nous courons même le danger de mêler des pensées de notre cru au verbe poétique de Hölderlin. Hölderlin mentionne sans doute la façon dont l'homme habite ainsi que ses mérites, mais il ne rattache pas l'habitation, comme nous l'avons fait, aux actes-d'habitation *(Bauen)*. Il ne parle pas de ces actes, ni au sens de protection, de soins ou de construction, ni de telle manière qu'il présente la poésie comme une façon particulière d'habiter *(des Bauens)*. Ce que dit Hölderlin, lorsqu'il parle d'habiter en poète, ne ressemble donc pas à notre pensée. Celle-ci, pourtant, et ce que Hölderlin dit en poète, sont bien une seule et même chose.

Certainement, il nous faut ici être attentifs à quelque chose d'essentiel. Une brève observation est nécessaire au préalable. Poésie et pensée ne se rencontrent dans « le même » que lorsqu'elles demeurent résolument dans la différence de leur être et aussi longtemps qu'elles y demeurent. Le même et l'égal ne se recouvrent pas, non plus que le même et l'uniformité vide du pur identique. L'égal *(das gleiche)* s'attache toujours au sans-différence, afin que tout s'accorde en lui. Le même *(das selbe)*, au contraire, est l'appartenance mutuelle du différent à partir du rassemblement opéré par la différence. On ne peut dire « le même » que lorsque la différence est pensée. Dans la conciliation des choses différentes, l'être rassemblant du même apparaît en lumière. Le même écarte tout empressement à résoudre les différences dans l'égal : à toujours égaler et rien d'autre. Le même rassemble le différent dans une union originelle. L'égal au contraire disperse dans l'unité fade de l'un simplement uniforme. Hölderlin était à sa manière informé de ces choses. Dans une épigramme intitulée *La racine de tout mal*, il dit :

Il est divin et bon d'être uni; pourquoi donc chez les
[hommes
Ce besoin maladif que seul soit l'être un, la chose une?
(Édit. de Stuttg., I, 1, p. 305)

Si nous réfléchissons à ce que Hölderlin dit en poète au sujet de l'habitation de l'homme en mode poétique, nous entrevoyons un chemin par lequel, à travers la diversité des pensées, nous pourrions nous rapprocher de ce « même » que le poète dit poétiquement.

Mais que dit Hölderlin de l'habitation de l'homme en mode poétique? Nous chercherons la réponse à cette question en écoutant les vers 24 à 38 de notre poème. Car c'est dans leur climat que les deux vers d'abord expliqués ont été prononcés. Hölderlin dit :

Un homme, quand sa vie n'est que peine, a-t-il le droit
De regarder au-dessus de lui et de dire : moi aussi,
C'est ainsi que je veux être? Oui. Aussi longtemps
[qu'au cœur
L'amitié, la pure amitié, dure encore, l'homme
N'est pas mal avisé, s'il se mesure avec la Divinité.
Dieu est-il inconnu?
Est-il manifeste comme le ciel? C'est là plutôt
Ce que je crois. Telle est la mesure de l'homme.
Plein de mérites, mais en poète, l'homme
Habite sur cette terre. Mais l'ombre de la nuit
Avec les étoiles, si je puis parler ainsi,
N'est pas plus pure que l'homme,
Cette image, dit-on, de la Divinité.
Est-il sur terre une mesure? Il n'en est
Aucune.

De ces vers nous ne considérerons qu'une petite partie et avec l'unique intention d'entendre plus clairement ce que Hölderlin veut dire quand il qualifie de « poétique » l'habitation de l'homme.

Les premiers vers donnent une indication (vers 24 à 26). Ils ont la forme d'une question à laquelle le poète répond avec confiance : oui. La question exprime d'une façon plus détournée ce que les vers déjà commentés énoncent directement : « Plein de mérites, mais en poète, l'homme habite sur cette terre. » Hölderlin demande :

L'homme, quand sa vie n'est que peine, a-t-il le droit
De regarder au-dessus de lui et de dire : moi aussi,
C'est ainsi que je veux être? Oui.

C'est seulement dans le climat de la pure peine que l'homme s'efforce de mériter. Là il accumule les « mérites ». Mais il est aussi permis à l'homme dans ce même climat, à partir de lui, à travers lui, d'élever le regard vers ceux du ciel [1]. Le regard vers le haut parcourt toute la distance qui nous sépare du ciel et pourtant il demeure en bas sur la terre. Le regard vers le haut mesure tout l'entre-deux du ciel et de la terre. Cet entre-deux est la mesure assignée à l'habitation de l'homme. Cette mesure diamétrale qui nous est assignée et par laquelle l'entre-deux du ciel et de la terre demeure ouvert, nous la nommons la Dimension [2]. Que le ciel et la terre soient tournés l'un vers l'autre n'est pas son origine. C'est au contraire leur face à face qui, de son côté, repose dans la Dimension. Celle-ci n'est pas non plus une extension de l'espace tel qu'on se le représente ordinairement : car, de son côté, tout ce qui est spatial, pour autant qu'il a été aménagé en espace [3], a besoin de la Dimension, c'est-à-dire de ce en quoi il est admis.

L'être de la Dimension est la mesure-et-assigna-

1. *Zu den Himmlischen*, « vers les célestes ».
2. *Die Dimension*, transcription française de *Durchmessung* (« mesure diamétrale »).
3. *Als Eingeräumtes*. Cf. p. 183, n. 3.

tion *(Zumessung)*, rendue claire et ainsi mesurable d'un bout à l'autre, de l'entre-deux : de l'essor vers le ciel comme de la descente vers la terre. Nous laissons innommé l'être de la Dimension. Suivant les paroles de Hölderlin, l'homme mesure la Dimension d'un bout à l'autre, alors qu'il se mesure à ceux du ciel. Cette mesure diamétrale n'est pas une chose que l'homme entreprenne à l'occasion, mais c'est en elle seulement que l'homme, d'une façon générale, est homme. C'est pourquoi il peut sans doute faire obstacle à cette mesure, la diminuer ou la fausser, mais il ne peut s'y soustraire. L'homme en tant qu'homme s'est toujours déjà rapporté à quelque chose de céleste et mesuré avec lui. Lucifer lui-même vient du ciel. C'est pourquoi il est dit dans les vers suivants (28 et 29) : « L'homme... se mesure avec la Divinité. » Elle est « la mesure » avec laquelle l'homme établit les mesures de son habitation, de son séjour sur la terre, sous le ciel. C'est seulement pour autant que l'homme de cette manière mesure-et-aménage [1] son habitation qu'il peut *être* à la mesure de *(gemäss)* son être. L'habitation de l'homme repose dans cette mesure aménageante qui regarde vers le haut, dans cette mesure de la Dimension où le ciel, aussi bien que la terre, a sa place.

La mesure aménageante *(Vermessung)* ne mesure pas seulement la terre, γῆ, elle n'est pas simple géo-métrie. Tout aussi peu mesure-t-elle chaque fois le ciel, οὐρανός, pour lui-même. La mesure aménageante n'est pas une science. Elle mesure toute l'étendue de cet entre-deux qui conduit l'un vers l'autre le ciel et la terre. Pareille mesure a son propre μέτρον, donc aussi sa propre métrique.

La mesure aménageante de l'être humain rapporté à la Dimension qui lui est mesurée conduit

1. *Ver-misst*, qui implique « une délimitation réciproque des domaines à l'intérieur de la Dimension » (Heid.).

l'habitation à sa structure fondamentale. La mesure aménageante de la Dimension est l'élément où l'habitation humaine trouve sa garantie *(Gewähr)*, c'est-à-dire ce par quoi elle dure *(währt)* [1]. Cette mesure est la poésie de l'habitation. Être poète, c'est mesurer. Mais que veut dire mesurer? Il est clair que, si la poésie doit être pensée comme un acte de mesure, nous ne devons pas la loger dans n'importe quelle représentation de la mesure et de son mètre.

Il est à présumer que la poésie est par excellence une mesure. Plus encore. En prononçant la phrase : Être poète, c'est *mesurer*, peut-être devons-nous l'accentuer différemment : *Être poète*, c'est là mesurer. Dans la poésie se manifeste ce qu'est toute mesure dans le fond de son être. Aussi faut-il porter notre attention sur l'acte fondamental de la mesure. Il consiste en ceci que, d'une façon générale, on commence par prendre la mesure avec laquelle il faut chaque fois mesurer. Dans la poésie nous voyons apparaître la prise de la mesure. La poésie est la prise de la mesure *(Mass-Nahme)* entendue en son sens rigoureux, prise par laquelle seulement l'homme reçoit la mesure convenant à toute l'étendue de son être. L'homme déploie son être *(west)* en tant que mortel. Il est ainsi appelé parce qu'il peut mourir [2]. Pouvoir mourir veut dire : être capable de la mort en tant que la mort. Seul l'homme meurt — il meurt continuellement, aussi longtemps qu'il séjourne sur cette terre, aussi longtemps qu'il habite. Mais son habitation réside dans la poésie. Quant à l'être de la poésie, Hölderlin le voit dans la prise de la mesure, par laquelle s'accomplit la mesure aménageante de la condition humaine.

Mais comment démontrer que Hölderlin pense

1. Cf. p. 42, n. 1, et pp. 299 et 301.
2. Cf. p. 177, n. 2, et p. 212.

l'être de la poésie comme prise de la mesure? Aucune démonstration n'est ici nécessaire. Une démonstration n'est jamais qu'une opération tentée après coup sur la base de certaines suppositions. Suivant la façon dont celles-ci sont faites, tout peut être démontré. Au contraire, il est peu de choses que nous puissions prendre en considération. Il suffit donc que nous prenions en considération la parole même du poète. Or, dans les vers qui suivent, les questions de Hölderlin portent avant tout sur la mesure. Elles ne portent à proprement parler que sur la mesure. Celle-ci est la divinité avec laquelle l'homme se mesure. Les questions commencent avec le vers 29, en ces termes : « Dieu est-il inconnu? ». Non, manifestement. Car s'il l'était, comment pourrait-il, en tant qu'Inconnu, être jamais la mesure? Toutefois — et il s'agit maintenant d'écouter et de bien retenir ceci — Dieu, au sens de celui qu'Il est, est inconnu pour Hölderlin et, s'il est pour Hölderlin la mesure, c'est précisément *en tant qu'il est cet Inconnu*. Aussi Hölderlin est-il déconcerté par la question irritante : comment ce qui reste inconnu dans son être peut-il jamais devenir une mesure? Ce avec quoi l'homme se mesure doit pourtant se communiquer, apparaître. Mais s'il apparaît, il est alors connu. Le Dieu cependant est inconnu et il est tout de même la mesure. Bien plus, ce Dieu qui demeure inconnu, il lui faut, en même temps qu'il *se* montre comme celui qu'Il est, apparaître comme celui qui demeure inconnu. Ce qui est d'abord mystérieux, ce n'est pas Dieu lui-même, c'est sa *manifestation*. C'est pourquoi le poète énonce aussitôt la question suivante : « Est-il manifeste comme le ciel? ». Hölderlin répond : « C'est là plutôt ce que je crois. »

Pourquoi, demandons-*nous* maintenant, le poète incline-t-il vers cette supposition? Ce qui suit nous répond. Réponse brève : « Telle est la mesure de l'homme. » Quelle est la mesure pouvant servir à mesurer l'homme? Dieu? non. Le ciel? non. La manifestation du ciel? non. La mesure consiste dans la façon dont le Dieu qui reste inconnu est, *en tant que tel*, manifesté par le ciel. Dieu apparaît par l'intermédiaire du ciel : et ce dévoilement fait voir ce qui se cache — non pas en tentant d'arracher à son occultation ce qui est caché, mais seulement en veillant sur lui dans cette occultation même. Ainsi, par la manifestation du ciel, le Dieu inconnu apparaît-il comme l'Inconnu. Cette apparition est la mesure avec laquelle l'homme se mesure.

Mesure étrange, troublante, semble-t-il, pour la façon dont les mortels se représentent ordinairement toutes choses, incommode pour l'opinion quotidienne, qui comprend tout à peu de frais et qui s'affirme volontiers comme la mesure-étalon de toute pensée et de toute réflexion.

Mesure étrange pour le mode de représentation courant, en particulier aussi pour tout mode de représentation simplement scientifique, en aucun cas une règle ou une toise que l'on pût prendre en main; mais en vérité mesure plus simple à manier que ces dernières, si seulement nos mains ne cherchent pas à saisir, mais sont dirigées par des gestes répondant à la mesure qu'il faut prendre ici. Ce qui a lieu dans une prise qui ne tire jamais à elle la mesure, mais qui la prend dans le recueillement d'un « percevoir » qui demeure un « entendre [1] ».

Mais pourquoi cette mesure, si étonnante pour nous autres modernes, doit-elle être accordée, être dite à l'homme, pourquoi doit-elle lui être communiquée par cette prise de la mesure qu'est l'acte

1. « Prendre » *(capere, nehmen)* conduit à « percevoir » *(percipere, vernehmen)* et *vernehmen* a souvent, comme ici, le sens d'ouïr, entendre. Ce percevoir, qui est un entendre, ou un avoir-entendu, est le νοεῖν (cf. pp. 292-294 et les notes).

poétique? Parce que seule cette mesure atteint, en le mesurant, l'être de l'homme. Car l'homme habite en mesurant d'un bout à l'autre le « sur cette terre » et le « sous le ciel ». Ce « sur » et ce « sous » sont solidaires l'un de l'autre. Leur compénétration est cette mesure diamétrale que l'homme parcourt chaque fois qu'il *est (ist)* en tant que terrestre. Hölderlin dit dans un fragment (Édit. de Stuttgart, 2, 1, p. 334) :

Toujours, ô très cher, la terre
Va et le ciel demeure.

Parce que l'homme *est* pour autant qu'il se tient dans toute la Dimension, son être doit être chaque fois mesuré. Il a besoin pour cela d'une mesure qui d'emblée atteigne la Dimension tout entière. Apercevoir cette mesure, en mesurer toute l'étendue et la prendre comme mesure, cela pour le poète s'appelle : être poète *(dichten)*. La poésie est cette prise de la mesure, à savoir pour l'habitation de l'homme. Dans le poème, en effet, aussitôt après la parole : « Telle est la mesure de l'homme », suivent les vers : « Plein de mérites, mais en poète, l'homme habite sur cette terre. »

Savons-nous maintenant ce qu'est la « poésie » pour Hölderlin? Oui et non. Oui, pour autant que nous est montré dans quelle perspective il faut penser la poésie, à savoir comme étant par excellence un acte de mesure. Non, pour autant que la poésie entendue comme l'acte par lequel cette étrange mesure atteint et mesure, devient ainsi toujours plus mystérieuse. Et sans doute faut-il aussi qu'elle le demeure, si toutefois nous sommes disposés à nous tenir ouverts dans la région essentielle de la poésie.

On est pourtant surpris que Hölderlin pense la poésie comme un acte de mesure. Et à bon droit, aussi longtemps, voulons-nous dire, que nous nous représentons la mesure de la façon qui nous est habituelle : à l'aide de choses connues, instruments gradués et nombres, on jalonne un inconnu, qui par là devient connu et est ainsi délimité par un nombre et un ordre entièrement visibles à tout moment. Cette mensuration peut varier suivant la nature des appareils qui y sont commis. Mais qui nous garantit que ce genre habituel de mensuration, simplement parce qu'il est courant, suffise à atteindre l'être de la mesure? Entendons-nous parler de mesure, nous pensons aussitôt au nombre et nous nous les représentons tous deux, la mesure et le nombre, comme quelque chose de quantitatif. Seulement l'être de la mesure est, aussi peu que l'être du nombre, un *quantum*. Nous pouvons bien calculer avec des nombres, mais non pas avec l'être du nombre. Quand Hölderlin voit la poésie comme une mesure et surtout quand il l'accomplit lui-même comme la prise de la mesure, alors, pour penser la poésie, nous devons d'abord considérer, toujours à nouveau, la mesure qui est prise lors de l'acte poétique. Nous devons faire attention au mode de cette prise, où la main ne s'avance pas pour saisir et qui, d'une façon générale, ne consiste pas en une saisie, mais où nous laissons venir ce qui nous est mesuré. Quelle est la mesure convenant à la poésie? La Divinité; Dieu, par conséquent? Qui est le Dieu? Peut-être cette question est-elle trop difficile pour l'homme et posée trop tôt. Commençons donc par demander ce qu'il faut dire de Dieu. Et d'abord une seule question : Qu'est-ce que Dieu?

Des vers de Hölderlin, heureusement conservés, nous viennent en aide : par le fond comme par la date, ils sont de ceux qui se groupent autour du poème « Dans un azur délicieux brille... ». Ils commencent ainsi (Édit. de Stuttgart, II, 1, p. 210) :

Qu'est-ce que Dieu? L'aspect du ciel,
Si riche en qualités pourtant,
Lui est inconnu. Les éclairs en effet
Sont d'un Dieu la colère. N'en est que plus invisible
Ce qui se délègue [1] *en une chose étrangère.*

Ce qui demeure étranger au Dieu, les aspects du ciel, est familier à l'homme. Qu'est-ce donc? Tout ce qui, au ciel et sous le ciel, et par conséquent sur la terre, brille et fleurit, résonne et s'exhale, monte et s'approche, mais aussi s'éloigne et tombe, mais encore se plaint et se tait, mais encore pâlit et s'assombrit. Dans ces choses qui sont familières à l'homme, mais étrangères au Dieu, l'Inconnu[2] entre, il s'y délègue, pour y être gardé et y demeurer comme l'Inconnu. Le poète cependant appelle dans la parole chantante toute la clarté des aspects du ciel, toutes les résonances de ses parcours et de ses souffles, et les ayant appelées, il les fait briller et sonner dans la parole. Mais le poète ne décrit pas seulement, s'il est poète, l'apparence du ciel et de la terre. Chantant les aspects du ciel, le poète appelle ce qui, en se dévoilant, fait apparaître justement ce qui se cache, à savoir *comme* ce qui se cache. Du sein des apparences familières, le poète appelle cette chose étrangère où l'Invisible[3] se délègue pour demeurer ce qu'il est : inconnu.

Le poète ne fait œuvre de poésie que lorsqu'il prend la mesure : lorsqu'il dit les aspects du ciel de telle sorte qu'il se plie à ses apparences, comme à cette chose étrangère où le Dieu inconnu se « délègue ». Le nom qui est courant chez nous pour l'aspect et l'apparence est l' « image » *(Bild).* L'essence de l'image est de faire voir quelque chose. Par contre les copies et les imitations sont déjà des

1. *Schicket sich*, « s'envoie ». Variante : *schiebet sich*, « se pousse »
2. *Der Unbekannte*, au masculin : le Dieu inconnu.
3. *Das Unsichtbare*, au neutre : l'Invisible dont parle Holderlin.

variétés dégénérées de la vraie image qui, comme aspect, fait voir l'Invisible et ainsi l' « imagine », le faisant entrer dans une chose qui lui est étrangère [1]. C'est parce que la poésie prend cette mesure mystérieuse, nous voulons dire la prend à l'aspect du ciel, qu'elle parle en « images ». Aussi les images poétiques sont-elles par excellence des imaginations [2] : non pas de simples fantaisies ou illusions, mais des imaginations en tant qu'inclusions visibles de l'étranger dans l'apparence du familier. Le dire poétique des images rassemble et unit en un seul verbe la clarté et les échos des phénomènes célestes, l'obscurité et le silence de l'étranger. Par de tels aspects le Dieu étonne. Dans et par l'étonnement, il manifeste sa continuelle proximité. C'est pourquoi dans le poème, après les vers : « Plein de mérites, mais en poète, l'homme habite sur cette terre », Hölderlin peut poursuivre :

... Mais l'ombre de la nuit
Avec les étoiles, si je puis parler ainsi,
N'est pas plus pure que l'homme,
Cette image, dit-on, de la Divinité.

« ...l'ombre de la nuit » — c'est la nuit elle-même qui est l'ombre, cette obscurité qui ne peut jamais devenir pure ténèbre, parce que comme ombre elle reste confiée à la lumière, projetée par elle. La mesure que prend la poésie se délègue — en tant qu'elle est cette chose étrangère où l'Invisible [3] ménage son propre être — la mesure se délègue dans cette chose familière que sont les aspects du ciel. C'est pourquoi la nature essentielle de la mesure est celle même du ciel. Mais le ciel n'est pas pure

1. Et qui est l'image elle-même. L'image « imagine » *(einbildet)* l'Invisible, c'est-à-dire le revêt d'une forme *(ein-bildet)*.
2. *Ein-Bildungen*, des enveloppements dans une image.
3. *Der Unsichtbare*, au masculin.

lumière. L'éclat de sa hauteur est en soi l'obscurité de son ampleur où toutes choses sont abritées. Le bleu de l'azur délicieux du ciel est la couleur de la profondeur. L'éclat du ciel est le lever et le coucher du crépuscule qui enveloppe tout ce que l'on peut faire connaître. C'est ce ciel qui est la mesure. C'est pourquoi le poète se sent tenu de demander :

Est-il sur terre une mesure?

Et il ne peut que répondre : « Il n'en est aucune. » Pourquoi? Pour cette raison : ce que veulent dire les mots « sur la terre » ne subsiste que pour autant que l'homme habite la terre et, en habitant, laisse la terre être comme terre.

Mais habiter n'a lieu que lorsque la poésie apparaît *(sich ereignet)* et déploie son être, à savoir de la manière que nous pressentons maintenant : comme la prise de la mesure pour toute mensuration. Elle est elle-même la mesure aménageante proprement dite, non pas un simple mesurage au moyen de règles graduées pour des plans à établir. Aussi la poésie n'est-elle pas non plus un bâtir *(Bauen)*, si par bâtir on entend : construire des bâtiments et les munir d'installations. Mais la poésie, en tant qu'elle mesure, et ainsi atteint véritablement la Dimension de l'habitation, est l' « habiter » *(Bauen)* initial. C'est la poésie qui, en tout premier lieu, amène l'habitation de l'homme à son être. La poésie est le « faire habiter » originel.

La phrase : L'homme habite en tant qu'il « bâtit » *(baut)* a maintenant reçu son sens véritable. L'homme n'habite pas en tant qu'il se borne à organiser son séjour sur la terre, sous le ciel, à entourer de soins, comme paysan *(Bauer)*, les choses qui croissent et en même temps à construire des édifices. L'homme ne peut bâtir ainsi que s'il habite *(baut)* déjà au sens de la prise de la mesure par le poète. Le vrai habiter *(Bauen)* a lieu là où sont des poètes : où sont des hommes qui prennent la mesure pour l'architectonique, pour la structure de l'habitation.

Le 12 mars 1804, Hölderlin écrit de Nürtingen à son ami Leo von Seckendorf : « La fable, vue poétique de l'histoire et architectonique du ciel, est en ce moment ma principale occupation, surtout la nationale [1], pour autant qu'elle diffère de la grecque. » (Édit. Hellingrath, V², p. 333.)

...l'homme habite en poète...

La poésie édifie l'être de l'habitation. Il n'est pas seulement vrai que poésie et habitation ne s'excluent pas. Disons plutôt qu'elles sont solidaires et qu'elles s'appellent l'une l'autre tour à tour. « L'homme habite en poète. » Et *nous*, habitons-nous en poètes? Nous habitons vraisemblablement sans la moindre poésie. S'il en est ainsi, la parole du poète n'est-elle pas convaincue d'erreur? n'est-elle pas fausse? Non : la vérité de sa parole est confirmée de la façon la moins rassurante qui soit. Car une habitation ne peut être non-poétique que si l'habitation dans son être est poétique. Pour qu'un homme puisse être aveugle, il faut que normalement, d'après son être, il voie. Un morceau de bois ne peut jamais devenir aveugle. Mais quand l'homme devient aveugle, on peut encore se demander si dans son cas la cécité provient d'un manque et d'une perte ou si elle est due à une surabondance et à un excès. Hölderlin dit, dans la même poésie où il médite sur la mesure pour toute mensuration (vers 75-76) : « Le roi Œdipe a peut-être un œil de trop. » Il se pourrait donc que notre habitation sans poésie, son impuissance à prendre la mesure,

1. La germanique.

provinssent d'un étrange excès, d'une fureur de mesure et de calcul.

Habitons-nous, et comment, en mode non-poétique? Nous ne pouvons, dans chaque cas, l'apprendre par expérience que si nous savons ce qu'est la poésie. Un renversement de cette façon non-poétique d'habiter nous atteindra-t-il et quand? Nous ne pouvons l'espérer que si nous ne perdons pas de vue ce qui est poétique. Comment et dans quelle mesure notre faire et notre non-faire peuvent-ils avoir une part à ce renversement? Nous seuls le montrerons nous-mêmes lorsque nous comprendrons l'importance de la poésie.

La poésie est la puissance fondamentale de l'habitation humaine. Mais à aucun moment l'homme ne peut *(vermag)* être poète, si ce n'est dans la mesure où son être est transproprié à ce qui soi-même aime *(mag)* l'homme et, pour cette raison, main-tient *(braucht)* son être. Suivant la mesure de cette transpropriation, la poésie est véritable ou non.

C'est pourquoi la poésie véritable ne se manifeste pas non plus à toute époque. Quand et pendant combien de temps la poésie véritable est-elle avec nous? Hölderlin nous le dit dans les vers que nous avons déjà lus (vers 26-29). C'est à dessein que nous avons différé jusqu'à présent de les expliquer. Écoutons-les à nouveau :

Aussi longtemps qu'au cœur
L'amitié, la pure amitié dure encore, l'homme
N'est pas mal avisé, s'il se mesure
Avec la Divinité...

« L'amitié » — qu'est-ce? Le mot est inoffensif, mais Hölderlin lui adjoint une épithète, « la pure ». « L'amitié » *(die Freundlichkeit)* — ce mot, si nous le prenons à la lettre, est l'admirable traduction que nous propose Hölderlin pour le mot grec χάρις. Dans *Ajax* (v. 522), Sophocle dit de la χάρις :

χάρις χάριν γάρ ἐστιν ἡ τίκτουσ' ἀεί.
Car ce sont les bonnes grâces qui toujours appellent
[les bonnes grâces.

« Aussi longtemps qu'au cœur l'amitié, la pure amitié, dure encore... ». Hölderlin dit « au cœur », tournure qu'il emploie volontiers, et non « dans le cœur »; « au cœur » veut dire : arrivé jusqu'à l'être de l'homme, à cet être qui habite, arrivé comme un appel de la mesure au cœur, de telle façon que le cœur se tourne vers la mesure.

Aussi longtemps que dure cette venue des bonnes grâces, aussi longtemps est-ce avec bonheur que l'homme se mesure avec la Divinité. Quand une pareille mesure a lieu, l'homme est poète à partir de l'être même de la poésie. Quand la poésie apparaît, alors l'homme habite sur terre en homme, alors, comme le dit Hölderlin dans son dernier poème, « la vie des hommes » est une « vie habitante ». (Édit. de Stuttgart, II, 1, p. 312.)

Vue au-dehors.
Quand la vie habitante des hommes s'en va au loin,
Là où la saison brillante des vignes s'étend dans le
[lointain,
Et bien qu'y soient aussi les champs vides de l'été,
La forêt apparaît dans son spectacle sombre.
Que la nature complète le tableau des saisons,
Qu'elle demeure, alors que celles-ci passent vite,
Vient de la perfection, la hauteur du ciel brille alors
Pour les hommes, qu'elle couronne comme une florai-
[son [1].

1. Ce tableau nous paraît évoquer le paysage du littoral gascon, qui à son tour, avec ses champs tôt moissonnés, son immuable forêt de pins et son ciel très dégagé, aide à le comprendre.

III

LOGOS

(Héraclite, fragment 50).

Il est long, le chemin le plus nécessaire à notre pensée. Il conduit vers ce Simple qui demeure ce qu'il faut penser sous le nom de λόγος. Peu de signes encore sont là pour nous montrer le chemin.

Dans la présente étude, par une méditation libre se laissant conduire au fil d'une parole d'Héraclite (B 50), nous essayons de faire quelques pas sur le chemin. Peut-être nous rapprocheront-ils du point où du moins cette parole unique nous parle d'une façon qui appelle davantage l'interrogation :

οὐκ ἐμοῦ ἀλλὰ τοῦ Λόγου ἀκούσαντας
ὁμολογεῖν σοφόν ἐστιν Ἓν Πάντα.

Voici l'une des traductions, qui dans l'ensemble concordent entre elles :

Si ce n'est pas moi, mais le Sens, que vous avez en-
[tendu,
il est sage alors de dire dans le même sens : Tout est
[Un.

(Snell)

La sentence parle d'ἀκούειν, entendre et avoir entendu, d'ὁμολογεῖν, dire la même chose, du Λόγος, la parole et la chose dite, d'ἐγώ, le penseur lui-même, à savoir en tant que λέγων, parlant. Héraclite considère ici un entendre et un dire. Il énonce ce que dit le Λόγος : Ἓν Πάντα, Un est tout. La sentence d'Héraclite semble être à tous égards intelligible. Pourtant tout reste ici lourd de questions. Ce qui est le plus lourd de questions, c'est ce qui paraît le plus évident, à savoir la supposition dont nous sommes partis : qu'à notre entendement de tous les jours, à nous les tard-venus, ce que dit Héraclite doive apparaître immédiatement. Prétention qui, même pour les contemporains d'Héraclite et ses compagnons de chemin, allait sans doute au delà du possible.

Peut-être en attendant répondrions-nous mieux à sa pensée en accordant la persistance de quelques énigmes, énigmes qui d'ailleurs ne sont pas là seulement pour nous, qui déjà chez les anciens n'étaient pas là seulement pour eux, mais qui résident dans la chose pensée elle-même. Nous nous rapprocherons plutôt d'elles en prenant du recul devant elles. Alors nous apparaît que, pour voir l'énigme comme énigme, il faut avant tout que soit éclairci ce que veut dire λόγος, ce que veut dire λέγειν.

Depuis l'antiquité le Λόγος d'Héraclite a été interprété de façons différentes : comme *ratio*, comme *verbum*, comme loi du monde, comme ce qui est « logique » et comme la nécessité de la pensée, comme le sens, comme la raison. Sans cesse retentit un appel à la raison comme à la mesure et à la règle du faire et du non-faire. Mais que peut la raison lorsqu'elle se rencontre avec l'irraison et la déraison, toutes trois installées à demeure sur le plan de cette même négligence qui oublie de réfléchir à la provenance de l'être de la raison et de s'engager dans le chemin de sa venue vers nous? Qu'attendre de la logique, de la λογική (ἐπιστήμη) de toute espèce, si nous omettons toujours de faire attention au Λόγος et de suivre son être initial?

Ce qu'est le λόγος, nous le trouvons dans le

λέγειν. Que veut dire λέγειν? Quiconque sait un peu de grec n'ignore pas que λέγειν signifie « dire » et « parler ». Λόγος est à la fois λέγειν, « énoncer », et λεγόμενον, « ce qui est énoncé ».

Comment nier que dès les débuts de la langue grecque λέγειν ait signifié parler, dire, raconter? Seulement, à une époque non moins ancienne et d'une façon plus originelle — donc toujours, donc intérieurement aussi à cette signification — le mot λέγειν a déjà le sens de notre homonyme *legen* [1] : poser, étendre devant. Ce qui domine ici, c'est le fait de rassembler, c'est le *legere* latin rendu par l'allemand *lesen* au sens d'aller prendre et de réunir. Λέγειν veut dire proprement : poser et présenter après s'être recueilli et avoir recueilli d'autres choses. La forme moyenne λέγεσθαι signifie : s'allonger dans le recueillement du repos; λέχος est la couche où l'on repose; λόχος est l'embuscade, où quelque chose est caché et en position d'attaque. (Resterait encore à considérer le vieux mot ἀλέγω (α *copulativum*) qui est sorti de l'usage après Eschyle et Pindare : quelque chose me tient à cœur [2], me donne du souci.)

Toutefois, il demeure indéniable que, d'un autre côté λέγειν a aussi le sens, qui est même prépondérant sinon exclusif, de dire et de parler. Nous faut-il pour autant ignorer le sens propre de λέγειν, étendre, coucher, en faveur de cette signification courante et prépondérante, qui se diversifie encore

1. Coucher, étendre, allonger. Cf. les équivalences suivantes :

Grec	*Latin*	*Français*	*Allemand*
λέγειν		coucher	*legen*
λεγειν	*legere*	cueillir, recueillir	*lesen*
λέγειν	*legere*	lire	*lesen*
λεγειν		dire	*sagen*

2. *Mir* liegt *etwas* an. — Dans le rapprochement de l'allemand *an-liegen* et du grec ἀλέγω se retrouve le parallélisme de *legen* (causatif de *liegen*) et de λέγειν.

de façons multiples? Pouvons-nous même nous le permettre? L'heure n'est-elle pas enfin venue de nous engager dans une question qui probablement décidera de beaucoup de choses? Cette question est la suivante :

Comment λέγειν, dont le sens propre est étendre, en arrive-t-il à signifier dire et parler?

Afin de trouver un point où appuyer une réponse, réfléchissons à ce qu'il y a effectivement au fond de λέγειν au sens d'étendre. Étendre *(legen)* veut dire : mettre en position couchée. En même temps *legen* signifie : rassembler, réunir. *Legen* est synonyme de *lesen* [1]. Le *lesen* que nous connaissons le mieux, le *lesen* au sens de lire, demeure, bien que passée au premier plan, une variété du *lesen* au sens de rassembler et étendre-devant. Qui glane *(Aehren-lese)* ramasse les épis à terre. Qui vendange *(Trauben-lese)* enlève les grappes des ceps. On ramasse ou l'on enlève et en même temps on emporte tout ensemble. Aussi longtemps que nous nous en tenons aux apparences habituelles, nous inclinons à considérer ce rassemblement comme étant déjà la récolte ou même comme étant son achèvement. Mais récolter est plus que mettre simplement en tas. Récolter implique qu'on va chercher les choses et qu'on les rentre. Là domine la mise à l'abri et en celle-ci domine à son tour le souci de conserver. Ce « plus », par quoi la récolte dépasse la simple rafle, n'est pas un acte supplémentaire. Encore moins est-il le dernier acte, la conclusion de la récolte. La conservation qui rentre les choses a déjà pris en main le début des actes de la récolte, elle les régit tous dans leur enchevêtrement et leur succession. Si nous ne voyons rien d'autre que le déroulement de ces actes, alors après le ramassage et l'enlèvement vient le rassemblement, puis la rentrée, puis la mise à

1. Qui veut dire à la fois, comme le *legere* latin : choisir, cueillir, rassembler — et lire.

l'abri dans la resserre ou le grenier. Ainsi s'affirme l'apparence que la conversation et la préservation ne font pas partie de la récolte. Mais que devient une récolte qui n'est pas tractée *(gezogen)* et en même temps portée par le trait *(Zug)* fondamental de la mise à l'abri? La mise à l'abri a la première place dans la structure essentielle de la récolte.

La mise à l'abri, cependant, ne met pas à l'abri n'importe quoi, ce qui se présente n'importe où et n'importe quand. La récolte *(Lese)*, ce rassemblement qui à proprement parler commence avec l'intention de mettre à l'abri, est en soi et d'avance une sélection de ce qui a besoin d'un abri. A son tour la sélection *(Auslese)* est déterminée par ce qui, parmi tout ce qui s'offre à son choix, apparaît comme la chose élue. Ce qui, dans la structure essentielle de la récolte vient en tout premier rang en face de la mise à l'abri est l'élection *(Erlesen)* (alémanique : *Vor-lese*, « choix préalable »), à laquelle vient s'articuler la sélection, qui se subordonne tout le travail par lequel on rassemble, rentre et met à l'abri.

L'ordre dans lequel se suivent les étapes du travail qui rassemble n'est pas le même que l'ordre des traits *(Züge)* atteignants et portants en lesquels réside l'être de la récolte.

Toute récolte requiert, en même temps, que ceux qui récoltent se rassemblent, unissent leur travail sous le signe de la mise à l'abri et, ainsi recueillis [1], alors seulement recueillent. La récolte exige, d'elle-même et pour elle-même, ce recueillement. Dans la récolte recueillie s'affirme un rassemblement originel.

1. Les travailleurs de la récolte se réunissent *(sammeln sich)*. L'homme qui parle se recueille *(sammelt sich)*. Recueillement et sélection conduisent à la « récolte », qui est mise à l'abri dans la parole.

Toutefois la récolte ainsi pensée ne se tient d'aucune manière aux côtés de l' « étendre ». Elle ne se borne pas non plus à l'accompagner. Au contraire, la récolte est déjà logée au fond de l'étendre. Cueillir, c'est toujours déjà étendre. Étendre, de soi-même, est toujours cueillir. Que veut dire en effet étendre? Étendre, c'est faire que des choses soient allongées, en les laissant être-étendues-devant les unes près des autres. Nous ne sommes que trop enclins à comprendre « laisser » au sens de « laisser aller », « laisser courir ». Étendre, poser en longueur, laisser étendu, signifierait alors : ne plus se soucier de ce qui a été déposé et qui gît devant nous, y passer outre. Seulement, λέγειν, *legen*, en tant que « laisser-étendu-ensemble-devant », veut dire précisément que nous avons à cœur ce qui est étendu devant nous, donc qu'il nous concerne. A l'étendre *(legen)* en tant que « laisser-étendu-ensemble-devant », il importe de conserver la chose déposée, comme chose étendue devant lui. (En dialecte alémanique *legi* désigne le barrage qui est déjà étendu dans la rivière au-devant de la poussée de l'eau.)

L'étendre qu'il nous faut maintenant penser, le λέγειν, a renoncé d'avance à la prétention, s'il l'a même jamais connue, d'avoir placé lui-même la chose étendue-devant dans la position qu'elle occupe. Ce qui importe à l'étendre en tant que λέγειν, c'est seulement de laisser ce qui de soi-même est étendu ensemble devant lui, de le laisser, disons-nous, comme tel sous cette garde sous laquelle il a été placé et demeure. Quelle est cette garde? Ce qui gît-ensemble-devant est introduit dans la non-occultation, il y est mis de côté, étendu, mis en réserve[1], c'est-à-dire à l'abri. Ce que le λέγειν a à cœur alors qu'il laisse être-étendu-

1. *Das beisammen-vor-Liegende ist in die Unverborgenheit ein-, in sie weg-, in sie hingelegt, in sie hinter-legt.*

ensemble-devant, c'est que ce qui est devant nous soit ainsi à l'abri dans le non-caché. Le κεῖσθαι, le fait pour ce qui est ainsi mis en réserve, pour l'ὑποκείμενον, d' « être-étendu-pour-soi-devant » [1], n'est rien de moindre, ni rien de plus élevé, que la *présence*, dans la non-occultation, de ce qui est étendu-devant. Dans ce λέγειν de l'ὑποκείμενον reste inclus le λέγειν en tant que recueillir, rassembler. Le λέγειν, entendu comme ce qui laisse les choses réunies et étendues devant lui, a seulement à cœur, disions-nous, que les choses ainsi étendues soient à l'abri dans la non-occultation : c'est pourquoi le recueillir qui appartient à un tel « étendre » est déterminé d'avance à partir de la préservation.

Λέγειν, c'est étendre. Étendre est l'acte, recueilli en lui-même, qui laisse étendu-devant ce qui est ensemble présent.

Il s'agit de savoir comment λέγειν, dont le sens propre est étendre, en arrive à signifier dire et parler. Les réflexions qui précèdent contiennent déjà la réponse. Car elles nous obligent à considérer que, d'une façon générale, nous ne pouvons plus questionner comme nous avons essayé de le faire. Pourquoi pas? Parce que, dans ce que nous avons pris en considération, il ne s'agit nullement du fait que le mot λέγειν est passé de la signification « étendre » à la signification « dire ».

Ce qui, dans ce qui précède, nous a occupés n'est pas le changement de sens de certains mots. Nous nous sommes bien plutôt heurtés à un événement dont l'aspect inquiétant se cache encore dans sa simplicité, laquelle jusqu'à présent n'a pas attiré l'attention.

Le dire et le discourir des mortels ont lieu dès leurs débuts comme λέγειν, comme « étendre ».

1. *Für-sich-Vorliegen.* « Pour soi », parce que κεῖσθαι est une forme moyenne.

Dire et discourir, si on les prend dans leur être, reviennent à laisser être-étendu-ensemble-devant tout ce qui, étant situé dans la non-occultation, est présent. De bonne heure et d'une façon qui régit tout le domaine du non-caché, le λέγειν originel, l'étendre, se déploie comme dire et discourir. Le λέγειν, au sens d'étendre, se laisse dominer par ce mode prédominant de lui-même. Mais il le fait seulement pour confier ainsi, dès le début, l'être du dire et du discourir à la puissance supérieure de l'étendre proprement dit.

C'est dans le λέγειν, au sens d'étendre que l'être du dire et du discourir vient s'articuler : ceci nous ouvre un aperçu sur la décision la plus proche des origines et la plus riche touchant l'être du langage. D'où vient cette décision? La question est aussi grave, et probablement la même, que cette autre : Quelle est la portée de cette empreinte que l'être du langage a reçue de l'étendre? Elle va aussi loin que puisse aller l'origine possible de l'être du langage. Car en tant qu'il rassemble et en même temps laisse étendu devant nous, le dire reçoit son mode d'être de la non-occultation de ce qui est ensemble étendu devant lui. Mais le dévoilement du caché, son passage dans le non-caché, c'est la présence même de la chose présente, c'est là ce que nous nommons l'être *(Sein)* de l'étant. Ainsi ce parler de la langue qui a son être dans le λέγειν au sens d'étendre ne se détermine ni à partir du son émis (φωνή) ni à partir de la signification (σημαίνειν). Depuis longtemps l'expression et la signification passent pour être les phénomènes qui nous offrent incontestablement des traits du langage. Mais elles ne nous conduisent pas spécialement dans le domaine de l'empreinte essentielle reçue à son origine par le langage; et, d'une façon générale, elles sont impuissantes à déterminer ce domaine dans ses traits principaux. De bonne heure et sans prévenir, comme si rien ne s'était passé, le dire exerce sa puissance comme étendre *(legen)*; et parler, en conséquence, apparaît comme λέγειν. Or, ce fait a eu une étrange conséquence. La pensée humaine n'a jamais montré de surprise au sujet de cet état de choses *(Ereignis)* et elle n'y a pas davantage perçu un secret dissimulant un destin essentiel, un envoi de l'être à l'homme, et le réservant peut-être pour ce moment du destin où l'homme n'est pas seulement ébranlé dans son état et sa position, mais où son être même tremble et chancelle.

Dire, c'est λέγειν. Bien considérée, cette phrase a maintenant dépouillé tout ce qui peut s'y attacher de banal, d'usé et de vide. Elle donne un nom à ce secret impensable : le parler du langage se produit à partir de la non-occultation des choses présentes et se détermine comme le laisser-étendu-ensemble-devant, conformément au fait que la chose présente est étendue devant nous. La pensée apprendra-t-elle enfin à pressentir quelque chose de ce que cela veut dire, qu'Aristote ait encore pu définir le λέγειν comme ἀποφαίνεσθαι? Le λόγος amène ce qui apparaît, ce qui se pro-duit et s'étend devant nous, à se montrer de lui-même, à se faire voir en lumière (cf. *Sein und Zeit*, § 7 B).

Dire, c'est l'acte recueilli qui rassemble et qui laisse les choses étendues les unes près des autres. S'il en est ainsi du parler dans son être, qu'est alors l'entendre? En tant que λέγειν, le parler ne se détermine pas à partir du son qui exprimerait le sens. Si donc le dire n'est pas déterminé à partir du son émis, alors l'entendre qui lui correspond ne peut pas non plus consister en premier lieu en ceci qu'une voix frappant l'oreille est alors captée, que des sons affectant notre ouïe sont transmis plus loin. Si notre entendre était avant tout pareille saisie et transmission de sons, s'il n'était jamais que cela, à quoi d'autres processus viendraient ensuite s'ajouter, alors il serait vrai que le message sonore entrerait en nous par une oreille pour en ressortir par l'autre. C'est bien ce qui arrive quand nous ne sommes pas recueillis sur ce qui nous est dit. Mais ce qu'on nous dit est lui-même la chose étendue-devant et présentée après recueillement. Entendre est proprement ce recueillement, concentré sur la parole qui nous est adressée, qui nous est dite. Entendre est avant tout se recueillir et écouter. Peut entendre celui qui peut écouter [1]. Nous écoutons quand nous sommes tout oreilles. Mais l' « oreille » n'est pas l'appareil du sens auditif. Les oreilles que connaissent l'anatomie et la physiologie ne produisent jamais, comme organes des sens, une audition, pas même lorsque nous restreignons celle-ci à n'être qu'une perception de bruits, de sons ou de notes musicales. Une telle perception ne peut être, ni constatée anatomiquement, ni prouvée physiologiquement, ni, d'une façon générale, saisie biologiquement comme un processus se déroulant à l'intérieur de l'organisme, bien que la perception ne puisse être et vivre sans un corps. Ainsi donc, aussi longtemps que, considérant à la façon des sciences le fait d'entendre, nous partons des phénomènes acoustiques, tout est placé la tête en bas. Nous nous figurons à tort que l'action des organes corporels de l'ouïe constitue proprement l'audition. Et, dans l'entendre au sens d'écouter et de suivre la pensée [2], nous ne pouvons plus voir qu'une transposition de cette audition proprement dite sur le plan spirituel. Dans le domaine de la recherche scientifique, on peut établir beaucoup de choses utiles. On peut montrer que des oscillations de la pression de l'air douées d'une fréquence donnée

1. *Im Horchsamen west das Gehör.* (« L'ouïe a son être dans l'écouteur. »)
2. *Das Hören im Sinne des Horchsamen und des Gehorsams.*

sont éprouvées comme sons. En partant de constatations de ce genre touchant l'ouïe, on peut organiser une recherche dont finalement les spécialistes de la physiologie des sens sont seuls à avoir une vue complète.

Peut-être, au contraire, y a-t-il peu de chose à dire au sujet du véritable entendre; mais, il est vrai, ce peu concerne tout homme directement. Il ne s'agit plus ici de recherche, mais d'une méditation qui s'efforce de considérer une chose simple. Ainsi, que l'homme puisse entendre de travers, du fait qu'il n'entend pas l'essentiel : ce mal-entendre possible fait partie justement du véritable entendre. Si les oreilles ne sont pas immédiatement requises par le véritable entendre au sens de pouvoir écouter, alors la situation respective de l'entendre et des oreilles est à tous égards particulière. Nous n'entendons pas parce que nous avons des oreilles. Nous avons des oreilles, nous pouvons être dotés d'oreilles corporelles, parce que nous entendons. Les mortels entendent le tonnerre du ciel, le vent dans la forêt, le clapotis de la fontaine, les accords de la harpe, le grondement des moteurs, les bruits et rumeurs de la ville; mais toutes ces choses, les mortels ne les entendent *(hören)* que, et dans la mesure où, de quelque manière, eux-mêmes en font déjà partie *(zugehören)* et n'en font pas partie.

Nous sommes tout oreilles quand notre recueillement se transporte, pur, dans notre pouvoir d'écouter, quand il a complètement oublié les oreilles et la simple impression des sons. Aussi longtemps que nous écoutons seulement des mots comme l'expression de quelqu'un qui parle, nous n'écoutons pas encore, nous n'écoutons absolument pas. Jamais non plus nous n'arrivons ainsi à avoir vraiment entendu quelque chose. Quand donc avons-nous entendu? Nous avons entendu, quand nous *faisons partie* de ce qui nous est dit [1]. Dire la chose dite est λέγειν, laisser-étendu-ensemble-devant. Faire partie de ce dire n'est rien d'autre que : ce qu'un « laisser-étendu-devant » présente ensemble, le laisser étendu ensemble dans sa totalité. Un tel « laisser-étendu » pose *(legt)* ce qui est étendu-devant comme un « étendu-devant ». Il pose celui-ci comme ce que celui-ci est lui-même. Il pose un et le même dans un. Il pose un comme étant le même. Un pareil λέγειν pose un et le même, l'ὁμόν. Un pareil λέγειν est l'ὁμολογεῖν : un comme même, étendu-devant, le laisser étendu-devant, recueilli dans le « même » de son « être-étendu-devant ».

C'est dans le λέγειν au sens d'ὁμολογεῖν que le véritable entendre déploie son être. Cet entendre est ainsi un λέγειν qui laisse étendu-devant ce qui est déjà ensemble-étendu-devant et qui l'est en vertu d'une pose *(Legen)* qui concerne tout ce qui de soi-même est étendu-ensemble-devant, en tant qu'il est étendu. Cette pose par excellence est le λέγειν, ce comme quoi le Λόγος se manifeste.

C'est ainsi que le Λόγος est appelé simplement : ὁ Λόγος, l'étendre, la pose : le pur fait de laisser-ensemble-étendu-devant ce qui, de soi-même, est étendu-devant : de le laisser ainsi dans sa position. Ainsi le Λόγος déploie-t-il son être comme le pur fait de recueillir, de rassembler et d'étendre. Le Λόγος est le rassemblement originel du recueillement *(Lese)* initial à partir de la pose *(Lege)* initiale. Ὁ Λόγος est : la Pose recueillante *(die lesende Lege)*, et rien d'autre.

Seulement tout ceci est-il plus qu'une interprétation arbitraire, une traduction par trop bizarre au regard de la clarté à laquelle nous sommes habi-

1. *Wir haben gehört, wenn wir dem Zugesprochenen* gehören. « Nous avons entendu » : Heidegger emploie le « passé présent » qui est à sa place avec un verbe de connaissance. Cf. plus loin. p. 262 , n. 1 et 4, p. 263, n. 1, et p. 296, n. 1.

tués lorsque nous pensons connaître le Λόγος comme sens et comme raison? Dire que le Λόγος est la Pose recueillante, voilà qui sonne étrangement tout d'abord et qui peut-être conserve encore longtemps son étrangeté. Et comment juger si l'être du Λόγος, tel qu'il est présumé dans cette traduction, s'accorde, ne fût-ce que de très loin, avec ce qu'Héraclite a pensé et désigné par le mot ὁ Λόγος?

Le seul moyen d'en décider est de considérer ce que Héraclite dit lui-même dans la sentence en question. Elle commence par : οὐκ ἐμοῦ... Elle commence par un « ne... pas... » qui écarte durement. Ce « ne... pas... » écarte celui qui parle, le discoureur, Héraclite lui-même. Il concerne l'entendre des mortels. « Ce n'est pas moi », c'est-à-dire celui qui vous parle, ce n'est pas le verbe sonore de son discours, que vous devez écouter. Au sens propre du terme, vous n'écoutez nullement, aussi longtemps que vos oreilles sont simplement suspendues aux sonorités et au flux d'une voix humaine pour y saisir au vol une façon de parler qui vous convienne. Dans la sentence, Héraclite commence par rejeter une audition qui ne serait que pour le plaisir des oreilles. Mais ce rejet s'appuie sur une indication qui nous oriente vers le véritable entendre.

Οὐκ ἐμοῦ ἀλλὰ..., « ce n'est moi que vous devez écouter (fixer de votre attention, comme on fixe du regard), mais... ». L'entendre mortel doit se tourner vers autre chose. Vers quoi? ἀλλὰ τοῦ Λόγου. Le mode de l'entendre véritable se détermine à partir du Λόγος. Mais, pour autant que le Λόγος est nommé purement et simplement, il ne peut pas être une chose quelconque parmi les autres. L'entendre qui *lui* est conforme ne peut donc pas non plus aller vers lui à l'occasion, pour l'ignorer ensuite à nouveau. Si les mortels veulent vraiment entendre, il faut qu'ils aient déjà entendu [1] le Λόγος avec un entendre *(Gehör)* qui ne signifie rien de moins qu'appartenir *(gehören)* au Λόγος.

Οὐκ ἐμοῦ ἀλλὰ τοῦ Λόγου ἀκούσαντας : « Si vous ne m'avez pas seulement prêté l'oreille (à moi qui vous parle), mais si vous vous tenez dans une appartenance capable d'écouter, alors le véritable entendre est. »

Et qu'est-ce qui est alors, quand il est? Alors ὁμολογεῖν est, lequel ne peut être ce qu'il est, si ce n'est comme un λέγειν. Entendre, au sens propre, appartient au Λόγος. C'est pourquoi cet entendre est lui-même un λέγειν. Comme tel, le véritable entendre des mortels est en quelque sorte la même chose que le Λόγος. Et pourtant, comme ὁμολογεῖν justement, il n'est absolument pas la même chose que lui. Il n'est pas lui-même le Λόγος lui-même. L' ὁμολογεῖν au contraire demeure un λέγειν qui ne fait jamais rien de plus que d'étendre, de laisser étendu ce qui déjà comme ὁμον, comme ensemble [2], est étendu ensemble devant et dont le fait d'être étendu ne découle jamais de l'ὁμολογεῖν, mais réside dans la Pose recueillante, dans le Λόγος.

Mais qu'est-ce qui est alors, quand l'entendre véritable est comme ὁμολογεῖν ? Héraclite dit : σοφόν ἐστιν. Quand ὁμολογεῖν a lieu, alors σοφόν apparaît, σοφόν est. Nous lisons : σοφὸν ἔστιν [3]. On traduit exactement σοφόν par « sage ». Mais que veut dire « sage »? Le mot renvoie-t-il au savoir des anciens sages? Que savons-nous d'un pareil savoir? S'il demeure un « avoir-vu » [4], dont le « voir » n'est pas celui des yeux du corps, aussi

1. Cf. p. 260, n. 1, et p. 263, n. 1.
2. *Als* ὁμόν, *als Gesamt.* — Allusion probable à la parenté des deux mots, ὁμός étant pour σόμος.
3. « Quelque chose de sage est », alors que le texte reproduit page 249 porte σοφόν ἐστιν, « il est sage de... ».
4. *Gesehenhaben,* qui traduit εἰδέναι.

peu que l'« avoir-entendu »[1] est un entendre des organes de l'ouïe, alors vraisemblablement avoir-entendu et avoir-vu sont identiques. Ces termes ne désignent pas une simple saisie, mais bien une façon de se tenir[2]. Mais laquelle? Celle qui se tient dans le séjour des mortels. Ce dernier se tient à ce que chaque fois la Pose recueillante laisse étendu-devant en fait de choses étendues-devant. Ainsi σοφόν désigne-t-il ce qui peut se tenir à ce qui lui est assigné, s'en accommoder, se mettre en train (en chemin) pour lui[3]. C'est en tant que conforme au destin que le comportement est bien disposé[4]. Quand nous voulons dire que quelqu'un est particulièrement adroit *(geschickt)* en une chose, nous employons encore les tournures dialectales : il a le chic pour cela, il s'en tire avec chic[5]. C'est ainsi plutôt que nous atteignons le sens propre de σοφόν, que nous rendons par « bien disposé »[6]. Mais dès le début « bien disposé » dit plus que « dispensé » *(geschickt)*. Si le véritable entendre *est* comme ὁμολογεῖν, alors se produit quelque chose de bien disposé, alors le λέγειν mortel se plie au Λόγος. Alors il a à cœur la Pose recueillante. Alors le λέγειν se plie à ce qui convient[7] et qui repose

1. Cf. pp. 260, 262 et 296.
2. *Ein Verhalten*, un comportement.
3. *...in es sich schicken, für es sich schicken (auf den Weg machen) kann.* — Heidegger va jouer sur toutes les cordes du verbe *schicken*, qui veut dire « disposer », « ordonner », d'où « préparer » (pour un voyage) et enfin « envoyer », qui est le sens moderne courant.
4. *Als ein schickliches wird das Verhalten geschickt.* — Et aussi : « C'est comme docile au Destin que le comportement est envoyé par lui. » Le Destin *(Geschick)* est inséparablement disposition et dispensation, rassemblement et attribution. Cf. plus loin pp. 304-305.
5. Où « chic » *(Geschick, Schick)* évoque la bonne disposition, l'aptitude innée, le don naturel, le destin.
6. *Geschicklich* : « à la fois docile au destin *(schicklich)* et dispensé par lui *(geschickt)* : dispensé *(geschickt)* à partir de la Bonne Disposition *(Schicklichkeit)* » (Heid.). La bonne disposition est réciproque. Il n'y a de raideur ni du côté du Logos ni du côté du σοφόν.
7. « Ce qui convient » *(das Schickliche)* est ce qui con-vient : ce qui, rassemblé et envoyé aux mortels par le Logos, prend pour eux l'aspect du destin.

dans le rassemblement opéré par le pro-poser [1] qui recueille à l'origine : c'est-à-dire qui repose en ce que la Pose recueillante a disposé. C'est ainsi que quelque chose de bien disposé est, quand les mortels accomplissent le véritable entendre. Mais σοφόν, bien disposé, n'est pas τὸ Σοφόν, la bonne Disposition *(das Geschickliche)*, ainsi appelée parce qu'elle rassemble en elle toute dispensation, y compris précisément celle qui envoie dans la bonne disposition du comportement mortel. Ce qu'est ὁ Λόγος pour la pensée d'Héraclite n'est pas encore découvert; et la question demeure entière de savoir si la traduction d'ὁ Λόγος par la Pose recueillante atteint ne fût-ce qu'une faible partie de ce qu'est le Λόγος.

Et nous voici déjà arrêtés devant un autre mot-énigme : τὸ Σοφόν. Nous nous efforçons en vain de le penser au sens d'Héraclite, aussi longtemps que nous n'avons pas suivi le fil de la sentence, où ce mot parle, jusqu'aux termes qui la concluent.

Pour autant que l'entendre des mortels est devenu véritable entendre, ὁμολογεῖν a lieu. Pour autant qu'il a lieu, quelque chose de bien disposé se produit. Où et comme quoi quelque chose de bien disposé a-t-il son être? Héraclite dit : ὁμολογοεῖν σοφὸν ἔστιν Ἓν Πάντα, « quelque chose de bien disposé se produit, pour autant que : Un Tout ».

Le texte aujourd'hui courant porte : ἓν πάντα εἶναι. Εἶναι est une correction du seul texte transmis : ἓν πάντα εἰδέναι, que l'on comprend au sens de : il est sage de savoir que Tout est un. La conjecture εἶναι s'accorde mieux avec le fond; pourtant nous laisserons ce verbe de côté. De quel droit? Parce qu'Ἓν Πάντα suffit. Mais ces deux mots ne suffisent pas seulement : ils demeurent en eux-mêmes beaucoup plus conformes à la chose

1. *Vorlegen*, le poser-devant, mais probablement aussi le poser-avant qui évoque le λέγειν premier, c'est-à-dire le Logos.

pensée, donc au style du dire héraclitéen : Ἓν Πάντα, Un : Tout, Tout : Un [1].

Comme ces mots se laissent prononcer facilement. Et comme paraît clair ce que l'on dit ainsi à tout hasard. Une infinie variété de sens est nichée dans les deux mots dangereusement inoffensifs : ἕν et πάντα. Leur rapport n'étant pas précisé permet des affirmations à sens multiples. Dans les mots ἓν πάντα, la légèreté superficielle qui se représente les choses et vit d'à-peu-près peut se rencontrer avec la circonspection hésitante de la pensée qui interroge. A qui est pressé d'expliquer le monde, « tout est Un » offre une formule où s'appuyer et qui, de quelque manière, est toujours et partout exacte. Mais les premières démarches d'un penseur, ces démarches qui, précédant de loin le destin de la pensée, ne font que le suivre, ces premières démarches peuvent aussi s'entourer de silence dans l'Ἓν Πάντα. Les paroles d'Héraclite sont dans ce dernier cas. Nous n'en connaissons pas le fond, en ce sens que nous pourrions faire revivre le mode de représentation d'Héraclite. Quand nous repensons ces paroles, nous sommes aussi très loin de mesurer toute l'étendue de ce qui est pensé en elles. Mais même à une pareille distance, il ne serait peut-être pas impossible d'arriver à dessiner plus clairement quelques traits de cet espace où trouvent leur mesure les paroles Ἓν et Πάντα et la parole Ἓν Πάντα. Dessiner ainsi, ce serait plutôt pré-dessiner librement, à ses risques et périls, que suivre un modèle en toute sécurité. Sans doute, ne pouvons-nous tenter une telle esquisse que si, relisant la sentence d'Héraclite, nous la considérons dans son unité. La sentence nomme le Λόγος en disant ce qu'est une chose bien disposée et comment elle l'est. La sentence se termine sur Ἓν Πάντα. Cette

1. Sur les propositions sans verbe *être*, cf. *Der Satz vom Grund*, p. 93.

conclusion n'est-elle qu'une fin ou bien nous ouvre-t-elle rétrospectivement, et alors seulement, le sens de toute la phrase?

L'interprétation habituelle comprend ainsi la sentence d'Héraclite : il est sage d'écouter la parole du Λόγος et d'avoir attention au sens de ce qu'il dit, en répétant ce qu'on a entendu sous la forme : Tout est Un. Nous trouvons ici le Λόγος, lequel a quelque chose à dire. Et ensuite ce qu'il dit, à savoir que Tout est Un.

Seulement Ἓν Πάντα n'est pas *ce que* le Λόγος énonce comme parole et qu'il donne à entendre comme sens. Ἓν Πάντα n'est pas *ce que* le Λόγος déclare, il dit de quelle façon le Λόγος déploie son être.

Ἕν est l'Un-Unique au sens de ce qui unit. Il unit en rassemblant. Il rassemble en recueillant et laissant l'étendu-devant s'étendre-devant, comme tel et dans son ensemble. L'Un-Unique unit comme Pose recueillante. Cet Unir qui recueille et pose rassemble en lui l'Unissant, de sorte que l'Unir *est* cet Un et, comme tel, l'Unique. L'Ἓν Πάντα énoncé dans la sentence d'Héraclite est un simple signe, nous donnant à entendre ce qu'est le Λόγος.

Nous égarons-nous quand, *avant* toute interprétation métaphysique profonde, nous pensons le Λόγος comme le Λέγειν et quand, pensant ainsi, nous prenons au sérieux le fait que le Λέγειν, au sens de recueillir et de laisser-étendu-ensemble-devant, ne peut être rien d'autre que l'être même de l'Unir, qui rassemble toutes choses dans le tout de la présence simple? A la question de savoir ce qu'est le Λόγος, il n'y a qu'*une* réponse pertinente. Nous la formulerions comme suit : ὁ Λόγος λέγει. Il laisse étendu-ensemble-devant. Quoi? Πάντα. Ce que ce mot désigne, Héraclite nous le dit d'une façon directe et sans équivoque au début de sa sentence B 7 : Εἰ πάντα τὰ ὄντα... « Si tout, (à savoir) les choses présentes... » La Pose recueillante a, en tant que Λόγος, posé tout, c'est-à-dire les choses présentes, dans la non-occultation. Poser, c'est ici mettre à l'abri. Toute chose présente est ainsi mise à l'abri dans sa propre présence, là où il est possible au λέγειν humain d'aller chaque fois la chercher spécialement pour la pro-duire *(hervorholen)* comme chose présente. Le Λόγος pose devant *(vor-legt)* [1] dans la présence et il dépose, c'est-à-dire re-pose, la chose présente dans la présence. Être-présent *(an-wesen)* veut dire toutefois : *une fois apparu, durer dans le non-caché.* Pour autant que le Λόγος laisse étendu-devant, comme tel, ce qui s'étend-devant, il dévoile la chose présente dans sa présence. Or, le dévoilement est l' 'Αλήθεια. Celle-ci et le Λόγος sont une même chose. Le λέγειν laisse ἀληθέα, le non-caché, s'étendre-devant comme non-caché (B 112). Tout dévoilement enlève la chose présente à l'occultation. Le dévoilement a besoin de l'occultation. L''Α-Λήθεια repose dans la Λήθη, puise en elle, met en avant ce qui par elle est maintenu en retrait. Le Λόγος est *en lui-même à la fois* dévoilement et voilement. Il est l' 'Αλήθεια.

La non-occultation a besoin de l'occultation, de la Λήθη, comme de la réserve où puise pour ainsi dire le dévoilement. La nature du Λόγος, de la Pose qui recueille, est d'être à la fois dévoilante et voilante. Pour autant que nous pouvons observer, en considérant le Λόγος, de quelle façon l' Ἓν est en tant que l'Unissant, nous apercevons en même temps que cet Unir qui déploie son être dans le Λόγος diffère infiniment de ce qu'on représente habituellement par les mots rattacher et relier. Cet Unir qui réside dans le λέγειν ne veut dire ni qu'on se borne à saisir ensemble des choses que l'on enveloppe, ni qu'on se contente d'accoupler des oppo-

1. Cf. p. 264, n. 1.

sés dans un compromis. L' Ἓν Πάντα laisse étendu-devant ensemble dans une même présence ce dont l'être est divergent, donc opposé, comme le jour et la nuit, l'hiver et l'été, la paix et la guerre, la veille et le sommeil, Dionysos et Hadès. Ce qui est ainsi trans-porté [1] (vers son contraire) à travers l'extrême distance qui sépare le présent de l'absent, ce διαφερόμενον, la Pose recueillante le laisse étendu dans son trans-port. Le fait même de la Pose est, dans ce trans-port, ce qui porte. L'Ἓν lui-même est trans-portant.

Ἓν Πάντα dit ce qu'est le Λόγος. Λόγος dit comment Ἓν Πάντα déploie son être. Tous deux sont une même chose.

Quand le λέγειν mortel se conforme au Λόγος, alors ὁμολογεῖν a lieu. Celui-ci se rassemble dans l' Ἕν, visant son pouvoir unifiant. Quand l'ὁμολογεῖν a lieu, quelque chose de bien-disposé [2] se produit. Pourtant l'ὁμολογεῖν n'est jamais le Bien-Disposé lui-même et au sens propre. Où trouverons-nous, non pas seulement quelque chose de bien-disposé, mais le Bien-Disposé lui-même purement et simplement? Celui-ci, qu'est-il lui-même? Héraclite le dit sans équivoque au début de la sentence B 32 :

Ἓν τὸ σοφὸν μοῦνον, « L'Un-Unique, le Tout-Unissant, est seul le Bien-disposé ». Si pourtant l' Ἓν est identique au Λόγος, alors ὁ Λόγος est τὸ σοφὸν μοῦνον. Ce qui *seul*, c'est-à-dire en même temps ce qui *à proprement parler* est le Bien-disposé, celui-là est le Λόγος. Pour autant toutefois qu'un λέγειν mortel se plie, en tant qu'ὁμολογεῖν, au Bien-disposé, il est à sa manière bien-disposé.

Mais comment le Λόγος est-il le Bien-disposé

1. Heidegger dit « ex-porté », unissant le sens littéral du verbe *austragen* (« porter dehors ») à son sens courant de : porter sur le terrain, régler par les armes, d'où regler, arranger.

2. *Ein Geschickliches*, qui traduit σοφον.

(das Geschickliche), le destin *(Geschick)* proprement dit, c'est-à-dire le rassemblement de l'envoi *(Schicken)* qui envoie chaque chose à ce qui lui appartient? La Pose recueillante rassemble en elle tout envoi, pour autant qu'en apportant il laisse être-étendu-devant, qu'il maintient toute chose présente ou absente à sa place et sur sa voie et qu'en rassemblant il met toute chose à l'abri dans le Tout. C'est ainsi que toutes les choses, et chacune en particulier, peuvent à tout moment se plier à ce qui leur est propre et s'en accommoder. Héraclite dit (B 64) : Τὰ δὲ Πάντα οἰακίζει Κεραυνός. « Mais toutes les choses (présentes), l'éclair les gouverne (en les conduisant à la présence). »

Tout ce qui est présent, la fulguration brusquement, d'un seul coup, le fait ressortir dans la lumière de sa présence. L'éclair ici nommé gouverne. Il conduit d'avance chaque chose au lieu assigné à son être. Une telle conduite est en même temps la Pose recueillante, le Λόγος. « L'éclair », mot qui nomme, est mis ici pour Zeus. Dieu suprême, celui-ci est le destin du Tout. Le Λόγος, l' Ἓν Πάντα, ne serait donc rien d'autre que le Dieu suprême. L'être du Λόγος nous ferait entrevoir la divinité du Dieu.

Maintenant pouvons-nous identifier Λόγος, Ἓν Πάντα et Ζεῦς et même aller plus loin, affirmer qu'Héraclite enseigne le panthéisme? Héraclite ne l'enseigne pas et il n'enseigne aucune doctrine. Comme penseur il donne seulement à penser. Au sujet de notre question : le Λόγος (Ἓν Πάντα) et Ζεῦς sont-ils identiques? il donne même à penser une chose de poids. Longtemps et sans y rien objecter, la pensée-représentation des siècles et des millénaires suivants en a porté sa part, pour rejeter finalement le fardeau inconnu à l'aide d'un oubli déjà tout prêt. Héraclite dit (B 32) :

Ἓν τὸ Σοφὸν μοῦνον λέγεσθαι οὐκ ἐθέλει
καὶ ἐθέλει Ζηνὸς ὄνομα.

L'Un, l'unique Sage, ne veut pas
et veut pourtant être appelé du nom de Zeus.

(DIELS-KRANZ)

Le mot de la sentence qui porte le poids de la pensée, ἐθέλω ne veut pas dire « vouloir », mais : être, de soi-même, prêt pour...; ἐθέλω n'exprime pas une simple exigence, mais signifie : admettre quelque chose en le ramenant et le rapportant à soi-même. Pourtant, afin de peser *(abwägen)* exactement le poids de ce qui est dit dans la sentence, nous devons considérer *(erwägen)* ce que dit celle-ci en première ligne : Ἓν... λέγεσθαι οὐκ ἐθέλει. « L'Unique-Un-Unissant, la Pose recueillante, n'est pas prête... » A quoi? à λέγεσθαι, à être rassemblée sous le nom de « Zeus ». Car, par l'effet d'un tel rassemblement l' Ἓν apparaîtrait comme Zeus, et cet « apparaître » pourrait bien demeurer toujours un simple paraître. Dans cette sentence, toutefois il est question de λέγεσθαι en relation immédiate avec ὄνομα (le mot qui nomme) et ce rapprochement atteste d'une manière indiscutable que λέγειν est pris au sens de dire, parler, nommer. Et pourtant cette sentence d'Héraclite, qui semble contredire clairement tout ce qui vient d'être exposé au sujet de λέγειν et de λόγος, cette sentence même est apte justement à nous faire considérer à nouveau que, et comment, λέγειν, au sens de « dire » et de « parler », n'est intelligible que s'il est pensé dans son acception la plus propre, celle d' « étendre » et de « recueillir ». Nommer veut dire : en appelant, faire apparaître. Ce qui est rassemblé et déposé dans le nom se trouve, du fait même de cette pose, être-étendu-devant et apparaître. Nommer (ὄνομα), si l'on pense cet acte à partir du λέγειν, ce n'est pas exprimer la signification d'un mot, mais laisser étendu-devant dans la lumière où une chose se tient par cela même qu'elle a un nom.

En première ligne l'"Εν, le Λόγος, la Dispensation de tout ce qui est dispensé [1], n'est pas prêt, suivant son être le plus propre, à paraître sous le nom de « Zeus », c'est-à-dire comme celui-ci : οὐκ ἐθέλει. C'est seulement ensuite que vient καὶ ἐθέλει : « mais » l' "Εν « est prêt aussi »...

Est-ce seulement une façon de parler quand Héraclite dit d'abord que l' "Εν n'accepte pas le nom en question? Ou bien la première place donnée à la négation est-elle fondée dans la chose pensée? Car l'"Εν Πάντα en tant que Λόγος est le laisser-être-présent valable pour toute chose présente. L' "Εν lui-même, toutefois, n'est pas une chose présente parmi d'autres. A sa façon il est unique. Zeus, au contraire, n'est pas seulement une chose présente parmi d'autres : il est la chose présente suprême. Aussi Zeus, bien que d'une façon qui le met à part, demeure-t-il assigné à la présence, il lui est donné en partage et, en vertu d'un tel partage (Μοῖρα), demeure rassemblé dans l' "Εν qui rassemble tout, dans le destin. Zeus lui-même n'est pas l' "Εν, bien qu'il soit l'éclair et que, gouvernant comme tel, il accomplisse les dispensations du destin.

En rapport avec ἐθέλει, c'est οὐκ qui est d'abord énoncé, ce qui veut dire : à proprement parler, l' "Εν *n*'accepte *pas* d'être appelé Zeus et d'être ainsi rabaissé au rang de l'être d'une chose présente parmi d'autres, même si le « parmi [2] » s'interprète ici comme « élevé au-dessus de toutes les autres choses présentes ».

D'un autre côté pourtant, d'après la sentence, l' "Εν accepte aussi le nom de Zeus. Comment cela?

1. *Das Geschick alles Geschicklichen.*

2. *Unter*, à la fois « parmi » et « sous », et s'opposant ainsi à *über* « au-dessus de ».

La réponse se trouve dans ce qui vient d'être dit. Si l' Ἕν n'est pas perçu en lui-même, comme le Λόγος, s'il apparaît au contraire comme Πάντα, *alors* et alors seulement le Tout des choses présentes se manifeste, sous le gouvernement de la Chose présente suprême, comme le Tout un sous cet Un. Le Tout des choses présentes sous la direction de sa Chose suprême, est l' Ἕν en tant que Zeus. Pourtant l' Ἕν lui-même en tant qu' Ἓν Πάντα est le Λόγος, la Pose recueillante. C'est comme Λόγος que l' Ἕν est seul à être τὸ Σοφόν, le Bien-Disposé, c'est-à-dire le Destin lui-même : le rassemblement de l'envoi dans la présence [1].

Quand l'ἀκούειν des mortels n'a rien d'autre à cœur que le Λόγος, la Pose recueillante, alors le λέγειν mortel, à la façon de ce qui est bien-disposé, s'est transporté dans le tout du Λόγος. Le λέγειν mortel repose à l'abri dans le Λόγος. De par le Destin, il est approprié *(er-eignet)* à l'ὁμολογεῖν. Ainsi demeure-t-il transproprié *(vereignet)* au Λόγος. De cette manière, le λέγειν mortel est bien-disposé. Mais il n'est jamais la Disposition [2] elle-même : Ἓν Πάντα en tant qu'ὁ Λόγος.

Maintenant que la sentence de Héraclite parle plus clairement, ce qu'elle dit menace à nouveau de s'évanouir dans l'obscurité.

L'Ἓν Πάντα, sans doute, nous fait entrevoir comment le Λόγος déploie son être dans son λέγειν. Mais le λέγειν, qu'on le pense comme étendre ou comme dire, est-il jamais plus qu'un mode du comportement humain? Si Ἓν Πάντα doit être le Λόγος, n'est-ce pas alors un trait particulier de l'être mortel qui est élevé au rang du trait fondamental de ce qui, bien au-dessus de tout être mortel et immortel parce qu'antérieur à lui, est la dispensation *(Geschick)* de la présence elle-même? Ce qui

1. *Die Versammlung des Schickens ins Anwesen.* Cf. p. 304, n. 1.
2. *Das Geschick.*

se trouve au fond du Λόγος, est-ce le surhaussement d'une façon d'être mortelle et son transfert à l'Un-Unique? Le λέγειν mortel n'est-il jamais plus qu'une imitation et correspondance du Λόγος, lequel est en lui-même la Disposition *(Geschick)* où repose la présence, comme telle et pour toute chose présente?

Ou bien toutes ces questions, tendues sur le fil d'une alternative, sont-elles simplement insuffisantes, parce que dès le début elles manquent ce qu'elles devraient viser? S'il en est ainsi, ni le Λόγος ne peut être un surhaussement du λέγειν mortel, ni ce dernier n'être que l'imitation du Λόγος et l'acceptation de sa mesure. Alors l'être qui se déploie dans le λέγειν de l'ὁμολογεῖν et l'être qui se déploie dans le λέγειν du Λόγος ont tous deux une provenance plus originelle dans le milieu simple qui se trouve entre les deux. Existe-t-il pour la pensée mortelle un chemin qui y conduise?

Dans tous les cas le sentier qui dès son début passe à travers les voies que la pensée grecque à son aube a ouvertes à la postérité, ce sentier précisément à cet endroit est et demeure impraticable et encombré d'énigmes. Nous nous bornerons à ce par quoi il faut commencer : à reculer une bonne fois devant ces énigmes, afin de découvrir quelque chose de ce qu'elles ont d'énigmatique.

La parole citée d'Héraclite (B 50), dans une traduction qui l'explique, aurait la teneur suivante :

« Ne m'écoutez pas, moi le mortel qui vous parle; mais soyez attentifs à la Pose recueillante; commencez par lui appartenir, alors vous entendrez à proprement parler; un tel entendre *est*, pour autant qu'a lieu un laisser-étendu-ensemble-devant, devant lequel s'étend l'Ensemble *(das Gesamt)*, le Laisser-étendu qui rassemble, la Pose qui recueille. Quand il arrive que le laisser-étendu-devant laisse étendu, alors, se produit quelque chose de bien-disposé; car le Bien-Disposé proprement dit, la Disposition seule [1], est l'Un-Unique qui unit tout. »

Laissons de côté les éclaircissements, sans toutefois les oublier, et essayons de transposer dans notre langue la parole d'Héraclite : elle se présenterait à peu près comme suit :

« Appartenant et prêtant l'oreille, non à moi, mais à la Pose recueillante : laisser le Même étendu : quelque chose de bien-disposé déploie son être (la Pose recueillante) : Un unissant Tout. »

Bien-disposés sont les mortels, dont l'être demeure transproprié à l'ὁμολογεῖν, quand ils atteignent, en le mesurant, le Λόγος en tant qu' Ἓν Πάντα et que, prenant sur lui mesure, ils s'y conforment. C'est pourquoi Héraclite dit (B 43) :

Ὕβριν χρὴ σβεννύναι μᾶλλον ἢ πυρκαϊήν.

C'est la démesure qu'il faut éteindre plutôt qu'un incendie.

Il le faut, parce qu'au Λόγος, il faut [2] l'ὁμολογεῖν, si des choses présentes doivent briller et apparaître dans la présence. Non démesuré, l'ὁμολογεῖν se plie à la mesure du Λόγος.

En outre, dans la sentence d'abord citée (B 50), nous percevons une directive qui, dans la dernière citation (B 43), se dit à nous comme la nécessité de ce qui fait le plus besoin :

Avant de vous occuper des incendies, que ce soit pour les allumer ou pour les éteindre, éteignez d'abord le feu de la démesure, laquelle sort de la mesure, prend mal la mesure, parce qu'elle oublie l'être du Λέγειν.

La traduction de λέγειν par laisser-étendu-devant-rassemblé, celle de Λόγος par « Pose qui

1. *Das Geschick.*
2. *Weil der* Λογος *das* ὁμολογεῖν *braucht.* Cf. *N. du Tr.*, 5.

recueille », peuvent surprendre. Mais il est plus salutaire pour la pensée de cheminer parmi les choses surprenantes que de s'installer dans les choses claires. Sans doute, Héraclite a-t-il étonné bien autrement ses contemporains par cela même que, dans le tissu d'un pareil dire, il enserrait les termes à eux familiers de λέγειν et de λόγος et qu'ὁ λόγος devenait pour lui le terme directeur de sa pensée. Ce mot de λόγος, que nous essayons maintenant de repenser comme la Pose recueillante, où a-t-il conduit la pensée d'Héraclite? Ὁ Λόγος sert à nommer ce qui rassemble toute chose présente dans la présence et l'y laisse étendue devant nous. Ὁ Λόγος désigne ce en quoi la présence des choses présentes se produit *(sich ereignet)*. La présence des choses présentes se disait chez les Grecs τὸ ἐόν, c'est-à-dire τὸ εἶναι τῶν ὄντων, en romain *esse entium;* nous disons l'être de l'étant *(das Sein des Seienden)*. Depuis le début de la pensée occidentale, l'être de l'étant se déploie comme la seule chose digne d'être pensée. Si nous pensons historiquement cette constatation « historique [1] », nous voyons alors où repose le début de la pensée occidentale : qu'au temps des Grecs, l'être de l'étant soit devenu la chose digne d'être pensée, ce fait *est* le début de l'Occident, il *est* la source cachée de son destin. Si ce commencement ne préservait pas ce qui a été [2], c'est-à-dire le rassemblement de ce qui dure encore, l'être de l'étant ne dominerait pas notre époque à partir de l'être de la technique moderne. Aujourd'hui ce dernier remanie la terre entière, et il la fixe dans une conformité à l'être tel que l'Occident le perçoit, et tel qu'il se le représente sous la forme que la métaphysique et la science européennes donnent à la vérité.

1. Cf. *N. du Tr.*, *3*.
2. *Das Gewesene.* Cf. p. 6, n. 1, et *N. du Tr.*, *2*. Cf. pp. 124, 192, 220 et 221.

Dans la pensée d'Héraclite l'être *(Sein)* (la présence) de l'étant apparaît comme ὁ Λόγος, comme la Pose recueillante. Mais cette fulguration de l'être demeure oubliée. L'oubli de son côté est rendu invisible du fait que la conception du Λόγος change aussitôt. C'est pourquoi, dès le début et pour un long temps, on ne peut plus soupçonner que, dans le mot ὁ Λόγος, l'être même de l'étant pourrait bien s'être énoncé [1].

Que se passe-t-il, quand l'être de l'étant, l'étant dans son être, quand la différence de l'un et de l'autre, vue *comme* différence, quand tout cela est amené à la parole? « Amener à la parole » veut dire habituellement : exprimer quelque chose de bouche ou par écrit. Mais la locution pourrait maintenant vouloir dire autre chose : amener à la parole : mettre l'être *(Sein)* à l'abri dans l'être *(Wesen)* du langage. Pouvons-nous supposer qu'une chose de ce genre se préparait, quand ὁ Λόγος devenait le mot directeur de la pensée d'Héraclite, parce qu'il devenait le nom donné à l'être de l'étant?

Ὁ Λόγος, τὸ Λέγειν est la Pose recueillante. Mais pour les Grecs λέγειν veut toujours dire aussi : présenter, exposer, raconter, dire. Ὁ Λόγος serait alors le mot grec pour le parler au sens de dire *(Sagen)*, pour le langage. Plus encore. Ὁ Λόγος, pensé comme la Pose recueillante, serait l'être, pensé à la grecque, de la parole disante [2]. Langage serait parole disante. Langage voudrait dire : rassembler ce qui est présent et le laisser étendu-devant dans sa présence. En fait les Grecs *habitaient* dans cet être du langage. Seulement ils ne l'ont jamais *pensé*, et pas même Héraclite.

1. « Enoncer » : *zur Sprache bringen*, « amener à la parole ». L'expression va être reprise.

2. *Sage*, qui traduit φάσις (cf. p. 295) : le « dit », ce qui est dit, ce que le dire montre. *Die Sage* est aussi la légende, c'est-à-dire le mythe, ce dont le dire est le plus ancien et mérite le plus d'être pensé (p. 161).

Ainsi les Grecs ont-ils sans doute l'expérience du dire. Mais ils ne pensent jamais, pas même Héraclite, l'être du langage spécialement comme le Λόγος, comme la Pose recueillante.

Que serait-il arrivé, si Héraclite — et après lui les Grecs — avaient pensé spécialement l'être du langage comme Λόγος, comme la Pose recueillante? Rien de moins que ceci : les Grecs auraient pensé l'être du langage à partir de l'être de l'être [1], bien plus, ils l'auraient pensé comme ce dernier lui-même. Car ὁ Λόγος est le nom qui désigne l'être *(Sein)* de l'étant. Mais tout ceci ne s'est pas produit. Nous ne trouvons nulle part de trace permettant de supposer que les Grecs aient pensé l'être du langage directement à partir de l'être de l'être. On s'est au contraire — et les Grecs les premiers — représenté le langage à partir de l'émission sonore, comme φωνή, comme son et voix, phonétiquement. Le mot grec qui répond à notre mot « langage » est γλῶσσα, la langue. Le langage est φωνὴ σημαντική, une émission sonore qui signifie quelque chose. En d'autres termes : le langage reçoit dès le début ce caractère fondamental que nous spécifierons ensuite par le mot « expression ». Dès lors, cette représentation, sans doute exacte, mais extérieure, du langage — le langage en tant qu'expression — demeure déterminante. Elle l'est encore aujourd'hui. Langage veut dire expression et inversement. Tout mode d'expression est volontiers considéré comme une sorte de langage. L'histoire de l'art parle du langage des formes. Une fois cependant, au début de la pensée occidentale, l'être du langage est apparu, le temps d'un éclair, dans la lumière de l'être. Une fois, lorsque Héraclite pensa le Λόγος comme mot directeur, pour penser dans ce mot l'être de l'étant. Mais l'éclair s'éteignit subi-

1. *Das Wesen der Sprache aus dem Wesen des Seins.* Cf. *N. du Tr.*, *1.*

tement. Personne ne saisit son rayon ni la proximité de ce qu'il éclairait.

Nous ne voyons cet éclair que si nous entrons dans l'orage de l'être. Mais aujourd'hui, tout l'indique, on cherche seulement à écarter l'orage. Avec tous les moyens possibles, on organise un tir contre l'orage, pour qu'il ne dérange pas notre tranquillité. Mais cette tranquillité n'en est pas une. Elle n'est qu'une apathie, et tout d'abord l'apathie de l'angoisse devant la pensée.

Les choses de la pensée sont très particulières. La parole des penseurs n'a pas d'autorité. Cette parole ne connaît pas d'auteurs, au sens d'écrivains. La parole de la pensée est pauvre en images et sans attraits. Elle repose dans le dégrisement qui mène vers ce qu'elle dit. Néanmoins la pensée transforme le monde. Elle le transforme et le fait descendre dans une profondeur toujours plus sombre où sourd une énigme : et plus sombre est cette profondeur, plus haute est la clarté qu'elle nous promet.

L'énigme nous est proposée depuis longtemps dans le mot « être ». C'est pourquoi « être » demeure un mot provisoire, un simple avant-coureur. Veillons à ce que notre pensée fasse plus que de courir après lui les yeux fermés. Considérons d'abord qu'à l'origine « être » signifie « présence » et « présence » : se pro-duire et durer dans la non-occultation.

MOIRA

(PARMÉNIDE, VIII, 34-41)

Le rapport de la pensée et de l'être met en mouvement toute la réflexion de l'Occident. Il demeure la pierre de touche inaltérable, qui montre dans quelle mesure et de quelle manière sont accordés faveur et pouvoir d'arriver à proximité de ce qui, s'adressant à l'homme historique, se dit à lui comme étant ce qu'il faut penser. C'est à ce rapport que Parménide donne un nom dans sa sentence (fragment III) :

τὸ γὰρ αὐτὸ νοεῖν ἐστίν τε καὶ εἶναι.
Car la même chose sont pensée et être.

Parménide explique la sentence à un autre endroit, dans le fragment VIII, 34-41, dont voici le texte :

ταὐτὸν δ'ἐστὶ νοεῖν τε καὶ οὕνεκεν ἔστι νόημα.
οὐ γὰρ ἄνευ τοῦ ἐόντος, ἐν ᾧ πεφατισμένον ἐστιν,
εὑρήσεις τὸ νοεῖν : οὐδὲν γὰρ ἢ ἔστιν ἢ ἔσται
ἄλλο παρεξ τοῦ ἐόντος, ἐπεὶ τό γε Μοῖρ' ἐπέδησεν
οὖλον ἀκίνητόν τ'ἔμμεναι : τῷ πάντ' ὄνομ' ἔσται
ὅσσα βροτοὶ κατέθεντο πεποιθότες εἶναι ἀληθῆ
γίγνεσθαί τε καὶ ὄλλυσθαι, εἶναί τε καὶ οὐχί,
καὶ τόπον ἀλλάσσειν διά τε χρόα φανὸν ἀμείβειν.

« Penser et la pensée qu' « Est » est sont une même chose; car sans l'étant, où elle réside comme chose énoncée, tu ne saurais trouver la pensée. Certes il n'y a rien, ou il n'y aura rien, hors de l'étant, puisque la *Moîra* lui a imposé d'être un tout, et immobile. Ne sera donc qu'un nom tout ce que les mortels ont ainsi fixé, convaincus que c'était vrai : « devenir » aussi bien que « périr », « être » aussi bien que « ne pas être », « changer de lieu » aussi bien que « passer d'une couleur brillante à une autre » (trad. W. Kranz).

En quoi ces huit vers rendent-ils plus clair le rapport de la pensée et de l'être? Ils semblent plutôt l'obscurcir, vu qu'eux-mêmes conduisent dans une région obscure et nous y laissent perplexes. Aussi chercherons-nous d'abord à nous instruire touchant le rapport de la pensée et de l'être, en suivant dans leurs lignes essentielles les interprétations données jusqu'à présent. Elles se meuvent toutes dans l'une ou l'autre des trois perspectives que nous allons mentionner brièvement, sans exposer en détail comment chacune d'elles peut s'appuyer sur le texte de Parménide. En premier lieu, on découvre la pensée d'un point de vue d'où elle apparaît, elle aussi, comme une chose qui est là, à côté de beaucoup d'autres, de sorte qu'en ce sens elle « est ». Cette chose qui est ainsi doit donc, comme ses semblables, être ajoutée au compte des autres choses qui sont et passée avec elles au compte général d'une sorte de tout qui les embrasse. Pareille unité de l'étant s'appelle l'être. La pensée, en tant que chose qui est, est connaturelle à toute autre chose qui est : elle apparaît ainsi comme étant identique à l'être.

Pour faire une pareille observation, il est à peine besoin de la philosophie. Ranger à leur place, dans l'ensemble de l'étant, toutes les choses qui s'offrent à nous, c'est là une opération qui pour ainsi dire se fait d'elle-même et qui ne concerne pas seulement la pensée. Voyager sur mer, construire des temples, parler dans l'assemblée du peuple, tous les modes de l'activité humaine font partie de l'étant et sont ainsi identiques à l'être. On se demande avec surprise pourquoi Parménide, justement quant à cette activité humaine qui s'appelle la pensée, tient à constater en bonne et due forme qu'elle rentre dans le domaine de l'étant. On pourrait mieux encore se demander pourquoi Parménide ajoute pour ce cas une justification particulière, à savoir par le lieu commun qu'il n'y a pas d'étant en dehors et à côté de l'étant dans son ensemble.

Mais qui y regarde mieux a cessé depuis longtemps de s'étonner, là où on se représente encore la doctrine de Parménide de la façon décrite. On est passé à côté de sa pensée, qui doit alors subir ces tentatives rudes et maladroites pour lesquelles sans doute c'était déjà un effort que de ranger, dans le tout de l'étant, tout étant qu'elles rencontrent, la pensée entre autres.

Aussi notre méditation gagne-t-elle peu de chose à jeter un regard sur cette interprétation massive du rapport de l'être et de la pensée, interprétation qui ne se représente rien, si ce n'est à partir de la masse de l'étant constatable. Elle nous fournit pourtant une occasion inestimable, celle de bien marquer, spécialement et dès le début, que nulle part Parménide ne cherche à montrer que la pensée est, *elle aussi*, l'un des nombreux ἐόντα, l'un des étants variés, dont chacun tantôt est et tantôt n'est pas et ainsi évoque toujours à la fois les deux idées d'être et de ne pas être : ce qui vient à nous et ce qui s'en va.

En face de cette interprétation, immédiatement accessible à un chacun, de la sentence parménidienne, un autre traitement, plus réfléchi, du texte découvre au moins, dans les vers VIII, 34 et suiv., des « assertions difficilement intelligibles ». Pour faciliter leur intellection, cherchons autour de nous une aide appropriée. Où la trouver? Manifestement dans une façon de comprendre qui ait pénétré plus profondément dans ce rapport de la pensée et de l'être que Parménide essaie de penser. Une telle pénétration se révèle en ceci qu'elle interroge. Elle interroge au sujet de la pensée, c'est-à-dire de la connaissance, du point de vue de son rapport à l'être, c'est-à-dire à la réalité. Considérer de cette manière le rapport de la pensée et de l'être est un des soucis majeurs de la philosophie moderne. Elle a finalement, à cet effet, élaboré une discipline particulière, la théorie de la connaissance, laquelle, aujourd'hui encore, passe souvent pour l'affaire essentielle de la philosophie. Cette affaire a seulement reçu un nouveau nom et s'appelle à présent « métaphysique » ou « ontologie de la connaissance ». Celle de ses formes qui assume aujourd'hui un rôle directeur et dont la portée va le plus loin s'est développée sous le nom de « logistique ». En elle la sentence de Parménide, par l'effet d'une transformation étrange, impossible à prévoir, reçoit une autorité décisive. Ainsi la philosophie moderne sait-elle qu'elle est désormais partout en mesure, de son point de vue qui se croit supérieur, de donner son vrai sens à la parole de Parménide sur le rapport de la pensée et de l'être. Eu égard à la puissance toujours intacte de la pensée moderne (dont la philosophie de l'existence et l'existentialisme sont, avec la logistique, les rameaux les plus vivaces), il est nécessaire de marquer plus clairement la perspective déterminante dans laquelle se meut l'interprétation moderne de la sentence parménidienne.

Dans l'expérience que la philosophie moderne a de l'étant, celui-ci apparaît comme l'objet. L'étant se tient en face, ce qui n'est possible que par la perception et pour elle. Comme Leibniz l'a vu assez clairement, le *percipere*, en tant qu'*appetitus*, avance la main vers l'étant et le saisit, pour l'amener à soi dans le concept, par une saisie qui traverse, et pour rapporter sa présence *(repraesentare)* au *percipere*. La *repraesentatio*, la *Vorstellung*, se détermine comme ce qui, en percevant, rapporte à soi (au moi) ce qui apparaît.

Parmi les pièces doctrinales de la philosophie moderne, une thèse se détache, qu'on ne peut s'empêcher de ressentir comme libératrice, dès lors qu'avec son aide on essaie d'élucider la sentence de Parménide. Nous parlons de la thèse de Berkeley, qui repose sur la position métaphysique fondamentale de Descartes et qui s'énonce *esse = percipi* : « être » égale « être-représenté ». L'être tombe sous la dépendance de la représentation au sens de la perception. La thèse de Berkeley crée d'abord l'espace à l'intérieur duquel la sentence de Parménide devient accessible à une interprétation scientifique et philosophique et est ainsi arrachée aux brumes d'un pressentiment à demi poétique, ce qu'est, présume-t-on, la pensée présocratique. *Esse = percipi* : être, c'est être représenté. L'être est en vertu de la représentation. L'être est égal à la pensée, pour autant que l'objectité des objets se compose, se constitue, dans la conscience représentante, dans le « je pense quelque chose ». A la lumière de cette assertion touchant le rapport de la pensée et de l'être, la sentence de Parménide apparaît comme une gauche préfiguration de la théorie moderne concernant la réalité et sa connaissance.

Sans doute n'est-ce pas par hasard que Hegel, dans son *Cours d'histoire de la philosophie* (*Œuvr.*, XIII, 2e éd., p. 274), cite et traduit la sentence de Parménide sur le rapport de la pensée et de l'être, sous la forme qu'elle a dans le fragment VIII :

> « La Pensée *(Denken)* et ce pourquoi la « pensée *(Gedanke)* est, sont une même chose. « Car sans l'étant, dans lequel elle s'énonce « (ἐν ᾧ πεφατισμένον ἐστιν), tu ne trouveras « pas la Pensée, car il n'y a rien et il n'y aura « rien, en dehors de l'étant. » Telle est la pensée principale. La Pensée se produit; et ce qui est produit est une pensée. La Pensée est ainsi identique à son être; car il n'y a rien hors de l'être, cette grande affirmation. »

L'être, pour Hegel, est l'affirmation de la pensée *(Denken)* qui se pro-duit elle-même. L'être est une production de la pensée, de la perception, par laquelle Descartes interprète déjà l'*idea*. Par la pensée l'être, en tant que le fait pour la représentation d'être affirmée et posée, est transféré dans le domaine de l' « idéal ». Pour Hegel aussi, mais d'une manière incomparablement plus méditée, et préparée par l'œuvre de Kant, l'être est la même chose que la pensée. L'être est identique à la pensée, à savoir à ce qu'elle énonce et affirme. Placé dans la perspective de la philosophie moderne, Hegel peut ainsi émettre le jugement suivant sur la sentence de Parménide :

> « L'élévation dans le royaume de l'idéal est ici visible, ce qui montre que la spéculation philosophique [1] proprement dite a commencé avec Parménide;... sans doute ce commencement est-il encore trouble et indéterminé et l'on ne peut expliquer davantage ce qui s'y trouve; mais cette explication est précisément le développement de la philosophie elle-même, lequel n'est pas encore présent ici » *(loc. cit.*, p. 274 et *sq.)*.

[1] *Das Philosophieren*

Pour Hegel la philosophie est présente là seulement où le savoir absolu qui se pense lui-même est la réalité elle-même, purement et simplement. L'élévation, qui s'achève, de l'être dans la pensée de l'esprit entendu comme réalité absolue a lieu dans la logique spéculative et comme telle.

Dans la perspective de cet achèvement de la philosophie moderne, la sentence de Parménide apparaît comme le début de la spéculation philosophique proprement dite, c'est-à-dire de la logique au sens de Hegel; mais seulement comme son début. A la pensée de Parménide manque encore la forme spéculative, c'est-à-dire dialectique, que Hegel au contraire trouve chez Héraclite. Il dit de ce dernier : « Ici la terre est en vue; il n'y a pas une phrase d'Héraclite que je n'aie reprise dans ma *Logique* » (*loc. cit.*, p. 301). La *Logique* de Hegel n'est pas seulement la seule interprétation moderne pertinente de la thèse de Berkeley, elle en est la réalisation absolue. Il est hors de doute que la thèse de Berkeley *esse = percipi* repose sur ce que la sentence de Parménide a énoncé pour la première fois. Mais en même temps ces attaches historiques qui relient la thèse moderne à la sentence antique se fondent à proprement parler sur une différence qui sépare ce qui est dit et pensé ici et là, différence telle qu'on pourrait à peine l'estimer plus tranchée.

La différence va si loin que de son fait la possibilité de connaître ce qu'elle sépare est éteinte, abolie[1]. Indiquer cette différence, c'est laisser entendre que notre interprétation de la sentence de Parménide procède d'un mode de pensée tout autre que celui de Hegel. La thèse *esse = percipi* offre-t-elle l'interprétation correcte de la sentence τὸ γὰρ αὐτὸ νοεῖν ἐστίν τε καὶ εἶναι? Les deux

1. *Verschieden*, « décédé », qui fait écho à *Verschiedenheit*, « différence ».

énoncés, à supposer que nous puissions les désigner ainsi, disent-ils que penser et être sont identiques? Et même s'ils le disent, le disent-ils dans le même sens? Un regard attentif aperçoit immédiatement entre les deux énoncés une différence que l'on serait tenté d'écarter comme apparemment superficielle. Dans les deux formes qu'il lui a données (fragment III et VIII, 34), Parménide construit sa sentence de telle façon que chaque fois νοεῖν (penser) précède εἶναι (être). Au contraire, Berkeley nomme *esse* (être) avant *percipi* (penser). Ceci semble indiquer que Parménide accorde la préférence à la pensée et Berkeley à l'être. Pourtant c'est le contraire qui est vrai. Parménide confie la pensée à l'être. Berkeley renvoie l'être à la pensée. Pour répondre à la sentence grecque et s'y identifier dans une certaine mesure, la thèse moderne devrait se lire : *percipi = esse.*

La thèse moderne énonce quelque chose sur l'être au sens de l'objectité pour la représentation qui saisit au travers [1]. La sentence grecque attribue la pensée, entendue comme la perception qui rassemble, à l'être, c'est-à-dire à la présence. C'est pourquoi toute interprétation de la sentence grecque qui se meut dans la perspective de la pensée moderne s'égare dès le début. Pourtant ces interprétations, qui nous apparaissent sous des formes multiples, suffisent à une tâche dont on ne pouvait se dispenser : elles rendent la pensée grecque accessible à la pensée-représentation des modernes et confirment cette dernière dans son progrès, qu'elle a voulu elle-même et qui la porte à un niveau « supérieur » de la philosophie.

Des trois perspectives qui ont été déterminantes pour toutes les interprétations de la sentence de Parménide, la première nous montre la pensée

1. Cf. p. 283.

comme quelque chose qui est donné devant nous et la range dans le reste de l'étant.

La seconde perspective comprend l'être à la moderne, comme le fait pour les objets d'être représentés, comme objectité pour le moi de la subjectivité.

Dans la troisième perspective nous retrouvons un trait fondamental de tout ce qui, dans la philosophie antique, a reçu la marque de Platon. Suivant la doctrine de Socrate et de Platon, les idées constituent dans tout étant ce qui « est »[1]. Mais les idées n'appartiennent pas au domaine des αἰσθητά, de ce que les sens nous font percevoir. Nous ne pouvons contempler les idées dans leur pureté que par le νοεῖν, par la perception du non-sensible. L'être rentre dans le domaine des νοητά, du non- et supra-sensible. Plotin interprète la sentence de Parménide dans le sens platonicien, suivant lequel Parménide veut dire : l'être est quelque chose de non-sensible. Le poids de la sentence tombe sur la pensée, quoique dans un autre sens que pour la philosophie moderne. L'être est caractérisé par le mode non-sensible de la pensée. D'après l'interprétation néo-platonicienne de la sentence de Parménide, celle-ci n'est, ni une assertion sur la pensée, ni une assertion sur l'être, encore moins une assertion sur l'être de l'interdépendance des deux en tant que différents. La sentence est une assertion sur ceci, que tous deux font également partie du non-sensible.

Chacune des trois perspectives est telle que la pensée la plus ancienne des Grecs s'y trouve transférée dans le domaine où la métaphysique ultérieure a posé et imposé ses questions. Il est à présumer cependant que toute pensée tardive qui tente d'établir un dialogue avec la pensée ancienne ne

1. *An jedem Seienden das « seiend ».*

peut faire autre chose que d'entendre du lieu même où chaque fois elle séjourne et d'amener ainsi à un dire le silence de la pensée ancienne. On ne peut sans doute éviter que par là la pensée ancienne soit intégrée à un parler récent, transférée dans le champ d'écoute et dans l'horizon visuel de ce dernier et, pour ainsi dire, privée de la liberté de son langage propre. Pareille intégration, toutefois, n'impose aucunement une interprétation qui se contente de convertir en modes tardifs de représentation ce qui a été pensé au début de la pensée occidentale. Le point décisif est de savoir si le dialogue engagé se libère dès le début, et toujours à nouveau, afin de répondre à ce que, sous condition d'être interrogée, lui dit la pensée ancienne, ou bien si le dialogue se ferme à ce dire et recouvre la pensée ancienne d'opinions doctrinales tardives. Ce qui a lieu, dès que la pensée récente omet de *s'enquérir spécialement* du champ d'écoute et de l'horizon visuel de la pensée ancienne.

Qui fait effort en ce sens ne doit pourtant pas se borner à une recherche « historique » qui dégagerait seulement les présupposés inexprimés sur lesquels repose la pensée ancienne, alors que dans ce travail les présupposés sont définis suivant ce qui est accepté comme vérité établie par l'interprétation moderne et ce qui n'est plus accepté comme tel, parce que dépassé par le progrès de la pensée. L'enquête dont nous parlons doit être au contraire un dialogue où les anciens champs d'écoute et les horizons visuels d'autrefois sont considérés d'après leur origine essentielle, afin que commence à s'adresser à nous cette invitation [1], sous laquelle se tiennent, chacune à sa façon, la pensée ancienne, celle qui l'a suivie et celle qui vient. Qui tente d'interroger ainsi

1. *Geheiss* : ici un appel, une incitation, qui met sur le bon chemin, aide au voyage et à l'arrivée. Cf. *Was heisst Denken?*, pp. 85 et 152.

dirigera d'abord son regard vers les passages obscurs d'un texte ancien et ne s'établira pas à demeure sur ceux qui s'abritent derrière une apparence intelligible; car de cette manière le dialogue prend fin avant d'avoir commencé.

Dans les remarques que nous avons encore à faire, le texte cité ne sera plus examiné que dans une suite d'explications séparées. Celles-ci voudraient aider à préparer une translation [1] qui pensant l'ancien dire grec, le ferait passer dans ce qui vient à nous d'une pensée éveillée à son commencement.

I

Nous examinons le rapport de l'être et de la pensée. Avant toute chose, il nous faut noter que le texte (VIII, 34 et *sq.*) qui considère ce rapport de plus près parle de l'ἐόν et non, comme le fragment III, de l'εἶναι. On pense donc aussitôt, et non sans un certain droit, qu'il n'est pas question de l'être dans le fragment VIII, mais bien de l'étant. Mais, sous le nom d'ἐόν, Parménide ne pense aucunement l'étant en soi, comme ce tout auquel la pensée appartient, elle aussi, pour autant qu'elle est quelque chose d'étant. Tout aussi peu ἐόν désigne-t-il l'εἶναι au sens de l'être pour soi, comme si le penseur tenait à faire ressortir le caractère non sensible de l'être par opposition à l'étant, qui est sensible. L'ἐόν, l'étant, est bien plutôt pensé dans le Pli [2] de l'être et de l'étant et il conserve sa valeur de participe [3], sans que déjà le concept grammati-

1. *Uebersetzung*. « transfert » ou « traduction ». Ici l'un et l'autre. Cf. *op. cit.*, pp. 140-141.

2. *Zwiefalt*. Cf. p. 89, n. 1.

3. Tout participe est à double sens parce qu'il tient à la fois du verbe et du nom. Dans ἐόν, nous trouvons l'acte d'être (εἶναι) (sens verbal), mais aussi ce qui est (τὸ ἐόν) (sens nominal). C'est pourquoi ἐόν est en quelque sorte le nom naturel du Pli de l'être et de

cal intervienne spécialement dans le savoir concernant la langue. Le Pli peut du moins être suggéré par les tournures « être *de* l'étant » et « étant *dans* l'être ». Seulement « ce qui déplie [1] » se cache dans le *de* et le *dans* bien plutôt que par ces mots il ne nous oriente vers son être. Les deux tournures sont très loin de penser le Pli comme tel, plus encore d'élever son dépliement au niveau des choses qui méritent interrogation [2].

L' « être lui-même », dont on a tant parlé, demeure en vérité, aussi longtemps qu'il est appréhendé comme être, toujours l'être au sens de l'être de l'étant. Ce sont toutefois les premiers temps de la pensée occidentale qui ont reçu la tâche de considérer ce qui est dit dans le mot εἶναι, « être », dans un regard à sa mesure et de le voir ainsi comme Φύσις, Λόγος, Ἕν. Comme le rassemblement qui règne dans l'être unit tout l'étant, il suffit que l'on pense à ce rassemblement pour que naisse l'apparence inévitable, et toujours plus tenace, que l'être (de l'étant) n'est pas seulement identique à l'étant dans son ensemble, mais que, en tant qu'identique et aussi en tant que « ce qui unit », il est même l'étant maximum *(das Seiendste)*. *Pour la pensée qui se représente, tout devient un étant.*

Le Pli de l'être et de l'étant semble, comme tel, se perdre dans l'inconsistant, bien que la pensée depuis ses débuts chez les Grecs se meuve toujours dans le déplié de son dépli, mais sans qu'elle ait considéré où il séjournait, et encore moins prêté quelque attention au dépliement du Pli. Au début

l'étant; et, de même que ce Pli est le Pli par excellence, ἐόν est le Participe par excellence. (Cf. *op. cit.*, pp. 133-136 et 174.)

1. *Das Entfaltende.* — Dans « l'être *de* l'étant » (ou « l'étant *dans* l'être »), le *de* (ou le *dans*) sépare l'être et l'étant autrement appliqués l'un contre l'autre, et marque leur distinction. La préposition joue le rôle du « dépliant » dont elle est le signe.

2. *Ins Fragwürdige.* Cf. p. 76, n. 1.

de la pensée occidentale le Pli disparaît sans qu'on s'en aperçoive. Et pourtant il n'est pas rien. Cette disparition confère même à la pensée grecque la manière d'un début : en ce que l'éclairement de l'être de l'étant se cache comme éclairement. Que la disparition du Pli se cache, ce fait est aussi capital que le point de savoir où le Pli s'en va. Où tombe-t-il? dans l'oubli [1]. L'empire durable de celui-ci s'occulte en tant que cette Λήθη, avec laquelle l'᾽Αλήθεια fait corps d'une façon si immédiate que la première peut se retirer au bénéfice de la seconde et lui abandonner le pur dévoilement dans le mode de la Φύσις, du Λόγος, de l'῞Εν : comme si le dévoilement n'avait pas besoin du voilement.

Mais ce qui en apparence est pure clarté est pénétré et régi par l'obscurité. C'est là que demeure en retrait le dépliement du Pli, aussi bien que sa disparition lors des débuts de la pensée. Pourtant, il nous faut, dans l'ἐόν, faire attention au Pli de l'être et de l'étant, afin de suivre la discussion que Parménide consacre au rapport de la pensée et de l'être.

II

En toute brièveté, le fragment III dit que la pensée fait partie de l'être. Comment caractériser cette appartenance? Question qui vient trop tard. La sentence concise a déjà donné la réponse dans ses premiers mots : τὸ γὰρ αὐτό, « à savoir le même ». Dans la version du fragment VIII, 34, la sentence commence par le même mot : ταὐτόν. Ce mot répond-il à notre question « de quelle manière la pensée appartient-elle à l'être? » en disant que les deux sont « le même »? Le mot n'apporte pas de réponse. Tout d'abord parce que la détermination

1. Sur l'oubli du Point le Plus Critique, l'être de l'oubli, la distinction du début et du commencement, cf. *op. cit.*, pp. 97-98.

« le même » exclut qu'il puisse être question d'une appartenance, laquelle ne peut exister qu'entre deux choses différentes. Ensuite parce que le mot « le même » nous laisse ignorer complètement de quel point de vue et pour quelle raison le différent s'accorde dans le même. Aussi τὸ αὐτό, le même, demeure-t-il le mot-énigme dans les deux fragments, sinon même pour toute la pensée de Parménide.

Si nous croyons que le mot τὸ αὐτό, le même, veut dire l'identique et si, qui mieux est, nous tenons l'identité pour la condition, claire comme le jour, de la pensabilité de tout le pensable, alors à vrai dire cette opinion nous fait perdre de plus en plus la faculté d'entendre le mot-énigme, à supposer que nous ayons déjà perçu son appel. Il suffit en attendant que nous ayons toujours le mot dans l'oreille comme un terme méritant d'être pensé. Ainsi demeurons-nous de ceux qui entendent, et prêts à laisser le mot reposer en lui-même comme mot-énigme, afin que tout d'abord nous tendions l'oreille de tous côtés, ouverte à un dire qui puisse nous aider à considérer la pleine mesure d'énigme contenue dans le mot.

Parménide nous offre une aide. Il dit plus clairement dans le fragment VIII comment il faut penser l' « être » auquel appartient le νοεῖν. Au lieu d'εἶναι, Parménide dit maintenant ἐόν, l'étant, qui par son double sens désigne le Pli. Mais le νοεῖν, de son côté, s'appelle maintenant νόημα : ce qui est pris dans l'attention d'un percevoir ayant égard à ce qu'il perçoit [1].

L'ἐόν est nommé spécialement comme ce οὗνεκεν

1. *Das in die Acht genommene eines achtenden Vernehmens.* — Le percevoir (le νοεῖν) a égard à ce qu'il perçoit et a des égards pour lui. Il respecte sa liberté, le laisse être, le laisse « étendu-devant ». Sur cette interprétation de νοεῖν, cf. *Was heisst Denken?*, pp. 124-125.

ἔστι νόημα, ce pour quoi la pensée *(Gedanc)* est présente. (Sur le penser et la pensée, cf. le cours *Was heisst denken* [1]? Niemeyer édit., Tübingen, 1954, pp. 91 et suiv.)

La pensée est présente en raison du Pli, qui n'est jamais dit. L'approche [2] de la pensée est en route vers le Pli de l'être et de l'étant. « Prendre dans son attention », c'est s'approcher du Pli [3], c'est (d'après le fragment VI) être déjà rassemblé et tendre vers le Pli, par l'effet du λέγειν préalable, du laisser-étendu-devant. Par quel moyen et comment? De cette façon que le Pli, à cause duquel les mortels trouvent le chemin de la pensée, réclame lui-même une telle pensée pour lui.

Nous sommes encore très loin de connaître, par une expérience conforme à son être, le Pli lui-même, ce qui veut dire aussi : le Pli en tant qu'il réclame la pensée. Le dire de Parménide n'éclaire qu'un point : si la pensée est présente, ce n'est ni en raison des ἐόντα, de l' « étant en soi », ni par soumission à la volonté de l'εἶναι au sens de l' « être pour soi ». En d'autres termes : ni l' « étant en soi » ne rend

1. « Que veut dire penser? » Il s'agit ici du livre cité à la note précédente et non de la conférence reproduite plus haut; cf. p. 151, n. 1. — « Le penser et la pensée » : *Denken und Gedanc.* — D'après le livre cité, pp. 92 et 157, le *Gedanc* (forme médiévale de *Gedanke*), qui traduit ici νόημα, est le « cœur », le « fond du cœur », ce qui en l'homme est le plus intérieur et qui en même temps s'étend le plus loin à l'extérieur, aussi loin qu'on puisse aller. Il est la pensée-souvenir *(Gedenken)* recueillie et toute-rassemblante. En lui reposent la mémoire *(Gedächtnis)*, entendue comme le recueillement constant de l'esprit *(Gemüt)* sur ce qui se dit à nous d'essentiel, et le remerciement *(Dank)*, c'est-à-dire la pensée tournée vers ce qu'il faut penser, vers ce qui nous donne le plus à penser. — Sur tous les termes en *ge-*, voir *N. du Tr., 2.*

2. La présence *(Anwesen)* de la pensée est l'approche *(An-wesen)* par laquelle elle se réfère au Pli et tend vers lui.

3. *In-die-Acht-Nehmen west die Zwiefalt an.* « Prendre dans son attention » est le fait du νοεῖν, du « percevoir » *(Vernehmen).* Cf. p. 292, n. 1. Sur la traduction de νοεῖν par « percevoir » *(vernehmen)*, « prendre dans son attention » *(in die Acht nehmen)* et « flairer, éventer » *(wittern)*, cf. *Was heisst Denken?*, pp. 124-125 et 172-173.

nécessaire une pensée, ni l' « être pour soi » ne contraint la pensée. Tous deux, chacun pris pour soi, ne font jamais savoir comment l' « être » réclame la pensée. Mais celle-ci déploie son être à cause du Pli de l'un et de l'autre, à cause de l'ἐόν. C'est en allant *vers* le Pli que le « prendre-dans-son-attention [1] » s'approche de l'être. C'est dans une telle approche [2] que la pensée appartient à l'être. Que dit Parménide de cette appartenance?

III

Parménide dit que le νοεῖν est πεφατισμένον ἐν τῷ ἐόντι. On traduit par : la pensée qui, comme chose énoncée, est dans l'étant.

Mais comment pourrions - nous percevoir et comprendre ce que c'est que d'être ainsi « énoncé » *(ausgesprochen)*, aussi longtemps que nous ne nous soucions pas de savoir ce que veulent dire ici « chose dite », « parler », « langage », aussi longtemps que nous nous empressons de prendre l'ἐόν pour l'étant et que nous laissons indéterminé le sens du mot « être »? Comment pourrions-nous connaître le rapport du νοεῖν au πεφατισμένον, aussi longtemps que nous ne déterminons pas le νοεῖν suffisamment, en tenant compte du fragment VI? (Cf. le cours cité, pp. 124 et *sq.*) Le νοεῖν, dont nous voudrions considérer l'appartenance à l'ἐόν, est fondé dans le λέγειν et déploie son être à partir de lui. Là, dans le λέγειν, a lieu ce « laisser-étendu-devant » qui laisse la chose présente étendue dans sa présence. C'est seulement en tant qu'elle est ainsi étendue-devant que la chose présente peut comme telle intéresser le νοεῖν, ce qui « prend dans son attention ». Aussi le νόημα, en tant que νοούμενον du νοεῖν, est-il toujours déjà

1. Le νοεῖν. Voir la note précédente.
2. *An-wesen*. Voir ci-dessus, p. 293, n. 2.

un λεγόμενον du λέγειν. Mais l'être du dire, tel que les Grecs l'ont perçu, repose dans le λέγειν. C'est pourquoi le νοεῖν est une chose dite, et cela dans son être et jamais seulement après coup ou par accident. Sans doute, toute chose dite n'est pas aussi forcément une chose prononcée *(ein Gesprochenes)*. Il est possible, et parfois même nécessaire, qu'elle demeure une chose tue. Tout ce qui est prononcé et tout ce qui est tu est déjà chose dite. Mais non l'inverse.

En quoi consiste la différence de la chose dite et de la chose prononcée? Pourquoi Parménide caractérise-t-il le νοούμενον et le νοεῖν (VIII, 34 et *sq.*) comme πεφατισμένον? On traduit ce mot par « parlé », ce qui est exact au point de vue lexicographique. Mais en quel sens perçoit-on un parler tel que le désignent φάσκειν et φάναι? « Parler » n'est-il ici que la manifestation sonore (φωνή) de ce qu'un mot ou une phrase signifient (σημαίνειν)? Est-ce qu'ici l'on comprend « parler » comme l'expression d'une chose intérieure, d'une chose de l'âme, donc comme réparti entre ses deux composants, le phonétique et le sémantique? Nulle trace de tout cela dans l'expérience qui perçoit le parler comme φάναι, le langage comme φάσις. Dans φάσκειν se rencontrent les sens : appeler, nommer avec des louanges, s'appeler; mais tout cela parce que l'être même du mot est « faire apparaître ». Φάσμα est l'apparition des étoiles, de la lune, le fait qu'ils se montrent ou qu'ils se cachent. φάσεις désigne les phases. Les phases de la lune sont les modes changeants de son paraître. Φάσις est la parole disante *(Sage)*; « dire » *(sagen)* signifie : faire apparaître. Φημί, je dis, est identique en son être, quoique non équivalent, à λέγω : amener la chose présente devant nous dans sa présence, l'amener à apparaître et à rester étendue.

Ce qui intéresse Parménide, c'est d'examiner où

le νοεῖν a sa place. Car c'est seulement là où il a originairement sa place que nous pouvons le trouver, juger de notre découverte, voir comment la pensée fait corps avec l'être. Quand Parménide perçoit le νοεῖν comme πεφατισμένον, cela ne veut pas dire que le νοεῖν soit une chose énoncée et qu'il doive ainsi être cherché dans les paroles prononcées ou dans les signes de l'écriture, comme un étant perceptible à l'un ou l'autre de nos sens. Le croire serait s'égarer, et s'éloigner au maximum de la pensée grecque, et même si l'on voulait se représenter le parler et ce qu'il énonce comme des faits de conscience et établir la pensée comme acte de conscience dans le domaine de pareils faits. Le νοεῖν, le « prendre-dans-son-attention », et ce qu'il a perçu[1] sont une chose dite, amenée à paraître. Mais où? Parménide dit : ἐν τῷ ἐόντι, dans l'ἐόν, dans le Pli de la présence et de la chose présente. Ceci donne à penser et nous libère définitivement du préjugé hâtif, d'après lequel la pensée serait exprimée dans la parole prononcée. Nulle part, il n'en est question.

Dans quelle mesure le νοεῖν peut-il, la pensée doit-elle apparaître dans le Pli? Dans la mesure où le dépliement, qui conduit dans le Pli de la présence et de la chose présente, é-voque le « laisser-étendu-devant », le λέγειν, et, dans l' « être-étendu-devant », ainsi libéré, de la chose étendue, donne au νοεῖν quelque chose qu'il peut prendre dans son attention pour l'y préserver. Seulement Parménide ne pense pas encore le Pli comme tel; encore moins pense-t-il le dépliement du Pli. Mais Parménide dit (VIII, 35 et *sq.*) : οὐ γὰρ ἄνευ τοῦ ἐόντος... εὑρήσεις τὸ νοεῖν : car, séparé du Pli, tu ne peux trouver la pensée. Pourquoi pas? Parce qu'invitée par l'ἐόν, elle a sa place avec lui dans le rassem-

1. « Il a perçu » : on retrouve le passé-présent déjà observé. Cf. pp. 260, 262, 263 et les notes.

blement, parce que c'est la pensée elle-même, reposant dans le λέγειν, qui accomplit le rassemblement à l'appel de l'ἐόν et qui répond de cette manière à son appartenance à l'ἐόν comme à une appartenance mise en œuvre *(gebrauchten)* à partir de celui-ci. Car le νοεῖν ne perçoit pas n'importe quoi, mais seulement cette chose unique nommée dans le fragment VI : ἐὸν ἔμμεναι : l'étant-présent *(das Anwesend)* dans sa présence.

Autant de choses non pensées et méritant de l'être s'annoncent dans l'exposé de Parménide, autant se projette de clarté sur ce qui est avant tout nécessaire, si l'on veut méditer comme il convient cette appartenance de la pensée à l'être dont Parménide nous parle. Nous devons apprendre à penser l'être du langage à partir du dire et à penser ce dernier comme laisser-étendu-devant (λόγος) et comme faire-apparaître (φάσις). Il est d'abord difficile de mener à bien une pareille tâche, parce que ce premier éclairement de l'être du langage comme parole disante *(Sage)* s'assombrit et disparaît bientôt et qu'il laisse le champ libre à une caractérisation du langage qui le représente désormais à partir de la φωνή, de l'émission sonore, comme un système de désignation et de signification et finalement de transmission de nouvelles et d'information.

IV

Maintenant encore, alors que l'appartenance de la pensée à l'être s'est placée mieux en lumière, nous pouvons à peine entendre d'une façon plus instante la pleine mesure d'énigme contenue dans le mot-énigme de la sentence : τὸ αὐτό, le même. Mais quand nous voyons que le Pli de l'ἐόν, la présence des choses présentes, rassemble à soi la pensée, alors ce rôle directeur du Pli nous laisse peut-être entrevoir la pleine mesure d'énigme de ce que cache le vide sémantique habituel du mot « le même ».

Est-ce à partir du *dépliement* du Pli que le Pli, de son côté, appelle la pensée sur la voie de l' « à-cause-de-lui[1] » et par-là requiert l'appartenance mutuelle de la présence (des choses présentes) et de la pensée? Mais qu'est-ce que le dépliement du Pli? Comment se produit-il? Trouvons-nous dans la parole de Parménide un point d'appui nous aidant à rechercher, en questionnant d'une manière appropriée, ce qu'est le dépliement du Pli, nous aidant à entendre ce qui fait son être *(ihr Wesendes)* et à l'entendre dans ce que tait le mot-énigme de la sentence? Nous n'en trouvons aucun immédiatement.

Il est surprenant toutefois que, dans les deux versions de la sentence sur le rapport de la pensée et de l'être, le mot-énigme figure au commencement. Le fragment III dit « Le même en effet est le « prendre-dans-son-attention » et aussi l' « être-présent » (des choses présentes). » Le fragment VIII, 34, dit : « Le même est « prendre-dans-son-attention » et (ce) en chemin vers quoi est le percevoir attentif. » Que signifie, dans le dire de la sentence, cette place de début accordée au mot dans la construction de la phrase? Sur quoi, par cette intonation, Parménide voulait-il mettre l'accent? Probablement sur le ton fondamental. En lui résonne par anticipation *ce que* la sentence, à proprement parler, doit dire. Ce qu'on dit ainsi s'appelle en grammaire le prédicat de la phrase. Mais le sujet de la phrase est le νοεῖν (pensée) dans son rapport à l'εἶναι (être). Le texte grec nous oblige à interpréter ainsi la construction de la sentence. La position de tête du mot-énigme nous invite à arrêter notre attention sur ce mot et à y revenir sans cesse. Même ainsi, toutefois, le mot

1. *Auf den Weg des « Ihretwegen ».* — Le Pli invite la pensée à paraître; et elle paraît en lui (ἐν ᾧ) et à cause de lui (οὕνεκεν).

ne nous dit rien de ce que nous voudrions savoir.

Il nous faut donc essayer, sans jamais perdre de vue la position de τὸ αὐτό, le même, au début de la phrase, de nous avancer librement et avec hardiesse dans la pensée du dépliement, en partant du Pli de l'ἐόν (de la présence des choses présentes). Nous y sommes aidés par la considération suivante : c'est dans le Pli de l'ἐόν que la pensée est pro-duite en son paraître, c'est en lui qu'elle est une chose dite : πεφατισμένον.

Dans le Pli domine ainsi la φάσις, le dire, en tant que ce « faire-apparaître » qui appelle et réclame. Qu'est-ce que le dire fait apparaître? La présence des choses présentes. Le dire qui règne dans le Pli et qui le manifeste est le rassemblement de la présence, dans le paraître de laquelle les choses présentes peuvent apparaître. Cette Φάσις que Parménide pense, Héraclite l'appelle le Λόγος, le « laisser-étendu-devant » qui rassemble.

Qu'est-ce qui a lieu dans la Φάσις et dans le Λόγος ? Est-ce que ce dire qui règne en eux, qui rassemble et qui appelle, serait cet apport, qui tout d'abord pro-duit *(erbringt)* un paraître, lequel accorde une éclaircie et dans la durée duquel la présence d'abord s'éclaire [1], afin que, dans sa lumière, des choses présentes apparaissent et qu'ainsi règne le Pli de l'une et des autres? Le dépliement du Pli résiderait-il en ceci qu'un paraître illuminant se montre? Le trait fondamental de ce paraître, les Grecs l'ont vu comme dévoilement. Dans le dépliement du Pli règne ainsi le dévoilement. Les Grecs le nomment Ἀλήθεια.

La pensée de Parménide serait donc parvenue tout de même, à sa manière, jusqu'au dépliement

1. *Das Lichtung gewährt, in welchem Währen erst Anwesen sich lichtet.* Littéralement : « qui accorde éclaircie, dans lequel durer seulement présence s'éclaire. » Cf. p. 42, n. 1, et cf. pp. 235, 301, 306 et les notes.

du Pli, à supposer que Parménide parle de l'Ἀλήθεια. La nomme-t-il? Sans doute, au début de son *Poème didactique*. Plus encore : l'Ἀλήθεια est une déesse. C'est en l'écoutant que Parménide dit ce qu'il a pensé. Pourtant il ne dit pas en quoi consiste l'être de l'Ἀλήθεια. Il ne pense pas davantage en quel sens du mot divinité l'Ἀλήθεια est une déesse. Pour les débuts de la pensée grecque, tout cela demeure — d'une façon aussi immédiate qu'un éclaircissement du mot-énigme τὸ αὐτό, le même — hors du cercle des choses qui méritent d'être pensées.

Il est toutefois vraisemblable qu'entre toutes ces choses impensées existent des relations invisibles. Les vers introductifs du *Poème didactique*, I, 22 et *sq.*, sont autre chose que l'habillement poétique d'un travail conceptuel abstrait. C'est se rendre trop facile le dialogue avec la voie de pensée de Parménide que de regretter, dans les paroles du penseur, l'absence de toute expérience mythique et d'objecter que la déesse Ἀλήθεια est parfaitement vague, pur fantôme rationnel, si on la compare aux « personnes divines » bien caractérisées, Hèra, Athéné, Démèter, Aphrodite, Artémis. Qui fait de pareilles réserves parle comme si de longue date on savait avec certitude ce qu'est la « divinité » des dieux grecs, comme s'il était sûr que parler ici de « personnes » a bien un sens et que, touchant l'être de la vérité, il fût bien établi qu'au cas où elle apparaîtrait comme déesse, on ne pourrait voir là que la personnification abstraite d'un concept. Au fond, c'est à peine si le « mythique » a été pris en considération et surtout l'on n'a pas considéré que le μῦθος est un dire *(Sage)* et que dire, à son tour, est appeler et faire briller. Aussi vaut-il mieux que nous continuions à questionner prudemment et que nous écoutions ce que dit le fragment I (22 et *sq.*) :

καί με θεὰ πρόφρων ὑπεδέξατο, χεῖρα δὲ χειρί
δεξιτερὴν ἕλεν, ὧδε δ'ἔπος φάτο καί με προσηύδα.

Et la déesse, regardant dans l'avenir, me reçut favo-
[rablement, de sa main
Elle me prit la main droite et me dit ainsi la parole,
[chantant pour moi :

Ce qui s'offre ici au penseur comme chose à penser demeure en même temps voilé quant à son origine essentielle. Ceci n'exclut pas, mais implique au contraire que, dans ce que dit le penseur, domine le dévoilement comme ce à quoi il est toujours attentif, pour autant qu'il l'oriente vers la chose à penser. Or, celle-ci est nommée dans le mot-énigme τὸ αὐτό, le même, et, ainsi nommée, qualifie le rapport de la pensée à l'être.

C'est pourquoi nous devons au moins demander si ce n'est pas le dépliement du Pli, au sens du dévoilement de la présence des choses présentes, qui est tu dans αὐτό, le même. En le présumant, nous n'allons pas au delà de ce qu'a pensé Parménide, nous retournons au contraire vers ce qu'il faut penser, et penser d'une façon plus originelle.

L'examen de la sentence sur le rapport de la pensée à l'être prend alors l'apparence inévitable d'une chose arbitraire et forcée.

La construction grammaticale de la phrase τὸ γὰρ αὐτὸ νοεῖν ἐστίν τε καὶ εἶναι apparaît maintenant dans une autre lumière. Le mot-énigme τὸ αὐτό, le même, par lequel commence la phrase, n'est plus le prédicat mis en tête, mais bien le sujet, ce qui s'étend au-dessous, ce qui porte et soutient. Le mot sans apparence ἐστίν, « est », veut dire maintenant : déploie son être *(west)*, dure en accordant et en puisant, pour accorder, dans ce qui accorde [1], dans ce comme quoi domine τὸ αὐτό, le

1. *West. währt, und zwar gewährend aus dem Gewährenden.* « Accor-

même, à savoir comme le dépliement du Pli, au sens du dévoilement : ce qui, dévoilant, déplie le Pli assure le « prendre-dans-son-attention [1] » sur son chemin vers la perception rassemblante de la présence des choses présentes. La vérité, entendue comme pareil dévoilement du Pli, laisse à partir de lui la pensée appartenir à l'être. Dans le mot-énigme τὸ αὐτό, le même, se tait l'octroi dévoilant qui garantit [2] l'appartenance mutuelle du Pli et de la pensée qui apparaît en lui.

V

Si donc la pensée appartient à l'être, ce n'est pas parce qu'elle *aussi* est une chose présente et qu'elle a donc sa place dans l'ensemble de la présence, on entend par là : dans l'ensemble des choses présentes. Il semble toutefois que Parménide aussi se représente de cette façon le rapport de l'être à la pensée. Il ajoute en effet, à l'appui de ce qu'il vient de dire, une remarque introduite par γάρ (car) et ainsi conçue : πάρεξ τοῦ ἐόντος : hors de l'étant il n'y a eu, il n'y a et il n'y aura aucun autre étant (d'après une conjecture de Bergk : οὐδ' ἦν). Mais τὸ ἐόν ne veut pas dire « l'étant », il désigne le Pli. Certes, hors de celui-ci, il n'y a jamais aucune présence de choses présentes, car la présence comme telle repose dans le Pli, paraît et apparaît dans le déploiement de sa lumière.

Mais pourquoi, en ce qui concerne le rapport de la pensée à l'être, Parménide ajoute-t-il spécialement une telle justification? Parce que le mot νοεῖν, qui diffère d'εἶναι, parce que le mot « pen-

der » au sens d' « octroyer ». Sur le rapport étroit entre « durer » et « accorder », cf. p. 42, n. 1.

1. Le νοεῖν, le connaître, la pensée. « Assure » *(gewährt)* au sens de « garantit ». Cf. p. 235.

2. *Das entbergende Gewähren.*

sée » donne forcément l'impression que ce qu'il désigne est tout de même un ἄλλο, une chose autre, en face de l'être et par conséquent hors de lui. Mais ce n'est pas seulement le mot comme forme verbale, c'est son contenu, son sens, qui paraît se tenir « à côté » et « hors » de l'ἐόν. Et cette apparence n'est pas non plus simple apparence. Car λέγειν et νοεῖν laissent les choses présentes étendues-devant, dans la lumière de la présence. Eux-mêmes sont ainsi étendus en face de la présence, quoique jamais en face d'elle comme deux objets existant pour soi. L'assemblage de λέγειν et de νοεῖν laisse (d'après le fragment VI) l'ἐὸν ἔμμεναι, il libère la présence, la laissant accéder à son apparaître pour la perception, et se tient alors d'une certaine manière hors de l' ἐόν. D'un point de vue la pensée est hors du Pli, vers lequel, lui répondant et demandée par lui, elle demeure en chemin. D'un autre point de vue, ce « en chemin vers... » demeure à l'intérieur du Pli, lequel n'est jamais une simple distinction, quelque part existante et représentée, de l'être et de l'étant, mais a son être à partir du dépliement qui dévoile. Celui-ci, comme Ἀλήθεια, accorde à toute présence la lumière dans laquelle les choses présentes peuvent apparaître.

Si toutefois le dévoilement accorde l'éclairement de la présence, c'est en mettant en œuvre à la fois — au cas où des choses présentes doivent apparaître — un « laisser-étendu-devant » et un percevoir [1] et, les mettant ainsi en œuvre, en retenant la pensée dans son appartenance au Pli. C'est pourquoi, hors du Pli, il n'y a d'aucune manière quoi que ce soit de présent n'importe où et n'importe comment.

Tout ce que nous avons débattu jusqu'à présent demeurerait une invention arbitraire, une interprétation substituée après coup, si Parménide n'avait

1. Un λέγειν, un dire, et un νοεῖν, un connaître.

dit lui-même pourquoi la présence ne peut jamais se tenir à côté de l'ἐόν, hors de lui.

VI

Ce que le penseur nous dit encore de l' ἐόν se trouve, en langage grammatical, dans une proposition subordonnée. Quiconque est exercé, si peu que ce soit, à écouter les grands penseurs sera, sans doute, parfois déconcerté par ce fait étrange que ce qu'il faut proprement penser, ils le disent dans une proposition subordonnée ajoutée sans bruit et qu'ils s'en tiennent là. Le jeu de la lumière qui appelle, déploie et aide à la croissance ne devient pas lui-même visible. Il brille, aussi peu apparent que la lumière du matin sur la somptuosité tranquille des lis dans le champ et des roses dans le jardin.

La proposition subordonnée de Parménide, qui à vrai dire est la thèse de toutes ses thèses, est la suivante (VIII, 37 et *sq.*) :

...... ἐπεὶ τό γε Μοῖρ' ἐπέδησεν
οὖλον ἀκίνητόν τ' ἔμμεναι.

...puisque la Moîra lui a imposé (à l'étant) d'être un [Tout et immobile.
(W. Kranz)

Parménide parle de l' ἐόν, de la présence (des choses présentes), du Pli, mais nullement de l' « étant ». Il nomme la Μοῖρα, l'attribution, qui accordant répartit et qui ainsi ouvre le Pli. L'attribution dispense le Pli, elle en munit, en fait don. Elle est la Dispensation *(Schickung)*, en elle-même recueillie et ainsi dépliante, qui envoie la présence [1] comme présence de choses présentes. Μοῖρα est

1. *Die... Schickung des Anwesens.* Cf. plus haut p. 272, n. 1.

la Dispensation [1] de l' « être » au sens de l'ἐόν. C'est celui-ci justement, τό γε, qu'elle a libéré, lui ouvrant l'accès du Pli, et par là même lié à la totalité et au repos, à partir desquels et dans lesquels la présence des choses présentes se manifeste.

Dans la Dispensation du Pli, toutefois, c'est seulement la présence qui parvient à paraître et les choses présentes à apparaître. La Dispensation maintient en retrait le Pli comme tel et plus encore son dépliement. L'être de l' 'Αλήθεια demeure voilé. La visibilité qu'elle accorde fait émerger la présence des choses présentes comme « aspect » (εἶδος) et comme « vue » (ἰδέα). En conséquence, le rapport qui appréhende la présence des choses présentes se détermine comme voir (εἰδέναι). Là même où la vérité s'est transformée, devenant la certitude de la conscience de soi, le savoir marqué par la *visio* et son évidence ne peuvent nier leur origine essentielle, tirée du dévoilement qui éclaire. Le *lumen naturale*, la lumière naturelle, ici l'illumination de la raison, présuppose déjà le dévoilement du Pli. Cette remarque vaut aussi pour les théories augustinienne et médiévale de la lumière, lesquelles, pour ne rien dire de leur origine platonicienne, ne peuvent se déployer que dans le domaine de l''Αλήθεια, déjà dominante dans la Dispensation du Pli.

Si nous voulons pouvoir parler de l'histoire de l'être, nous devons d'abord avoir considéré qu' « être » veut dire : présence des choses présentes : Pli. C'est seulement à partir de l'être ainsi considéré que nous pouvons alors demander, avec la prudence nécessaire, ce qu'« histoire » *(Geschichte)* veut dire ici. L'histoire est la Dispensation du Pli *(das Geschick der Zwiefalt)*. Elle est l'être-durer en mode rassemblé qui, dévoilant et dépliant,

1. Sur la Dispensation (ou l'Envoi) de l'être *(Geschick des Seins)*, voir notamment *Der Satz vom Grund*, pp. 108-110, 119-120, 129-130 et 150.

octroie[1] la présence éclairée, où les choses présentes apparaissent. L'histoire de l'être n'est jamais une suite d'événements que l'être parcourrait pour lui-même. Encore moins est-elle un objet qui ouvrirait à l' « histoire » (-science) de nouvelles possibilités de vues-représentations, qui les ouvrirait à une « histoire » disposée à se substituer, prétendant savoir mieux, à la façon jusqu'ici habituelle de considérer l'histoire de la métaphysique.

Ce que, dans l'inapparence d'une proposition subordonnée, Parménide dit de la Μοῖρα, dans les liens de laquelle l'ἐόν est libéré comme Pli, ouvre au penseur l'ampleur de vue accordée à son chemin par le destin. Car c'est dans cette ampleur qu'apparaît ce en quoi la présence (des choses présentes) se montre elle-même : τὰ σήματα τοῦ ἐόντος. Ceux-ci sont à vrai dire multiples (πολλά). Les σήματα ne sont pas les signes d'une autre chose. Ils sont le paraître multiple de la présence elle-même émergeant du Pli déplié.

VII

Mais ce que la Μοῖρα dispense et répartit n'est pas encore complètement exposé. Il en résulte qu'un trait essentiel du mode de sa puissance demeure impensé. Qu'arrive-t-il, du fait que la Dispensation libère la présence des choses présentes, la conduisant dans le Pli, et ainsi la fixe dans sa totalité et son repos?

Pour mesurer la portée de ce que Parménide dit à ce sujet aussitôt après la proposition subordonnée (VIII, 39 et *sq.*), il est nécessaire de rappeler ce qui a été exposé précédemment (sous III). Le dépliement du Pli domine comme φάσις, comme « dire » en tant que « faire-apparaître ». Le Pli abrite en

1. *Das entbergend entfaltende Gewähren.* Cf. p. 42, n. 1.

lui le νοεῖν *et* ce qu'il pense (νόημα) comme chose dite. Mais ce qui est perçu dans la pensée, c'est la présence des choses présentes. Le dire qui pense, et qui correspond au Pli, est le λέγειν en tant qu'il laisse la présence étendue-devant. Ce qui ne se produit tout à fait que sur la voie de pensée où s'engage le penseur appelé par l' Ἀλήθεια.

Mais que devient la φάσις (parole disante) qui domine dans la Dispensation dévoilante, quand, ce qui est déployé dans le Pli, la Dispensation l'abandonne au percevoir banal des mortels? Ceux-ci accueillent (δέχεσθαι, δόξα) ce qui s'offre à eux immédiatement, tout de suite et tout d'abord. Ils ne commencent pas par se préparer pour une voie de pensée. Ils n'entendent jamais proprement l'appel du dévoilement du Pli. Ils s'en tiennent à ce qui se déploie en lui, plus précisément à ce qui les requiert immédiatement : aux choses présentes, sans égard à la présence. Ils gaspillent leur activité et leurs loisirs pour ce qu'ils ont l'habitude de percevoir, τὰ δοκοῦντα (fragment I, 31). Ils le prennent pour le non-caché, ἀληθῆ (VIII, 39), puisque, n'est-ce pas? il leur apparaît et qu'ainsi il n'est plus caché. Seulement que devient leur dire, s'il ne peut être le λέγειν, le « laisser-étendu-devant »? Quand les mortels ne donnent aucune attention à la présence, c'est-à-dire ne la pensent pas, leur dire habituel devient un simple dire de noms et ce qui passe au premier plan dans ces noms, c'est le son émis et la forme immédiatement saisissable de la parole, au sens de mots prononcés et écrits.

Le démembrement du dire (du « laisser-étendu-devant ») en mots signifiants fait éclater le « prendre-dans-son-attention [1] » qui rassemble. Celui-ci devient un κατατίθεσθαι (VIII, 39), une fixation qui fixe ceci ou cela pour l'opinion, qui est pressée. Tout ce

1. Le νοεῖν.

qui est ainsi fixé demeure ὄνομα. Parménide ne dit aucunement que ce qui est habituellement perçu devient « pur et simple » nom. Mais ce qui est ainsi perçu demeure abandonné à un dire, tout entier dirigé par les mots courants, lesquels, vite prononcés, disent tout sur tout et vagabondent dans l' « aussi bien... que [1]... ».

La perception des choses présentes (des ἐόντα) nomme, elle aussi, l'εἶναι et connaît la présence, mais également la non-présence, et d'une façon aussi hâtive; non pas certes comme le fait la pensée qui, à sa manière, respecte la réserve [2] du Pli (le μὴ ἐόν). L'opinion courante ne connaît qu'εἶναι τε καὶ οὐχί (VIII, 40), la présence aussi bien que la non-présence. Le poids de ce qui est ainsi « bien connu » se trouve dans τέ-καί (VIII, 40 et *sq.*), « aussi bien... que... ». Et là où la perception habituelle, celle qui parle à partir des mots, rencontre l'émergence et la disparition [3], elle se satisfait de l' « aussi bien... que... » : aussi bien la génération (γίγνεσθαι) que la mort (ὄλλυσθαι) (VIII, 40). Elle ne perçoit jamais le lieu, τόπος, comme l'endroit où le Pli offre une demeure *(Heimat)* à la présence des choses présentes. Dans l' « aussi bien... que... », l'opinion des mortels ne recherche que les changements (ἀλλάσσειν) de places. La perception habituelle, sans doute, se meut dans la partie éclairée des choses présentes, elle voit ce qui brille (φανόν, VIII, 41) dans la couleur, mais elle se démène dans les changements (ἀμείβειν) de couleur et ne prête aucune attention à la lumière tranquille de cette clarté qui vient du dépliement du Pli et qui est la Φάσις, le faire-apparaître, la

1. Dans le τέ-καί dont il va être question.

2. Au sujet de la « retenue » *(Vorenthalt)* de l'être, cf. p. 174. Le non-être (μὴ ἐόν) est l'être, en tant qu'il se réserve, ne se donne pas, reste dans l'ombre. Cf. plus loin, p. 309, fin.

3. *Das Aufgehen und Untergehen*, le lever et le coucher, comme on le dit des astres.

façon dont la parole est disante, non la façon dont parlent les mots, les noms qu'entend l'oreille.

Τῷ πάντ' ὄνομ' ἔσται (VIII, 38), par cela tout (les choses présentes) sera présent dans ce dévoilement prétendu qu'apporte avec elle la domination des mots. Par quoi cela se produit-il? Par la Μοῖρα, par la dispensation [1] du dévoilement du Pli. Comment faut-il l'entendre? Dans le dépliement du Pli, en même temps que la présence paraît, les choses présentes apparaissent. Les choses présentes, elles aussi, sont choses dites, mais dites dans les mots qui nomment, dans le parler desquels se meut le dire ordinaire des mortels. La dispensation du dévoilement du Pli (de l'ἐόν) abandonne les choses présentes (τὰ ἐόντα) au percevoir quotidien des mortels.

Comment se produit cet abandon des choses par la dispensation? Par cela seulement que le Pli comme tel et avec lui son dépliement demeurent en retrait. Est-ce qu'alors ce qui domine dans le dévoilement, c'est qu'il se dérobe? Pensée hardie, mais Héraclite l'a pensée. Parménide l'a sentie sans la penser, pour autant qu'entendant l'appel de l' 'Αλήθεια, il pense la Μοῖρα de l'ἐόν, la dispensation du Pli, aussi bien dans son rapport à la présence que dans son rapport aux choses présentes.

Parménide ne serait pas un penseur vivant a l'aube des débuts de cette pensée qui se plie à la dispensation du Pli, si sa pensée ne pénétrait dans l'ampleur de l'énigme qui se tait dans le mot-énigme τὸ αὐτό, le même. Là s'abrite ce qui mérite d'être pensé, ce qui nous donne à penser, se donne soi-même à penser comme étant le rapport de la pensée à l'être, la vérité de l'être au sens du dévoilement du Pli, la réserve observée par le Pli (le μὴ ἐόν) alors que prédominent les choses présentes (τὰ ἐόντα τὰ δοκοῦντα).

1. *Geschick*, envoi, attribution et destin.

Le dialogue avec Parménide ne prend pas fin; non seulement parce que, dans les fragments conservés de son *Poème didactique*, maintes choses demeurent obscures, mais aussi parce que ce qu'il dit mérite toujours d'être pensé. Mais que le dialogue soit sans fin n'est pas un défaut. C'est le signe de l'illimité qui, en soi et pour la pensée qui se souvient, préserve la possibilité d'un revirement du destin.

Qui toutefois n'attend de la pensée qu'une assurance et suppute le jour où on pourra la laisser là inutilisée, celui-là exige le suicide de la pensée. Exigence qui apparaît dans une étrange lumière, quand nous songeons à ceci que l'être des mortels est invité à faire attention à cette parole qui leur dit d'entrer dans la mort. Comme possibilité extrême de l'existence mortelle, la mort n'est pas la fin du possible, mais elle est l'Abri suprême[1] (la mise à l'abri qui rassemble) où réside le secret du dévoilement qui nous appelle.

1. *Das höchste Ge-birg*. Cf. p. 6, n. 2, et p. 213.

ALÈTHÉIA

(Héraclite, fragment 16)

On l'appelle « l'Obscur », ὁ Σκοτεινός. Héraclite avait déjà cette réputation, alors que son livre était encore entièrement conservé. Nous n'en possédons plus que des fragments. Des penseurs moins anciens, Platon, Aristote, et plus tard des écrivains et des érudits en philosophie, Théophraste, Sextus Empiricus, Diogène Laërce et Plutarque, voire même des théologiens chrétiens, Hippolyte, Clément d'Alexandrie et Origène, citent çà et là dans leurs œuvres des passages du livre d'Héraclite. Ces citations ont été réunies et forment les fragments d'Héraclite, dont nous devons le recueil au labeur des philologues et des historiens de la philosophie. Les fragments consistent tantôt en plusieurs phrases, tantôt en une seule, parfois ce ne sont que des lambeaux de phrases ou des mots isolés.

Le cours des idées chez les penseurs et écrivains postérieurs à Héraclite a été déterminant pour la façon dont ils ont choisi et cité certaines de ses paroles. Par là, le champ d'interprétation de ces paroles se trouve chaque fois fixé. Si donc nous étudions de près, dans les écrits de ces auteurs, les passages où elles figurent et ont été découvertes, nous pouvons toujours retrouver le contexte de pensée dans lequel tel auteur a fait entrer telle citation, mais non celui auquel elle a été enlevée chez Héraclite. Les citations et les passages qui les contiennent ne nous transmettent justement pas l'essentiel : l'unité interne de structure du livre d'Héraclite, unité d'où procèdent les mesures et la disposition de toutes ses parties. C'est seulement si l'on connaissait toujours davantage cette structure d'ensemble que l'on pourrait voir à partir de quelle origine parlent les divers fragments, en quel sens chacun d'eux peut être entendu comme une sentence. Mais la source centrale d'où le livre d'Héraclite a tiré son unité peut à peine être conjecturée et, de toute façon, il est difficile de la penser : si donc Héraclite peut être appelé « l'Obscur », c'est bien d'abord par nous. Le sens propre dans lequel ce qualificatif nous parle demeure lui-même obscur.

Héraclite est surnommé « l'Obscur ». Or, il est le Clair. Car il dit ce qui éclaire, en essayant d'inviter sa lumière à entrer dans le langage de la pensée. Ce qui éclaire dure [1] pour autant qu'il éclaire. Son acte éclairant, nous l'appelons clarté *(Lichtung)*. Reste à considérer ce qui appartient à la clarté, comment et où elle se produit. Le mot « clair » *(licht)* signifie : brillant, rayonnant, éclairant. Éclairer, c'est faire briller [2], libérer ce qui brille, le laisser apparaître. La liberté *(das Freie)* est le domaine de la non-occultation, lequel est régi par le dévoilement. Ce que celui-ci requiert, si et dans quelle mesure le dévoilement et la clarté sont identiques, c'est ce qu'il nous faut encore rechercher en questionnant.

En appeler au sens du mot ἀληθεσία [3], c'est ne rien faire et n'en tirer non plus aucun profit. Il faut aussi laisser entière la question de savoir si ce dont on traite et trafique sous les noms de

1. « Dure » *(währt)* et par conséquent « est » *(west)*. Cf. plus haut pp. 41 et 55.

2. *Das Lichten gewährt das Scheinen.* « L'éclairer accorde le briller. »

3. Forme archaïque restituée d'ἀλήθεια.

« vérité », « certitude », « objectivité », « réalité », a le moindre rapport avec ce à quoi le dévoilement et l'éclairement renvoient la pensée. Vraisemblablement, ce qui est en cause pour la pensée qui obéit à ce renvoi est quelque chose de plus relevé que la mise en sûreté de la vérité objective au sens d'énonciations valables. Comment expliquer que l'on s'empresse toujours d'oublier la subjectivité qui fait partie de toute objectivité? D'où vient que, même si l'on observe qu'elles sont inséparables, on s'efforce d'éclairer cette solidarité à partir de l'un des deux côtés, à moins qu'on ne fasse intervenir un troisième terme, chargé d'envelopper l'objet et le sujet? Pourquoi ce refus opiniâtre d'examiner si l'interdépendance du sujet et de l'objet ne repose pas *(nicht... west)* en ce qui tout d'abord octroie leur être à l'objet et à son objectivité, au sujet et à sa subjectivité : leur être, c'est-à-dire au préalable le domaine de leur rapport mutuel? Que notre pensée trouve péniblement sa voie vers cet Octroyant [1], et ne serait-ce que pour le chercher des yeux autour de nous, cette peine, cette lenteur ne peut tenir, ni à une limitation de l'entendement régnant, ni à une aversion pour les perspectives qui inquiètent les habitudes et dérangent la vie journalière. C'est autre chose qu'il nous faut plutôt supposer : nous savons trop de choses, et nous croyons trop vite, pour pouvoir nous sentir à l'aise dans des interrogations qui procèdent d'une véritable expérience. Elles requièrent la capacité de s'étonner devant ce qui est simple et d'accepter cet étonnement comme demeure fixe.

Sans doute le Simple ne nous est-il pas encore donné par cela seul que nous répétions à notre tour, à la manière des gens simples, la signification littérale d'ἀληθεσία comme « non-occultation ». La

1. L'Octroyant *(das Gewährende)* est ce qui dure en mode rassemblé. Cf. p. 42, n. 1.

non-occultation est le trait fondamental de ce qui est déjà apparu et a laissé derrière soi l'occultation. C'est ici le sens d'α-, que seule une grammaire inspirée par la pensée tardive des Grecs caractérise comme α- *privativum*. Le rapport à la λήθη, à l'occultation, et celle-ci même, ne perdent rien de leur poids pour notre pensée du fait que le non-caché n'est immédiatement appréhendé que comme chose apparue, comme chose présente.

C'est seulement quand on demande ce que tout cela veut dire et la façon dont cela peut se produire que l'étonnement *commence*. Que faire pour arriver jusque-là? Peut-être ceci : accepter un étonnement qui cherche du regard ce que nous nommons clarté et dévoilement?

L'étonnement qui pense parle en questions. Héraclite dit :

τὸ μὴ δῦνόν ποτε πῶς ἄν τις λάθοι;

Comment quelqu'un peut-il se cacher devant ce qui ne [*sombre jamais?*

(Trad Diels Kranz)

La sentence est numérotée fragment 16. Peut-être ce fragment devrait-il devenir pour nous le *premier*, à considérer son niveau propre et la portée de ce qu'il indique. La sentence d'Héraclite est citée par Clément d'Alexandrie dans son *Paidagogos* (livre III, ch. 10), à l'appui d'une remarque à la fois théologique et éducative. Il écrit : λήσεται (!) μὲν γὰρ ἴσως τὸ αἰσθητὸν φῶς τις, τὸ δὲ νοητὸν ἀδύνατόν ἐστιν, ἤ ὥς φησιν Ἡράκλειτος... « Peut-être quelqu'un peut-il se tenir caché devant la lumière perceptible aux sens, mais c'est impossible pour la lumière intelligible ou, comme le dit Héraclite... » Clément d'Alexandrie pense à l'omniprésence divine qui voit tout, même le forfait commis dans l'obscurité.

C'est pourquoi il dit, à un autre endroit de son ouvrage *L'Éducateur* (livre III, ch. 5) : οὕτως γὰρ μόνως ἀπτώς τις διαμένει, εἰ πάντοτε συμπαρεῖναι νομίζοι τὸν θεόν. « Aussi n'est-il, certes, qu'une façon dont un homme demeure sans tomber, c'est quand il estime qu'en tout temps le Dieu est présent à ses côtés. » Qui voudrait empêcher Clément d'Alexandrie, poursuivant son dessein théologique et éducatif, de faire entrer, après sept siècles d'intervalle, la parole d'Héraclite dans la sphère des représentations chrétiennes, donc de l'interpréter à sa manière? L'écrivain chrétien pense alors au pécheur qui se tient caché devant une lumière. Héraclite au contraire ne parle que de « rester caché ». Clément a en vue la lumière suprasensible, τὸν θεόν, le Dieu de la foi chrétienne. Héraclite nomme seulement le « ne-jamais-sombrer ». Ce « seulement » que nous faisons ressortir marque-t-il une limitation ou autre chose? Ici et dans ce qui va suivre, nous laisserons cette question ouverte.

Que gagnerait-on à rejeter simplement comme inexacte l'interprétation théologique du fragment? Tout au plus de donner corps à une apparence, comme si les réflexions qu'on va lire cédaient à l'illusion d'atteindre la doctrine d'Héraclite de la seule manière exacte, de l'atteindre absolument. Mais notre effort se limite à serrer de plus près le texte de la sentence héraclitéenne. Ce qui pourrait contribuer à guider une pensée à venir vers la région d'appels encore ignorés.

Pour autant que ceux-ci émanent de l'invitation *(Geheiss)* sous laquelle se tient la pensée [1], il importe peu qu'on évalue et que l'on compare, pour établir quels penseurs sont parvenus à proximité de ces appels et à quelle proximité. Que tout notre effort vise plutôt à entrer en dialogue avec un penseur

1. Cf. p. 288, texte et n. 1.

ancien et à nous rapprocher ainsi du domaine de ce qu'il faut penser.

Tout esprit pénétrant comprend bien qu'Héraclite ne parle pas de la même façon à Platon, à Aristote, à un écrivain ecclésiastique chrétien, à Hegel ou à Nietzsche. Si l'on reste prisonnier de la constatation « historique » de ces interprétations multiples, on ne peut leur reconnaître qu'une exactitude relative. Qui considère une pareille multiplicité se voit menacé — nécessairement — par le spectre affreux du relativisme. Pourquoi? Parce que faire « historiquement » le compte et la balance des interprétations, c'est avoir déjà abandonné le dialogue par questions avec le penseur, et vraisemblablement ne s'y être jamais engagé.

Que l'interprétation dialoguée de ce qui a été pensé soit chaque fois différente, c'est là le signe d'une plénitude qui ne se dit pas, celle de ce qu'Héraclite lui-même n'a pu dire non plus que suivant la ligne des perspectives qui *lui* étaient ouvertes. Vouloir courir après la doctrine objectivement exacte d'Héraclite, c'est là une entreprise qui se soustrait au danger salutaire d'être atteinte par la vérité d'une pensée.

Les remarques suivantes ne conduisent à aucun résultat. Elles montrent ce qui apparaît [1].

La sentence d'Héraclite est une question. Le mot sur lequel elle s'achève — au sens du τέλος [2] — nomme le point de départ de l'interrogation. C'est le domaine où se meut la pensée. Le mot dans lequel la pensée émerge est λάθοι. Quoi de plus facile à constater que ceci : λανθάνω, aoriste ἔλαθον, signifie « je demeure caché »? Pourtant c'est à peine si nous pouvons encore, sans médiation, nous réorienter vers la façon dont ce mot parle en grec.

Homère raconte (*Od.*, VIII, 83 et *sq.*) comment

1. *Sie zeigen in das Ereignis.*
2. De la fin qui est un accomplissement.

Ulysse, tandis que l'aède Démodocus chante dans le palais du roi des Phéaciens, et pendant le chant grave comme pendant le chant joyeux, comment Ulysse voile chaque fois sa tête et pleure ainsi, sans que les personnes présentes le remarquent. Le vers 93 dit : ἔνθ' ἄλλους μὲν πάντας ἐλάνθανε δάκρυα λείβων. Nous traduisons exactement, selon l'esprit de notre langue : « alors il versa des larmes sans qu'aucun des autres le remarquât. » La traduction de Voss est plus proche du grec, parce qu'elle reprend dans la version allemande le verbe ἐλάνθανε qui porte le poids de la phrase : « A tous les autres convives, il cacha le flot de ses larmes. » Toutefois, ἐλάνθανε n'est pas transitif et ne veut pas dire « il cacha », mais « il demeura caché » — en tant qu'il versait des pleurs. « Rester caché » est en grec le mot déterminant. Au contraire, on dit en allemand : « il pleura, sans qu'aucun autre le remarquât ». De même nous traduisons le conseil célèbre d'Épicure λάθε βιώσας par : « vis caché. » Pensés en grec, les deux mots disent : « passant ta vie, demeure (alors) caché. » « Être caché » qualifie ici la manière dont l'homme doit être présent parmi les hommes. Par le mode de son dire, la langue grecque nous informe que le fait de se cacher, c'est-à-dire aussi celui de demeurer non-caché, a le pas, en même temps qu'il les régit, sur toutes les autres manières dont les choses présentes sont présentes. Le trait fondamental de la présence elle-même est déterminé par le fait de demeurer caché et non-caché. Nul besoin d'en appeler d'abord à une étymologie, en apparence arbitraire, du mot ἀληθεσία, pour apercevoir comment partout la présence des choses présentes ne parle qu'en tant qu'elle brille, se fait connaître, est étendue-devant, émerge, se pro-duit, s'offre à la vue.

Tout ceci, dans son harmonie non troublée au sein de l'existence grecque et de sa langue, serait impensable, si « demeurer caché — demeurer non-caché » ne prédominait pas : comme ce qui n'est aucunement obligé de se dire [1] d'abord expressément, parce que le langage lui-même vient de lui.

Aussi l'expérience grecque, dans le cas d'Ulysse, ne pense-t-elle pas dans la perspective où les convives présents apparaissent comme des sujets qui, dans leur comportement subjectif, ne saisissent pas Ulysse pleurant comme un objet de leur perception. Pour l'expérience grecque, autour de l'homme pleurant règne bien plutôt une occultation qui le dérobe à la vue des autres. Homère ne dit pas : Ulysse cacha ses larmes. Le poète ne dit pas non plus : Ulysse se cacha en tant que pleurant, mais il dit : Ulysse demeura caché. Il nous faut considérer souvent le sens de ce mot, et avec toujours plus d'insistance, au risque de tomber dans les longueurs et les complications. Sans une vue suffisamment pénétrante de ce même sens, l'interprétation platonicienne de la présence comme ἰδέα demeure pour nous arbitraire ou accidentelle.

Sans doute, au sujet de ces remarques, pourrait-on invoquer une phrase d'Homère que nous lisons quelques vers plus haut (V, 86) : αἴδετο γὰρ Φαίηκας ὑπ' ὀφρύσι δάκρυα λείβων. Suivant la façon de dire de la langue allemande, Voss traduit par : (Ulysse se voila la tête) « afin que les Phéaciens ne vissent pas ses cils mouillés de larmes ». Il laisse même sans le traduire le mot αἴδετο qui porte la phrase. Ulysse eut honte devant les Phéaciens, comme quelqu'un qui verse des larmes. N'est-il pas assez clair que ceci dit la même chose que : il se cacha en raison de la honte qu'il éprouvait devant les Phéaciens? Ou bien devons-nous penser aussi la honte [2], l'αἰδώς, à partir du demeurer-caché, si

1. *Sich... zur Sprache bringen* : « s'amener soi-même à la parole (ou au langage) ». Sur cette locution, cf. p. 276.
2. *Die Scheu.*

nous cherchons à nous approcher de son être, tel que les Grecs l'ont appréhendé? « Avoir honte » voudrait dire alors : demeurer à l'abri et caché et en même temps rester en arrêt, se retenir.

Dans la scène racontée à la manière grecque, où Ulysse se voile et pleure, nous voyons comment le poète perçoit le pouvoir de la présence et quel sens encore impensé du mot être est déjà devenu destin. Être présent, c'est se cacher et en même temps être éclairé. A pareille situation convient la pudeur [1]. Celle-ci est la retenue du rester-caché devant l'approche des choses présentes. Elle est la mise à l'abri des choses présentes dans la proximité inviolable de ce qui ne cesse pas d'être en venue, venue qui demeure elle-même un voilement croissant de soi-même. Il faut donc penser la pudeur, et toute chose haute qui lui est parente, à la lumière du rester-caché.

Nous devons aussi nous préparer à user avec plus de réflexion d'un autre mot grec, se rattachant à la racine λαθ-. C'est ἐπιλανθάνεσθαι. Nous le traduisons correctement par « oublier ». Une fois reconnue cette exactitude lexicographique, tout paraît bien clair. On fait comme si l'oubli était la chose la plus claire du monde. Tout au plus observe-t-on au passage que le demeurer-caché est nommé dans le mot grec correspondant.

Mais que veut dire « oublier »? L'homme moderne, qui semble avoir pris à tâche d'oublier aussi vite que possible, devrait pourtant savoir ce que c'est que l'oubli, mais il ne le sait pas. Il a oublié l'être de l'oubli *(Vergessen)*, à supposer qu'il l'ait jamais suffisamment considéré, c'est-à-dire que, le pensant, il l'ait transposé dans le domaine essentiel de l'état de chose oubliée *(Vergessenheit)*. L'indifférence régnante touchant l'être de l'oubli ne

1. *Die Scheu*, ἡ αἰδώς.

tient pas seulement à la façon hâtive dont on vit aujourd'hui : ce qui a lieu dans une telle indifférence vient lui-même de l'être de l'état de chose oubliée. Cet état a en propre de se dérober et d'être aspiré par le reflux même de sa propre occultation. Les Grecs ont perçu l'état de chose oubliée, λήθη, comme une occultation envoyée par le Destin.

Λανθάνομαι dit : je demeure caché à moi-même, quant au rapport à moi-même de ce qui autrement n'est pas caché. Le non-caché, de son côté, se trouve ainsi caché, de même que je le suis à moi-même dans mon rapport à lui. Les choses présentes sombrent dans l'occultation de telle sorte que, dans une pareille occultation, je demeure caché à moi-même comme celui auquel les choses présentes se dérobent. Et en même temps, cette occultation, de son côté, est occultée. C'est là ce qui se produit dans cet événement auquel nous pensons quand nous disons : j'ai oublié (quelque chose). Dans l'oubli, il n'y a pas seulement quelque chose qui nous échappe. L'oubli lui-même tombe en occultation, et de telle sorte que nous-mêmes, aussi bien que notre relation à la chose oubliée, passons dans l'état de chose cachée. C'est pourquoi les Grecs employaient la voie moyenne et disaient plus nettement : ἐπιλανθάνομαι. Ainsi nommaient-ils l'occultation où tombe l'homme, et ils la nommaient en même temps dans son rapport à ce qu'elle dérobe à l'homme.

La façon dont la langue grecque utilise λανθάνειν, rester caché, comme le verbe qui porte et conduit la phrase, aussi bien que l'expérience de l'oubli à partir du demeurer-caché, montrent assez clairement que λανθάνω, je demeure caché, ne désigne pas un mode quelconque du comportement humain parmi beaucoup d'autres modes, mais nomme le trait fondamental de tout comportement envers les choses présentes et absentes, sinon même le trait fondamental de la présence et de l'absence elles-mêmes.

Si maintenant le mot λήθω, je demeure caché, nous parle dans la sentence d'un penseur et si, plus encore, ce mot conclut une question qui soit une pensée, alors il nous faut réfléchir à ce mot, et à ce qu'il dit, dans un champ aussi large et avec autant de patience que nous pouvons déjà le faire aujourd'hui.

Tout demeurer-caché inclut en soi le rapport à ce à quoi la chose cachée demeure soustraite, vers quoi aussi, en de nombreux cas, par cela même qu'elle est soustraite, la chose cachée demeure inclinée. La langue grecque met à l'accusatif ce avec quoi la chose qui se dérobe dans l'occultation reste en rapport : ἔνθ' ἄλλους μὲν πάντας ἐλάνθανε...

Héraclite demande : πῶς ἄν τις λάθοι; « Comment quelqu'un pourrait-il demeurer caché? » Par rapport à quoi? A ce qui est nommé dans les mots qui précèdent et par lesquels débute la sentence : τὸ μὴ δῦνόν ποτε, ce qui ne sombre jamais. Le « quelqu'un » qui est ici mentionné n'est donc pas le sujet par rapport auquel une autre chose demeure cachée, mais il est question de « quelqu'un » eu égard à la possibilité que *lui-même* demeure caché. La question d'Héraclite ne considère pas d'avance l'occultation et la non-occultation dans leur rapport à l'homme, à ce même homme dont, suivant les représentations habituelles des modernes, nous voudrions bien déclarer qu'il est le porteur, sinon l'artisan, de la non-occultation. La question d'Héraclite, pour le dire en langage moderne, pense en sens inverse. Elle considère la relation de l'homme à « ce qui ne disparaît jamais » et pense l'homme à partir de cette relation.

Par ces mots : « ce qui ne sombre jamais [1] »,

1. *Das Niemals Untergehende.* L'image est celle d'un astre qui se couche.

nous traduisons, comme si cela allait de soi, l'expression grecque τὸ μὴ δῦνόν ποτε. Que veulent dire ces mots? Où nous renseigner à ce sujet? Il semble naturel d'essayer d'abord de répondre à ces questions, même si l'entreprise devait nous entraîner loin de la sentence d'Héraclite. Ici pourtant, comme dans d'autres cas semblables, nous courons facilement le danger d'aller chercher trop loin. Car l'expression grecque nous paraît d'emblée assez claire pour qu'aussitôt nous regardions autour de nous, cherchant uniquement ce dont on peut dire, suivant Héraclite, qu'il ne disparaît jamais. Mais nos questions ne vont pas si loin. Nous n'essaierons pas non plus de juger s'il est possible de formuler la dernière comme nous l'avons fait. Car tenter d'en juger serait peine perdue, s'il apparaissait qu'il est inutile de demander à quoi Héraclite applique le « ne-sombrer-jamais ». Comment ceci pourrait-il apparaître? Comment échapper au danger de pousser trop loin nos questions?

Seulement ainsi : en éprouvant nous-mêmes que l'expression τὸ μὴ δῦνόν ποτε donne déjà suffisamment à penser, dès lors que nous examinons ce qu'elle dit.

Le mot directeur est τὸ δῦνον . Il se rattache à δύω, qui veut dire envelopper, enfoncer. Δύειν signifie : entrer en quelque chose : le soleil entre dans la mer, il s'y plonge; πρὸς δύνοντος ἡλίου veut dire : vers le soleil couchant, vers le soir; νέφεα δῦναι, c'est aller sous les nuages, disparaître derrière les nuages. S'enfoncer, pensé à la grecque, a lieu comme une entrée dans l'occultation [1].

Nous apercevons facilement, bien qu'au début d'une façon encore vague, que les deux mots qui portent le poids de la phrase parce qu'ils en

1. *Als Eingehen in die Verbergung*, une entrée et un évanouissement, suivant les deux sens du verbe *eingehen :* « entrer » et « disparaître », « s'éteindre », « se dissoudre ».

détiennent la substance, mots par lesquels elle commence et se termine, τὸ δῦνον et λάθοι, parlent de la même chose. Mais la question demeure, de savoir en quel sens ceci est vrai. De toute façon nous avons déjà gagné quelque chose, si nous percevons que la sentence se meut, questionnante, dans le domaine de l'occultation. Ou bien, si nous y réfléchissons, ne sommes-nous pas plutôt le jouet d'une illusion grossière? Il semble qu'il en soit bien ainsi : car la sentence dit τὸ μὴ δῦνόν ποτε, ce qui ne disparaît jamais. C'est évidemment ce qui ne sombre *(eingeht)* jamais dans une occultation. Celle-ci demeure exclue. A vrai dire, la sentence questionne au sujet d'un demeurer-caché. Mais elle met en doute si nettement la possibilité d'une occultation que la question équivaut à une réponse. Et celle-ci écarte le cas possible d'un demeurer-caché. Sous la forme purement rhétorique d'une interrogation, ce qui parle est la sentence affirmative : devant ce qui ne sombre jamais, personne ne peut rester caché. Ceci sonne presque comme une thèse doctrinale.

Dès que nous ne détachons plus, comme mots isolés, les termes porteurs de la phrase, τὸ δῦνον et λάθοι, mais que nous les entendons dans l'ensemble intact de la sentence, alors il devient clair que celle-ci ne se meut aucunement dans le champ de l'occultation, mais bien dans le domaine exactement opposé. Une simple interversion opérée dans le groupement du début et aboutissant à τὸ μήποτε δῦνον montre immédiatement de quoi parle la sentence : de ce qui ne sombre jamais. Si nous convertissons enfin la tournure négative en son affirmative correspondante, nous entendons pour la première fois ce que la sentence veut dire par « ce qui ne disparaît jamais » : ce qui sans cesse émerge [1], soit

1. *Das ständig Aufgehende :* « ce qui sans cesse se lève » (astre) et aussi « naît, s'ouvre, éclot », image végétale qui s'accorde avec φύειν.

en grec τὸ ἀεὶ φύον. Cette tournure ne se trouve pas chez Héraclite, qui parle en revanche de la φύσις. Dans ce mot nous entendons un terme fondamental de la pensée grecque. Ainsi nous tombe du ciel, d'une façon inespérée, la réponse à la question de savoir ce qu'est donc cela dont Héraclite nie qu'il puisse sombrer.

Mais pouvons-nous considérer comme une réponse l'indication de la φύσις, aussi longtemps que demeure obscur le sens dans lequel la φύσις doit être pensée? Et à quoi bon de grands mots ambitieux comme « terme fondamental », si les fonds et les abîmes de la pensée grecque nous concernent si peu que nous les recouvrions de noms pris au petit bonheur, empruntés par notre insouciance coutumière à nos secteurs journaliers de représentation? A supposer même que τὸ μήποτε δῦνον désigne la φύσις, la référence à la φύσις ne nous rend pas plus clair ce qu'est τὸ μὴ δῦνόν ποτε, mais inversement « ce qui ne sombre jamais » nous invite à considérer que — et dans quelle mesure — la φύσις est perçue comme ce qui sans cesse émerge. Or, que signifie cette dernière expression, sinon ce qui se dévoile sans cesse? Le dire de la sentence se meut donc dans le domaine du dévoilement et non dans celui du voilement.

Comment et rapportés à quel état de choses devons-nous concevoir le domaine du dévoilement et le dévoilement lui-même, de sorte que nous échappions au danger de courir après de simples mots? Plus résolument nous renonçons à nous représenter d'une façon intuitive, comme une chose présente, ce qui apparaît toujours et ne disparaît jamais, et plus nous est nécessaire quelque information sur ce qu'est cela même à quoi l'on attribue, comme propriété, de « ne-jamais-sombrer ».

La volonté de savoir mérite souvent des louanges, mais non quand elle va trop vite. Il nous serait pourtant difficile d'avancer avec plus de prudence, pour ne pas dire plus de détours, alors que sur tous les points nous nous tenons au texte de la sentence. Est-ce que nous nous y sommes tenu? Ou bien un déplacement de mots à peine sensible nous a-t-il poussé à nous hâter, et fait ainsi manquer l'occasion d'une remarque importante? Il faut le reconnaître. Nous avons *modifié* le groupement τὸ μή δῦνόν ποτε pour en faire τὸ μήποτε δῦνον, et nous avons traduit exactement μήποτε par « ne... jamais » et τὸ δῦνον par « ce qui sombre ». Nous n'avons pris en considération, ni le μή dit pour lui-même avant δῦνον, ni le ποτέ qui suit δῦνον. Nous ne pouvions donc pas non plus tenir compte d'une indication que la négation μή et l'adverbe ποτέ réservent à une explication plus circonspecte du mot δῦνον.

Μή est un adverbe de négation. Il signifie « ne... pas », comme οὐκ, mais dans un autre sens. Οὐκ nie directement quelque chose de ce qui est frappé par la négation. Μή au contraire attribue, à ce qui est entré dans le champ de sa négation, quelque chose : le fait de repousser, de tenir à distance, d'empêcher. Μή... ποτέ dit : que ne... jamais. Quoi donc? Que quelque chose soit autrement qu'il n'est [1].

Dans la sentence d'Héraclite μή et ποτέ encadrent δῦνον. Grammaticalement le mot est un participe. Nous l'avons traduit jusqu'ici en lui donnant sa signification nominale, qui paraît s'offrir à nous plus naturellement, et ainsi nous avons corroboré l'opinion, non moins tentante, d'après laquelle Héraclite parle de ce qui est tel qu'il ne tombe jamais au pouvoir du « sombrer ». Mais la négation μή... ποτέ concerne le fait de durer et d'être de telle et telle manière. La négation porte donc sur le sens verbal du participe δῦνον. Il en va de même du μή dans l'ἐόν de Parménide. L'expression τὸ μή δῦνόν

1. *Etwas anders wese, als wie es west.*

ποτε dit : le-pourtant-bien-ne-sombrer-jamais [1].

Osons encore une fois, pour un moment, convertir le groupement négatif en un affirmatif : nous voyons alors qu'Héraclite pense la perpétuelle émergence, et non pas quelque chose à quoi l'émergence s'applique comme qualité, pas davantage le Tout qui est atteint par l'émergence. Au contraire, Héraclite pense l'émergence, et elle seule. L'émergence qui toujours a duré et dure est nommée dans le mot φύσις, lorsqu'il est pensé en même temps que dit. Nous devrions le traduire par « émergence [2] » d'une façon insolite, mais fidèle, qui correspond au mot courant « production » *(Entstehung)*.

Héraclite pense le ne-jamais-disparaître. C'est, pensé par un Grec, ne jamais sombrer *(Eingehen)* dans l'occultation. Dans quel domaine se meut ainsi le dire de la sentence? Il nomme, quant au sens, l'occultation *(Verbergung)*, à savoir le fait de n'y jamais sombrer. La sentence, en même temps, vise précisément la perpétuelle émergence, le dévoilement qui toujours dure et durera. Le composé τὸ μὴ δῦνόν ποτε, le ne-jamais-sombrer, veut dire les deux : dévoilement *et* voilement, non comme deux événements différents et simplement juxtaposés, mais comme une seule et même chose. Faire attention à ce double sens, c'est s'interdire de substituer à la légère τὴν φύσιν à τὸ μὴ δῦνόν ποτε. Ou bien est-ce que cela est encore possible, voire inévitable? Mais dans ce dernier cas nous ne pouvons plus penser la φύσις simplement comme émergence. Du reste en son fond elle n'est jamais pure émergence. C'est Héraclite lui-même qui le dit, d'une

1. *Das doch ja nicht Untergehen je.*

2. *Aufgehung* (néologisme), forme nominale féminine qui correspond à celle de φύσις, alors que pour traduire τὸ ἀεὶ φύον (pp. 323-324), Heidegger emploie la forme verbale neutre *das Aufgehen*, que nous rendons aussi par « émergence ».

manière à la fois claire et mystérieuse. Lisons le fragment 123 :

Φύσις κρύπτεσθαι φιλεῖ. Nous n'examinerons pas de plus près si la traduction : « L'être des choses aime à se cacher » dirige, ne fût-ce que de loin, vers la région de la pensée héraclitéenne. Peut-être n'avons-nous pas le droit d'imposer à Héraclite un pareil lieu commun, pour ne rien dire du fait que c'est seulement à partir de Platon qu'on a pensé un « être des choses ». C'est un autre point qui requiert notre attention : φύσις et κρύπτεσθαι, émerger (se dévoiler) et se cacher sont nommés en juxtaposition. Ce qui à première vue peut étonner : car, s'il est une chose dont la φύσις en tant qu'émergence se détourne ou même contre laquelle elle se tourne, c'est bien le κρύπτεσθαι, le fait de se cacher. Pourtant Héraclite les pense l'une à côté de l'autre. Leur proximité est même expressément nommée : elle est qualifiée par le mot φιλεῖ. Le se-dévoiler aime le se-cacher. Qu'est-ce à dire? Le dévoilement recherche-t-il l'état de ce qui est caché? Où cet état doit-il être et comment, en quel sens du mot « être »? Ou bien la φύσις n'éprouve-t-elle que de temps en temps une certaine prédilection à être, pour changer, un voilement au lieu d'un dévoilement? La sentence dit-elle qu'il arrive à l'émergence de se transformer volontiers en un voilement, de sorte que domine tantôt l'une et tantôt l'autre? D'aucune manière. Cette interprétation manque le sens du mot φιλεῖ, qui nomme le rapport unissant φύσις et κρύπτεσθαι. Surtout elle oublie le point décisif, ce que la sentence donne à penser : la façon dont l'émergence est *(west)* en tant que dévoilement de soi-même. S'il peut être ici question d' « être » *(wesen)* à propos de la φύσις, alors φύσις ne signifie pas l'essence *(das Wesen)*, l'ὅ τι, le quoi des choses. Héraclite n'en parle, ni ici, ni dans les fragments 1 et 112, où il emploie la tournure κατὰ φῦσιν. Ce que pense la sentence n'est pas la φύσις comme essence *(Wesenheit)* des choses, mais bien l'être *(Wesen)* (au sens verbal) de la φύσις.

L'émergence comme telle, en toute circonstance, incline déjà à se fermer. C'est dans cette fermeture d'elle-même qu'elle demeure à l'abri. Κρύπτεσθαι, en tant que se retirer vers l'abri *(Sichver-bergen)*, n'est pas simplement se fermer, mais c'est une mise à l'abri *(ein Bergen)*, en laquelle demeure préservée la possibilité essentielle de l'émergence et où l'émergence comme telle a sa place. C'est le se-cacher qui garantit son être au se-dévoiler. Dans le se-cacher domine, en sens inverse, la retenue de l'inclination à se dévoiler. Que serait un se-cacher qui, dans son inclination à émerger, ne se contiendrait pas?

Ainsi φύσις et κρύπτεσθαι ne sont pas séparés l'un de l'autre, mais tournés et inclinés l'un vers l'autre. Ils sont la même chose. C'est seulement dans une telle inclination que chacun accorde à l'autre son être propre. Cette faveur en elle-même réciproque est l'être du φιλεῖν et de la φιλία. Dans ce penchant, qui incline l'un dans l'autre émergence et voilement, repose la plénitude d'être de la φύσις.

On pourrait donc traduire comme suit le fragment 123 φύσις κρύπτεσθαι φιλεῖ : « L'émerger (hors du se-cacher) accorde sa faveur au se-cacher. »

Nous ne pensons encore que les premiers plans de la φύσις, quand nous la pensons simplement comme émergence et comme faire-émerger, lui attribuant encore des qualités quelles qu'elles soient, mais qu'en même temps nous négligeons ce point décisif que le dévoilement, non seulement n'exclut jamais le voilement, mais a besoin de lui pour déployer son être tel qu'il est, à savoir comme dé-voilement *(Ent-bergen)*. C'est seulement quand nous pensons la φύσις en ce sens que nous pouvons dire aussi τὴν φύσιν au lieu de τὸ μὴ δῦνόν ποτε.

Les deux appellations nomment le domaine que

fonde et régit l'intimité mouvante du dévoilement et du voilement. Dans cette intimité s'abrite l'union et l'un-ité de l'Ἕν, de cet Un que les anciens penseurs, vraisemblablement, avaient contemplé dans une richesse de sa simplicité qui demeure fermée à leurs successeurs. Τὸ μὴ δῦνόν ποτε le « ne-jamais-sombrer-dans-l'occultation », ne tombe jamais au pouvoir de l'occultation pour s'y éteindre, mais il demeure adonné au se-cacher parce que, en tant qu'il ne sombre jamais *dans*..., il est à tout moment une émergence *hors* de l'occultation. Pour la pensée grecque, κρύπτεσθαι est dit, sans être énoncé, dans τὸ μὴ δῦνόν ποτε; et ainsi la φύσις est nommée dans la plénitude de son être, régi par la φιλία qui unit le dévoilement et le voilement.

Peut-être la φιλία du φιλεῖν du fragment 123 et l'ἁρμονίη ἀφανής du fragment 54 sont-elles identiques, à supposer que l'assemblage grâce auquel le dévoilement et le voilement, tournés l'un vers l'autre, s'assemblent l'un dans l'autre, doive demeurer l'inapparent de toute inapparence, puisque c'est lui qui fait don du paraître à tout ce qui apparaît.

L'indication de φύσις, φιλία, ἁρμονίη a réduit le vague dans lequel nous avons tout d'abord perçu τὸ μὴ δῦνόν ποτε, le fait de ne jamais sombrer. Pourtant c'est à peine si l'on peut encore réprimer le souhait qu'au lieu de considérations abstraites et flottantes sur le dévoilement et le voilement, on puisse fournir une information de caractère intuitif sur l'endroit où la chose nommée a proprement sa place. A vrai dire, cette question arrive trop tard. Pourquoi? Parce que, pour la pensée des premiers temps, τὸ μὴ δῦνόν ποτε nomme le domaine de tous les domaines. Il n'est pas toutefois le genre suprême auquel se subordonneraient différentes sortes de domaines. Il est ce en quoi, au sens d'une résidence, repose tout « en quel endroit? » possible d'un

« avoir-sa-place ». En conséquence, le domaine au sens du μὴ δῦνόν ποτε est unique, si on le considère à partir de son étendue rassemblante. En lui croît ensemble *(concrescit)* tout ce qui appartient au faire-apparaître du dévoilement bien perçu. Il est le concret pur et simple. Mais comment est-il possible de représenter ce domaine d'une façon concrète au moyen des exposés abstraits qui précèdent? La question semble justifiée, aussi longtemps du moins que nous oublions ceci : que nous ne devons pas nous jeter trop vite sur la pensée d'Héraclite armés de distinctions telles que celles du « concret » et de l' « abstrait », du « sensible » et du « non-sensible », de l' « intuitif » et du « non-intuitif ». Qu'elles nous soient depuis longtemps familières ne garantit pas encore leur portée, que nous croyons illimitée. Il a pu ainsi arriver que, là précisément où il se sert d'un mot qui nomme un objet d'intuition, Héraclite pense ce qui échappe complètement à l'intuition. On voit par là le peu de profit que nous tirons de pareilles distinctions.

Suivant ce qui a été expliqué, nous pouvons remplacer τό μὴ δῦνόν ποτε par τὸ ἀεὶ φύον, mais à deux conditions. Nous devons penser φύσις à partir du se-cacher et nous devons entendre φύον au sens verbal. Nous cherchons en vain chez Héraclite le mot ἀείφυον, mais à sa place nous trouvons dans le fragment 30 ἀείζωον, « toujours vivant ». Le verbe « vivre » atteint au point extrême, le plus lointain et le plus intérieur, de son dire quand il parle à partir d'une signification que Nietzsche aussi a pensée, lorsqu'il écrivait dans ses notes des années 1885-1886 : « « l'être »... nous n'en avons pas d'autre représentation que « vivre ». — Comment quelque chose de mort peut-il « être »? » (*Volonté de Puissance*, nº 582.)

Comment faut-il entendre notre mot « vivre », quand nous le choisissons pour traduire fidèlement le grec ζῆν? Dans ζῆν, dans ζάω parle la racine ζα-. Assurément nous ne pouvons, d'un coup de baguette magique, faire sortir de cette forme sonore ce que « vivre » voulait dire pour les Grecs. Pourtant nous observons que la langue grecque, surtout dans le parler d'Homère et de Pindare, emploie des mots tels que ζάθεος, ζαμενής, ζάπυρος. Ζα-, nous disent les linguistes, marque un renforcement; ζάθεος est ainsi « très divin », « très saint »; ζαμενής « impétueux »; ζάπυρος « très ardent ». Mais ce « renforcement » n'est pas un accroissement mécanique ou dynamique. Pindare applique ζάθεος à des lieux et à des montagnes, à des plaines et à des rivages, et cela quand il veut dire que les dieux, ceux qui brillent et regardent vers nous, se sont, à proprement parler, laissé souvent voir là, qu'ils sont apparus et ainsi ont été présents. Ces lieux sont particulièrement sacrés, parce que toute leur émergence ne consiste qu'à faire apparaître celui qui brille. De même ζαμενής désigne ce qui fait émerger dans la plénitude de sa présence l'irruption de la tempête et son arrivée jusqu'à nous.

Ζα- signifie le pur faire-émerger dans et pour les modes de l'apparaître, du regarder-vers-nous, de l'irruption, de l'arrivée. Le verbe ζῆν nomme l'émergence dans le lumineux. Homère dit : ζῆν καὶ ὁρᾶν φάος ἠελίοιο, « vivre, et ceci veut dire : contempler la lumière du soleil ». Il ne faut pas penser les termes grecs ζῆν, ζωή, ζῷον à partir de représentations zoologiques, ou même biologiques au sens large du mot. Ce que nomme le grec ζῷον est si loin de toute animalité représentée en mode biologique que les Grecs pouvaient appeler leurs dieux mêmes des ζῷα. Pourquoi? Ceux qui regardent vers nous sont ceux qui émergent dans la vision. L'expérience qu'on a des dieux n'est pas celle qu'on a d'animaux. Et toutefois, dans un sens particulier, l'animalité fait partie du ζῆν. D'une manière qui surprend et captive à la fois, l'émergence de l'animal vers l'espace libre demeure en soi fermée et liée. Chez l'animal, se dévoiler et se voiler sont unis de telle façon que c'est à peine si notre interprétation humaine trouve une voie, dès lors qu'elle est également résolue à éviter l'explication mécanique, à tout moment possible, de l'animalité et l'explication anthropomorphique. Comme l'animal ne parle pas, se dévoiler et se voiler, de même que leur unité, ont chez les animaux, comme vie, un tout autre être [1].

Pourtant ζωή et φύσις disent la même chose : ἀείζωον veut dire ἀείφυον, c'est-à-dire : τὸ μὴ δῦνόν ποτε.

Dans le fragment 30, le mot ἀείζωον vient après πῦρ, le feu, moins comme un adjectif que comme une désignation nouvelle, qui fait alors son apparition dans le parler d'Héraclite et qui nous dit de quelle manière il faut penser le feu, à savoir comme une perpétuelle émergence. Par le mot « feu » Héraclite nomme ce qu'οὔτε τις θεῶν οὔτε ἀνθρώπων ἐποίησεν, « ce qu'aucun des dieux ni des hommes n'a pro-duit », ce qui plutôt, devant les dieux et les hommes et pour eux, repose en soi, déjà et toujours, comme φύσις, demeure en soi et préserve ainsi toute venue. Or ceci est le κόσμος. Nous disons « le monde » et nous le pensons mal, aussi longtemps que nous nous le représentons exclusivement, ou même seulement en premier lieu, en termes de cosmologie ou de philosophie de la nature.

Le monde est un feu qui dure, une émergence durable au plein sens de la φύσις. Quand on parle ici d'un embrasement éternel du monde, il ne faut pas se représenter d'abord un monde pour soi, qui, en outre est la proie d'un incendie continuel qui fait

1. *Ein ganz anderes Lebe-Wesen.*

rage en lui. L'émergence du monde [1], τὸ πῦρ, το ἀείζωον, τὸ μὴ δῦνόν ποτε sont bien plutôt identiques. C'est pourquoi l'être du feu qu'Héraclite *pense* n'est pas aussi immédiatement évident que voudrait nous le faire croire l'aspect d'une flamme en mouvement. Il suffit de prêter attention à l'usage de la langue, qui associe le mot πῦρ à des points de vue multiples et qui nous dirige ainsi vers la plénitude d'être de ce qui se laisse deviner dans le dire pensant du mot.

Πῦρ nomme le feu sacrificiel, le feu du foyer, le feu de bivouac, mais aussi l'éclat des torches, le scintillement des étoiles. Dans le « feu » règnent la clarté, l'incandescence, le flamboiement, la lueur douce, ce qui des-étend en clarté une étendue [2]. Mais dans le « feu » règne aussi ce qui endommage, détruit, ferme, éteint. Quand Héraclite parle du feu, il pense principalement la force qui éclaire, la direction qui donne et reprend les mesures. D'après un fragment découvert dans Hippolyte par Karl Reinhardt (*Hermes*, vol. 77, 1942, pp. 1 et suiv.) et dont l'authenticité est suffisamment établie, τὸ πῦρ est aussi pour Héraclite τὸ φρόνιμον, ce qui médite [3]. Ce qui montre à chacun son chemin et lui présente l'endroit où il a sa place. Le feu qui médite et présente rassemble toutes choses et les abrite dans son être. Le feu méditant est le rassemblement qui présente (qui place devant, dans la présence) et qui expose [4]. Τὸ Πῦρ est ὁ Λόγος. Sa méditation est le cœur, c'est-à-dire l'ampleur du monde, celle qui éclaire et abrite. Sous la multiplicité de noms divers : φύσις, πῦρ, λόγος, ἁρμονίη, πόλεμος, ἔρις, (φιλία), ἕν, Héraclite pense la plénitude d'être du Même.

1. *Das Welten der Welt*. Cf. plus haut pp. 214-218.
2. *Solches, was eine Weite in Helle entbreitet.*
3. *Das Sinnende*, ce qui cherche et suit une voie de pensée. Cf. p. 76.
4. *Die vor- (ins Anwesen) legende und dar-legende Versammlung.*

C'est partant de ce point et revenant vers lui qu'il dit l'expression par laquelle débute le fragment 16 : τὸ μὴ δῦνόν ποτε, le ne-jamais-sombrer. Ce qui est nommé ici, nous devons l'entendre, comme sens conjoint, dans tous les termes fondamentaux que nous avons cités de la pensée héraclitéenne.

Entre temps nous est apparu que, ne jamais s'évanouir dans l'occultation, c'était émerger perpétuellement hors du se-cacher. C'est ainsi que le feu mondial s'embrase, brille et médite. Si nous le pensons comme le pur éclairement, alors celui-ci n'apporte pas seulement la clarté, mais aussi l'espace libre *(das Freie)*, où toutes choses, surtout les opposées, viennent à paraître. Éclairer *(lichten)* est donc plus que simplement rendre clair *(nur Erhellen)*, plus aussi que libérer. Éclairer est la présentation méditante et rassemblante qui conduit vers l'espace libre, c'est l'octroi de la présence.

L'avènement *(Ereignis)* de la clarté qui libère s'appelle le monde. L'éclairement méditant et rassemblant, qui conduit dans l'espace libre, est dévoilement et repose dans le se-cacher. Celui-ci lui appartient comme cela même qui trouve son être dans le dévoilement et ne peut donc être jamais un simple effacement dans l'occultation, jamais une disparition.

Πῶς ἄν τις λάθοι ; « comment donc quelqu'un pourrait-il demeurer caché? » demande la sentence au sujet du τὸ μὴ δῦνόν ποτε qui précède et qui est à l'accusatif. En traduisant nous le mettons au datif : « Comment quelqu'un pourrait-il demeurer caché à celui-ci, c'est-à-dire à la clarté? » La *façon* dont la question est posée exclut une pareille possibilité, sans qu'une raison soit fournie. Celle-ci devrait donc se trouver déjà dans ce qu'on demande. Aussi sommes-nous prompts à la dire. C'est parce que le ne-jamais-sombrer, la clarté, voit et observe tout que rien ne peut se cacher devant elle. Seulement, dans la sentence, il n'est aucunement question d'un voir et d'un observer. Et surtout elle ne dit pas πῶς ἄν τι, « comment *quoi* que ce soit pourrait-il...? », mais πῶς ἄν τις, « comment *quelqu'un* pourrait-il...? ». D'après la sentence, la clarté n'est aucunement rapportée à n'importe quelle chose présente. Qui est désigné par le τίς? On est tenté de penser à l'homme, d'autant plus que la question est posée par un mortel et dite à des hommes. Mais, comme c'est un penseur qui parle ici, à savoir celui-là même qui habite près d'Apollon et d'Artémis, sa sentence pourrait bien être un colloque avec ceux qui regardent vers nous, et comprendre aussi les dieux dans τίς, quelqu'un. Nous sommes confirmés dans cette supposition par le fragment 30, qui dit : οὔτε τις θεῶν οὔτε ἀνθρώπων. De même le fragment 53, souvent cité et la plupart du temps d'une façon incomplète, nomme ensemble les immortels et les mortels, lorsqu'il dit : πόλεμος, l'ex-plication [1] (l'éclaircissement) montre les uns comme dieux, parmi ceux qui sont présents, les autres comme hommes, elle pro-duit, fait apparaître, les uns comme esclaves, les autres comme hommes libres. Ce qui veut dire : la clarté qui dure fait en sorte que dieux et hommes soient présents dans la non-occultation, de sorte qu'aucun d'eux ne puisse jamais demeurer caché; non pas cependant que chacun d'eux soit encore, dès le début, observé par quelqu'un, mais simplement pour autant qu'il est présent. La présence des dieux, toutefois, reste différente de celle des hommes. En tant que δαίμονες, θεάοντες, les dieux sont ceux qui regardent vers l'intérieur, dans l'éclaircie où sont les choses présentes, dont les mortels à leur manière s'approchent,

1. *Die Aus-einander-setzung*, la séparation des éléments, l'analyse, et aussi le dé-mêlé, l'explication orageuse.

les laissant étendues-devant dans leur état de choses presentes et les gardant sous leur attention.

Aussi l'éclairement n'est-il pas simple apport et projection de lumière. Puisque présence signifie : durer par sortie du voilement et présentation dans le dévoilement, l'éclairement qui dévoile et voile concerne donc la présence des choses présentes. Mais le fragment 16 ne parle pas de toute chose quelconque, τί, qui pourrait être présente, mais seulement, et sans équivoque, de τίς, de l'un quelconque des mortels ou des dieux. La sentence paraît ainsi ne nommer qu'un district limité des choses présentes. Ou bien la sentence, au lieu d'une limitation à un domaine particulier de ces choses, implique-t-elle une précellence et une mise hors limite [1] concernant le domaine de tous les domaines? Qui plus est, cette précellence est-elle d'une telle nature que la question de la sentence vise ce qui tacitement va chercher aussi d'autres choses présentes pour les ramener à soi et les garder près de soi, d'autres choses présentes qui sans doute ne peuvent être rangées parmi les hommes ou les dieux, mais qui pourtant, en un autre sens, sont divines et humaines, plante et animal, montagne, mer et étoile?

En quoi cependant pourrait résider la précellence des dieux et des hommes, sinon en ceci qu'eux précisément ne peuvent jamais rester cachés dans leur rapport à la clarté? Pourquoi ne le peuvent-ils pas? Parce que leur rapport à la clarté n'est rien d'autre que la clarté elle-même, pour autant que celle-ci rassemble et retient dans l'éclaircie les dieux et les hommes.

La clarté n'éclaire pas seulement les choses présentes, mais d'abord elle les rassemble et les met à l'abri dans la présence. De quelle sorte est cependant

1. *Eine Auszeichnung und Entschränkung.*

la présence des dieux et des hommes? Dans la clarté ils ne sont pas seulement éclairés *(beleuchtet)*, mais ils sont illuminés *(er-leuchtet)* par elle et vers elle. Ils peuvent ainsi, à *leur* façon, parachever l'éclairement (c'est-à-dire l'amener à la plénitude de son être) et par là veiller sur la clarté. Les dieux et les hommes ne sont pas seulement éclairés par une lumière, celle-ci fût-elle surnaturelle, de sorte qu'ils ne puissent jamais, devant elle, se cacher dans l'obscurité. Ils sont éclairés dans leur être. Ils sont conquis par la lumière *(er-lichtet)* : transpropriés dans l'avènement de la clarté et pour cette raison jamais cachés, mais dés-abrités *(ent-borgen)* et ceci pensé encore en un autre sens. De même que les éloignés *(die Entfernten)* appartiennent aux lointains, ainsi ceux que, dans le sens qu'il faut maintenant penser, la mise à l'abri libère *(die Entborgenen)* sont confiés à la clarté qui les abrite, qui les tient et les retient [1]. En vertu même de leur être, ils sont transposés dans le côté occultant du secret, rassemblés, appropriés au Λόγος dans l'ὁμολοεῖν (fragment 50).

Est-ce qu'Héraclite entend sa question comme nous venons de l'expliquer? Ce que nous avons dit dans cet examen se trouvait-il déjà dans le champ de ses représentations? Qui prétendrait le savoir? Qui oserait l'affirmer? Mais peut-être la sentence, abstraction faite du champ des représentations propres à Héraclite et à son temps, dit-elle quelque chose de ce que l'examen tenté a apporté. Elle le dit, à supposer qu'un dialogue pensant puisse l'amener à parler. Elle le dit et le laisse inexprimé. Les voies qui conduisent à travers la région de ce qui est ainsi inexprimé demeurent des questions dont l'appel ne fait jamais apparaître que ce qui, de

1. *Entbergen* pouvant être pris au sens d' « arracher à... par mise à l'abri », de « libérer par le fait même qu'on abrite ».

toute antiquité, leur a été montré sous un voilement multiple.

Qu'Héraclite considère l'éclairement qui voile et dévoile, le Feu mondial, dans un rapport à peine visible à ceux qui, en vertu de leur être, sont conquis par la lumière *(Erlichtete)* et sont ainsi par excellence de ceux qui écoutent, tournés vers la clarté et lui appartenant [1] : c'est ce qu'indique le trait fondamental, questionnant, de la sentence.

Ou bien la sentence parle-t-elle à partir d'une expérience de la pensée qui soutient déjà chacun de ses pas? La question d'Héraclite voudrait-elle dire seulement ceci : on ne peut découvrir aucune possibilité que le rapport du Feu mondial aux dieux et aux hommes ne soit pas tel que dieux et hommes aient leur place dans l'éclaircie, non seulement comme des éclairés et des contemplés, mais aussi comme ces inapparents qui à leur façon apportent aussi l'éclairement, qui le préservent et le transmettent dans sa durée [2]?

Dans ce cas la sentence questionnante pourrait amener à parler l'étonnement qui pense, et qui s'arrête, interdit, devant le rapport qui unit l'être des dieux et des hommes à la clarté elle-même et dans lequel celle-ci le maintient. Le dire questionnant correspondrait à ce qui demeure toujours digne de l'étonnement qui pense et toujours perçu dans sa dignité par celui-ci.

On ne saurait apprécier dans quelle mesure ni avec quelle clarté la pensée d'Héraclite, en pré-interprétant, a pu d'abord entrevoir la région de toutes les régions. Que la sentence toutefois se meuve dans la région de la clarté, c'est ce qui apparaît comme ne souffrant aucun doute, dès lors que nous considérons, toujours plus distinctement, ce seul

1. *Der Lichtung Zu-hörende und Zugehörige.*

2. Dans sa durée *(Währen)*, donc dans son être *(Wesen)*. Cf. pp. 41 et 55.

point : le début et la fin de la question nomment le dévoilement et le voilement, à savoir quant à leur rapport. Alors il n'est pas même besoin d'une référence spéciale au fragment 50 [1], où est nommé le recueillement qui dévoile et abrite, recueillement qui se dit aux mortels de telle sorte que leur être se déploie *en ceci* qu'ils répondent ou non au Λόγος.

Nous croyons trop facilement que le secret de « Ce qu'il faut penser » est chaque fois loin de nous, enseveli sous les strates presque impénétrables d'un mystère qui le recouvrirait. Le lieu de son être est pourtant cette proximité qui rapproche les unes des autres toutes les choses arrivantes et présentes et qui préserve ce qui s'est rapproché. Ce qui fait l'être *(das Wesende)* de la proximité est trop proche de notre mode habituel de représentation, qui se dépense tout entier pour les choses présentes et pour la tâche de les commettre [2], il en est trop proche pour que, sans préparation, nous puissions percevoir, et penser suffisamment, la puissance de la proximité. Le secret qui nous appelle et qui réside dans « Ce qu'il faut penser » n'est probablement rien d'autre que l'être de ce que nous essayons de suggérer par le mot de « clarté ». C'est pourquoi l'opinion courante passe à tous les coups, opiniâtrement, à côté du secret. Héraclite le savait. Le fragment 72 dit :

ὧι μάλιστα διηνεκῶς ὁμιλοῦσι Λόγωι τούτωι, διαφέ-
[ρονται.
καὶ οἷς καθ'ἡμέραν ἐγκυροῦσι, ταῦτα αὐτοῖς ξένα φαί-
[νεται,

« Celui vers qui, portés par lui jusqu'au bout, ils sont le plus tournés, le Λόγος, c'est de lui qu'ils se séparent; et il apparaît alors que ce qu'ils ren-

1. Cf. plus haut p. 249.
2. *Dessen Bestellung.* Cf. pp. 21 et suiv.

contrent journellement leur demeure (dans sa présence) étranger. »

Sans cesse, les mortels sont tournés vers le rassemblement qui dévoile et abrite et qui, éclairant toute chose présente, la fait entrer dans la présence. Pourtant ils se détournent de la clarté, ne regardant que les choses présentes, qu'ils rencontrent directement dans leur commerce journalier avec toutes choses et avec chacune d'elles. Ils se figurent que ce commerce avec les choses présentes leur procure, comme de soi, la familiarité qui est à la mesure des choses. Et pourtant celles-ci leur demeurent étrangères. Car ils ne pressentent rien de ce à quoi ils sont confiés : rien de la présence qui, en éclairant, fait d'abord apparaître toute chose présente. Le Λόγος, dans la clarté duquel ils vont ou demeurent, leur reste caché, est pour eux oublié.

Plus leur deviennent connues toutes choses connaissables, et plus elles sont et demeurent étranges pour eux, sans qu'ils puissent le savoir. Ils ne deviendraient attentifs à une pareille situation que s'ils pouvaient demander : quel que soit celui dont l'être appartient à la clarté, comment pourrait-il jamais se soustraire à l'accueil et à la garde de la clarté? Comment le pourrait-il, sans percevoir aussitôt que, si les choses quotidiennes sont pour lui les plus courantes, c'est seulement parce que ce caractère courant est dû à l'oubli de ce qui d'abord conduit, dans la lumière d'une présence, même ce qui semble de soi bien connu?

L'opinion de tous les jours cherche le vrai dans la diversité multiple du toujours-nouveau dispersé devant lui. Il ne voit pas l'éclat tranquille (l'or) du secret qui brille toujours dans ce qu'il y a de simple dans la clarté. Héraclite dit (fragment 9) :

ὄνους σύρματ' ἂν ἑλέσθαι μᾶλλον ἢ χρυσόν.

Les ânes prennent la paille plutôt que l'or.

Mais l'or, l'éclat sans apparence de la clarté, ne se laisse pas prendre, parce que lui-même ne prend pas, mais est pur avènement [1]. L'éclat sans apparence de la clarté émane du « s'abriter » inviolé, sous la garde, qui se contient, du Destin. C'est pourquoi l'éclat de la clarté est aussi, en lui-même, le « se-voiler » et, pour autant, la chose la plus obscure.

Héraclite est appelé ὁ Σκοτεινός. Nom qu'il conservera à l'avenir. Il est « l'Obscur », parce qu'il pense, en questionnant, vers la Clarté.

1. *Das reine Ereignen.*

INDICATIONS

La question de la technique.

Conférence prononcée le 18 novembre 1953 dans l'*Auditorium Maximum* de l'École Technique Supérieure de Munich, dans le cadre de la série « Les Arts à l'Époque de la Technique » organisée par l'Académie bavaroise des Beaux-Arts sous la direction du président Emil Preetorius. Publiée dans le tome III de l'*Annuaire de l'Académie* (rédacteur : Clemens comte Podewils), édit. R. Oldenbourg, Munich, 1954, pp. 70 et suiv.

Science et méditation.

Texte d'une conférence prononcée devant un petit cercle d'auditeurs à Munich le 4 août 1953 pour préparer la série de conférences mentionnées ci-dessus.

Dépassement de la métaphysique.

Notes des années 1936 à 1946 sur le dépassement de la métaphysique. La majeure partie en a été donnée comme contribution au volume de *Mélanges* offert à Emil Preetorius. Le morceau XXVI est paru en 1951 dans le *Cahier Barlach* (rédacteur : Egon Vietta) du Théâtre d'État de Darmstadt.

Qui est le Zarathoustra de Nietzsche?

Conférence faite le 8 mai 1953 au Club de Brême. (Cf. le cours *Was heisst Denken?* (« Que veut dire « penser »? »), édit. Niemeyer, Tübingen, 1954, pp. 19 et suiv.)

Que veut dire « penser »?

Conférence prononcée à la radio bavaroise en mai 1952. Publiée dans la revue *Merkur* (directeurs : J. Moras et H. Paeschke), VIe année, 1952, pp. 601 et suiv. (voir le cours sus-mentionné).

Batir habiter penser.

Conférence faite le 5 août 1951 dans le cadre du « IIe Entretien de Darmstadt » sur « L'Homme et l'Espace ». Publiée dans la reproduction de cet Entretien (édit. *Neue Darmstädter Verlagsanstalt*), 1952, pp. 72 et suiv.

La chose.

Conférence prononcée devant l'Académie bavaroise des Beaux-Arts le 6 juin 1950. Publiée dans l'*Annuaire de l'Académie* (rédacteur : Clemens comte Podewils), t. I, « Forme et Pensée », 1951, pp. 128 et suiv.

« ... L'homme habite en poète... »

Conférence faite le 6 octobre 1951 sur la « Colline Bühler ». Publiée dans *Akzente*, revue de poésie (dirigée par W. Höllerer et Hans Bender), cahier 1, 1954, pp. 57 et suiv.

Logos.

Contribution aux *Mélanges* offerts à Hans Jantzen (directeur : Kurt Bauch), Berlin, 1951, pp. 7 et suiv. Prononcée comme conférence au Club de Brême le 4 mai 1951. Le thème a été développé dans un cours non publié du semestre d'été 1944 sur la « Logique ».

Moira.

Partie non prononcée du cours *Was heisst Denken?* (« Que veut dire « penser »? »), édit. Niemeyer, Tübingen, se rattachant aux pp. 146 et suiv.

Alèthéia.

Contribution au volume commémoratif du 350e anniversaire du « Lycée humaniste » de Constance. Lue d'abord dans un cours non publié sur Héraclite (semestre d'été 1943).

NOTE DU TRADUCTEUR

1. Le français « être » traduit à la fois *Sein* et *Wesen*. Heidegger emploie *Sein* quand il parle de l' « être » tout court, ou de l'être de l'étant. Il nomme *Wesen* l'être de toute chose particulièrement désignée : l'être de la vérité, l'être de l'habitation.

Dans le premier morceau, cependant, et dans certains cas spéciaux très rares, *Wesen* est traduit par « essence ».

« L'être de l'être » veut dire « le *Wesen* du *Sein* » ou plus rarement *das Wesende des Seins*.

La majuscule donnée à « Être » (pp. 107, 111, 113 et 131) indique, d'une façon purement conventionnelle, que l'auteur a alors préféré l'orthographe *Seyn*.

L'infinitif *wesen*, qui n'appartient plus à la langue parlée, est l'ancien *wesan*, « être », qui a été plus tard remplacé par *sein*. Aujourd'hui le verbe *wesen* se survit à lui-même dans la langue littéraire avec le sens d'être, se présenter ou se comporter de telle manière. Il implique alors une idée de vie, d'activité et de rayonnement qui manque à *sein*. *Wesan* ou *wesen*, d'ailleurs, ne voulait pas dire seulement « être », mais aussi « demeurer en un lieu, séjourner, habiter ». (Cf. le sanscrit *vas*, « habiter ».) *Das Wesen*, l'être, l'essence, la manière d'être, le comportement (cf. p. 41) semble avoir désigné originellement le séjour, la demeure, l'habitation. Or, habiter, c'est être présent à un monde, à un lieu; et le verbe allemand pour « être présent », *anwesen*, est effectivement un composé de *wesen*. La chose déploie donc plus ou moins son être dans le *Wesen*, alors que le *Sein* est beaucoup plus caché et mystérieux. Le *Sein* est énigmatique et ses rapports avec le *Nichts* sont étroits.

2. Il est significatif que plus de la moitié des termes caractéristiques de l'ouvrage soient composés avec le préfixe *ge-*. Le sens rassemblant du préfixe ne saurait être perdu de vue et il est souvent précisé par l'auteur. *Gewesen*, par exemple, est l'être *(Wesen)* en mode rassemblé, *Gebirg* l'abri rassemblant. Il ressort d'ailleurs du contexte que ce rassemblement est originel et intrinsèque, non pas ajouté ni opéré. C'est en lui, c'est dans le λέγειν du Logos, qu'une chose découvre son être, c'est lui qui la « conduit à son être et l'y abrite » (*Zur Seinsfrage*, p. 8). On pourrait presque avancer que le *ge-*, dans tous ces termes, est plus lourd de sens que ce qui le suit. Atone dans la prononciation, il est accentué dans le dire de la parole, qui est lui-même un rassemblement.

3. La distinction de *Geschichte* (histoire) et de *Historie*, de *geschichtlich* (historique) et de *historisch* semble assez claire. *Geschichte* désigne tout ce qui arrive *(geschieht)*. C'est la réalité historique telle qu'elle est en elle-même, avec tout ce qu'elle implique comme appels, forces, réactions, destinées. En ce sens, il est question de l'histoire de l'être. L'*Historie* est la science historique avec ses résultats, c'est ce que nous faisons et voyons. On pourra se reporter aux observations de l'auteur p. 71. Nous écrivons dans les deux cas *histoire* et *historique*, mais là où le texte porte *Historie* ou *historisch*, le mot français est placé entre guillemets.

4. Le verbe *ereignen* et son dérivé *Ereignis*, qui abritent une multiplicité de sens, comptent parmi les termes du livre les plus difficiles à traduire. Ces sens se rattachent à trois acceptions principales :

a) Produire ou atteindre ce qui est propre à l'être ou à un être (*ereignen* dérivé de *eigen*, « propre »), d'où : accéder à son être propre, conduire dans la clarté de l'être propre (p. 205), faire apparaître ou laisser apparaître, révéler, comme l'être propre, parfois (p. 272) approprier.

b) Montrer, manifester (sens ancien de *ereignen* dérivé de *Ouga*, « œil »).

c) Au réfléchi *(sich ereignen)* : avoir lieu, se produire (sens moderne du précédent). D'où *Ereignis*, « événement ».

Il est rare qu'un de ces trois sens exclue les autres. Mais on a dû se borner à indiquer chaque fois le sens qui a semblé prépondérant.

L'*Ereignis* heideggérien est à la fois une naissance ou éclosion et une apparition, c'est une éclaircie, une clarté ou une fulguration, par laquelle l'être accède à ce qu'il a en propre. Que ce soit l'être propre qui s'y révèle distingue l'*Ereignis*, qui est « avènement » et histoire de l'être, des simples événements de l' « histoire » ordinaire.

Sur *ereignen* et *Ereignis*, voir *Identität und Differenz*, pp. 28-32.

5. *Brauchen*, dont les deux acceptions modernes sont « se servir de » et « avoir besoin de », a plus souvent dans l'ouvrage le sens indiqué dans les *Holzwege*, pp. 337 et suiv. : remettre une chose à son être propre, à sa durée, la laisser être présente et en même temps la conserver en main et ainsi la préserver. *Brauchen* précise le rapport de l'être à la chose présente, la façon dont il s'approche d'elle et dont il la traite.

6. L'emploi fréquent des termes *verborgen* (« caché ») et *unverborgen* (« non-caché ») ne saurait suggérer une délimitation rigoureuse entre deux concepts opposés et s'excluant. « Par *verborgen*, il faut entendre plutôt « en retrait » que « caché » » (Heid.). — Dans *Der Satz vom Grund*, l'idée du retrait apparaîtra expressément, sous le nom d'*Entzug*.

TABLE DES MATIÈRES

Préface, par Jean Beaufret VII

ESSAIS ET CONFÉRENCES

Avant-propos 5

I

La question de la technique 9
Science et méditation 49
Dépassement de la métaphysique 80
Qui est le Zarathoustra de Nietzsche? 116

II

Que veut dire « penser »? 151
Bâtir habiter penser 170
La chose 194
« ... L'homme habite en poète... » 224

III

Logos (Héraclite, fragment 50) 249
Moîra (Parménide, VIII, 34-41) 279
Alèthéia (Héraclite, fragment 16) 311

Indications 343

Note du traducteur 347

DU MÊME AUTEUR

Aux Éditions Gallimard

KANT ET LE PROBLÈME DE LA MÉTAPHYSIQUE

QU'EST-CE QUE LA PHILOSOPHIE ?

ESSAIS ET CONFÉRENCES

LE PRINCIPE DE RAISON

CHEMINS QUI NE MÈNENT NULLE PART

APPROCHE DE HÖLDERLIN

L'ÊTRE ET LE TEMPS

QUESTIONS, I : Qu'est-ce que la métaphysique ? — Ce qui fait l'être-essentiel d'un fondement ou « raison » — De l'essence de la vérité — Contribution à la question de l'être — Identité et différence

QUESTIONS, II : Qu'est-ce que la philosophie ? — Hegel et les Grecs — La thèse de Kant sur l'être — La doctrine de Platon sur la vérité — Ce qu'est et comment se détermine la Physis

QUESTIONS, III : Le chemin de campagne — L'expérience de la pensée — Hebel — Lettre sur l'humanisme — Sérénité

QUESTIONS, IV : Temps et Être — La fin de la philosophie et la tâche de la pensée — Le tournant — La phénoménologie et la pensée de l'être — Les séminaires du Thor — Le séminaire de Zähringen

INTRODUCTION À LA MÉTAPHYSIQUE

TRAITÉ DES CATÉGORIES ET DE LA SIGNIFICATION CHEZ DUNS SCOT

QU'EST-CE QU'UNE CHOSE ?

NIETZSCHE, I et II

HÉRACLITE. Séminaire du semestre d'hiver 1966-1967 *(en collaboration avec Eugen Fink)*

ACHEMINEMENT VERS LA PAROLE

SCHELLING. Le Traité de 1809 sur l'essence de la liberté humaine

INTERPRÉTATION PHÉNOMÉNOLOGIQUE DE LA « CRITIQUE DE LA RAISON PURE » DE KANT

Aux Éditions Montaigne

LETTRE SUR L'HUMANISME (édition bilingue)

Aux Presses Universitaires de France

QU'APPELLE-T-ON PENSER ?

TEL

Volumes parus

1. Jean-Paul Sartre : *L'être et le néant.*
2. François Jacob : *La logique du vivant.*
3. Georg Groddeck : *Le livre du Ça.*
4. Maurice Merleau-Ponty : *Phénoménologie de la perception.*
5. Georges Mounin : *Les problèmes théoriques de la traduction.*
6. Jean Starobinski : *J.-J. Rousseau, la transparence et l'obstacle.*
7. Émile Benveniste : *Problèmes de linguistique générale, I.*
8. Raymond Aron : *Les étapes de la pensée sociologique.*
9. Michel Foucault : *Histoire de la folie à l'âge classique.*
10. H.-F. Peters : *Ma sœur, mon épouse.*
11. Lucien Goldmann : *Le Dieu caché.*
12. Jean Baudrillard : *Pour une critique de l'économie politique du signe.*
13. Marthe Robert : *Roman des origines et origines du roman.*
14. Erich Auerbach : *Mimésis.*
15. Georges Friedmann : *La puissance et la sagesse.*
16. Bruno Bettelheim : *Les blessures symboliques.*
17. Robert van Gulik : *La vie sexuelle dans la Chine ancienne.*
18. E. M. Cioran : *Précis de décomposition.*
19. Emmanuel Le Roy Ladurie : *Le territoire de l'historien.*
20. Alfred Métraux : *Le vaudou haïtien.*
21. Bernard Groethuysen : *Origines de l'esprit bourgeois en France.*
22. Marc Soriano : *Les contes de Perrault.*
23. Georges Bataille : *L'expérience intérieure.*
24. Georges Duby : *Guerriers et paysans.*
25. Melanie Klein : *Envie et gratitude.*
26. Robert Antelme : *L'espèce humaine.*
27. Thorstein Veblen : *Théorie de la classe de loisir.*
28. Yvon Belaval : *Leibniz, critique de Descartes.*
29. Karl Jaspers : *Nietzsche.*
30. Géza Róheim : *Psychanalyse et anthropologie.*

31. Oscar Lewis : *Les enfants de Sanchez.*
32. Ronald Syme : *La révolution romaine.*
33. Jean Baudrillard : *Le système des objets.*
34. Gilberto Freyre : *Maîtres et esclaves.*
35. Verrier Elwin : *Maisons des jeunes chez les Muria.*
36. Maurice Merleau-Ponty : *Le visible et l'invisible.*
37. Guy Rosolato : *Essais sur le symbolique.*
38. Jürgen Habermas : *Connaissance et intérêt.*
39. Louis Dumont : *Homo hierarchicus.*
40. D. W. Winnicott : *La consultation thérapeutique et l'enfant.*
41. Soeren Kierkegaard : *Étapes sur le chemin de la vie.*
42. Theodor W. Adorno : *Philosophie de la nouvelle musique.*
43. Claude Lefort : *Éléments d'une critique de la bureaucratie.*
44. Mircea Eliade : *Images et symboles.*
45. Alexandre Kojève : *Introduction à la lecture de Hegel.*
46. Alfred Métraux : *L'île de Pâques.*
47. Émile Benveniste : *Problèmes de linguistique générale, II.*
48. Bernard Groethuysen : *Anthropologie philosophique.*
49. Martin Heidegger : *Introduction à la métaphysique.*
50. Ernest Jones : *Hamlet et Œdipe.*
51. R. D. Laing : *Soi et les autres.*
52. Martin Heidegger : *Essais et conférences.*
53. Paul Schilder : *L'image du corps.*
54. Leo Spitzer : *Études de style.*
55. Martin Heidegger : *Acheminement vers la parole.*
56. Ludwig Binswanger : *Analyse existentielle et psychanalyse freudienne (Discours, parcours et Freud).*
57. Alexandre Koyré : *Études d'histoire de la pensée philosophique.*
58. Raymond Aron : *Introduction à la philosophie de l'histoire.*
59. Alexander Mitscherlich : *Vers la société sans pères.*
60. Karl Löwith : *De Hegel à Nietzsche.*
61. Martin Heidegger : *Kant et le problème de la métaphysique.*
62. Anton Ehrenzweig : *L'ordre caché de l'art.*
63. Sami-Ali : *L'espace imaginaire.*
64. Serge Doubrovsky : *Corneille et la dialectique du héros.*
65. Max Schur : *La mort dans la vie de Freud.*
66. Émile Dermenghem : *Le culte des saints dans l'Islam maghrébin.*
67. Bernard Groethuysen : *Philosophie de la Révolution française,* précédé de *Montesquieu.*
68. Georges Poulet : *L'espace proustien.*

69. Serge Viderman : *La construction de l'espace analytique.*
70. Mikhaïl Bakhtine : *L'œuvre de François Rabelais et la culture populaire au Moyen Âge et sous la Renaissance.*
71. Maurice Merleau-Ponty : *Résumés de cours (Collège de France, 1952-1960).*
72. Albert Thibaudet : *Gustave Flaubert.*
73. Leo Strauss : *De la tyrannie.*
74. Alain : *Système des beaux-arts.*
75. Jean-Paul Sartre : *L'Idiot de la famille, I.*
76. Jean-Paul Sartre : *L'Idiot de la famille, II.*
77. Jean-Paul Sartre : *L'Idiot de la famille, III.*
78. Kurt Goldstein : *La structure de l'organisme.*
79. Martin Heidegger : *Le principe de raison.*
80. Georges Devereux : *Essais d'ethnopsychiatrie générale.*
81. J.-B. Pontalis : *Entre le rêve et la douleur.*
82. Max Horkheimer/Theodor W. Adorno : *La dialectique de la Raison.*
83. Robert Klein : *La forme et l'intelligible.*
84. Michel de M'Uzan : *De l'art à la mort.*
85. Sören Kierkegaard : *Ou bien... Ou bien...*
86. Alfred Einstein : *La musique romantique.*
87. Hugo Friedrich : *Montaigne.*
88. Albert Soboul : *La Révolution française.*
89. Ludwig Wittgenstein : *Remarques philosophiques.*
90. Alain : *Les Dieux* suivi de *Mythes et Fables* et de *Préliminaires à la Mythologie.*
91. Hermann Broch : *Création littéraire et connaissance.*
92. Alexandre Koyré : *Études d'histoire de la pensée scientifique.*
93. Hannah Arendt : *Essai sur la Révolution.*
94. Edmund Husserl : *Idées directrices pour une phénoménologie.*
95. Maurice Leenhardt : *Do Kamo (La personne et le mythe dans le monde mélanésien).*

Ouvrage reproduit
par procédé photomécanique.
Impression S.E.P.C.
à Saint-Amand (Cher), 13 janvier 1986.
Dépôt légal : janvier 1986.
1er dépôt légal : octobre 1980.
Numéro d'imprimeur : 048.

ISBN 2-07-022220-9./Imprimé en France.

37147